Ein Tag wie ein Leben

NICHOLAS SPARKS

Ein Tag wie ein Leben

Roman

Aus dem Amerikanischen von
Adelheid Zöfel

HEYNE ‹

Die Originalausgabe erschien unter dem Titel

THE WEDDING

bei Warner Books, Inc., N.Y.

Umwelthinweis:
Dieses Buch wurde auf chlor- und
säurefreiem Papier gedruckt.

Copyright © 2003 by Nicholas Sparks
Copyright © 2004 der deutschen Ausgabe by
Wilhelm Heyne Verlag, München
in der Verlagsgruppe Random House GmbH
Redaktion: Lüra – Klemt & Mues GbR
Gesetzt aus der 11,2/14,6 Punkt ITC Slimbach in PostScript
Satz: Christine Roithner Verlagsservice, Breitenaich
Druck und Bindung: GGP Media GmbH, Pößneck
Printed in Germany 2004

ISBN 3-453-00042-0
www.heyne.de

Für Cathy,

*die mich zum glücklichsten Menschen
auf der ganzen Welt gemacht hat,
als sie meinen Heiratsantrag annahm.*

PROLOG

Kann ein Mensch sich wirklich ändern? Oder sind uns durch unseren Charakter und die Macht der Gewohnheit unverrückbare Grenzen gesetzt, die unser Leben bestimmen?

Solche Fragen gehen mir durch den Sinn, während ich beobachte, wie eine Motte aufgeregt das Windlicht umschwirrt. Es ist Mitte Oktober 2003, und ich sitze allein hier draußen auf der Veranda. Jane, meine Frau, schläft oben in unserem Schlafzimmer, und als ich vorhin aus dem Bett geschlüpft bin, hat sie sich nicht gerührt. Es ist spät. Mitternacht ist längst vorüber, und in der Luft liegt bereits diese fröstelige Kühle, die den nahenden Winter ahnen lässt. Ich habe meinen flauschigen Bademantel übergezogen. Eigentlich müsste er warm genug sein, um die Kälte abzuhalten, aber schließlich fange ich doch an zu zittern, und ich vergrabe meine Hände tief in den Taschen.

Über mir wölbt sich der Nachthimmel mit seinen unzähligen Sternen, die wie silberne Lichttupfer auf einer pechschwarzen Leinwand aussehen. Ich erkenne den Orion und die Plejaden, den Großen

Wagen und die Corona Borealis, die Nördliche Krone. Dieser Anblick sollte mich inspirieren – schließlich blicke ich nicht nur zu den Sternen empor, sondern gleichzeitig weit zurück in die Vergangenheit: Die Helligkeit, die von diesen Himmelskörpern ausgeht, wurde schon vor vielen Lichtjahren entsandt. Ich warte auf eine poetische Eingebung, auf die bewegenden Worte, mit denen ein Dichter die Mysterien des Lebens beschreiben würde. Aber ich warte vergebens.

Das wundert mich nicht. Ich bin kein besonders sentimentaler Mensch, finde ich, und in diesem Punkt würde mir meine Frau sicher zustimmen. Weder im Kino noch im Theater bin ich je richtig gerührt, ich bin kein Träumer, und wenn es etwas gibt, was mir wirklich wichtig ist und mich zu Höchstleistungen anspornt, hat es garantiert mit der Steuergesetzgebung und ähnlichen juristischen Problemen zu tun. Als Anwalt für Erbschaftsfragen komme ich häufig mit Menschen in Berührung, die sich auf den Tod vorbereiten. Ich glaube, manche Leute finden diese Art von Arbeit eher befremdlich. Aber selbst wenn sie Recht haben – was soll ich tun? Ich will mich nicht rechtfertigen, nichts läge mir ferner, und ich hoffe, dass Sie am Ende der Geschichte, die ich jetzt erzählen möchte, diese Seite meines Charakters mit mehr Nachsicht und Verständnis betrachten.

Bitte, verstehen Sie mich nicht falsch! Ich bin zwar nicht sentimental, aber das heißt noch lange nicht, dass ich keine Gefühle habe, im Gegenteil – es gibt Augenblicke, in denen ich tief ergriffen bin. Meistens sind es kleine Dinge, die diese Ergriffenheit auslösen: Ich brauche zum Beispiel nur zwischen den riesigen Mammutbäumen der Sierra Nevada zu stehen … Die Ergriffenheit kommt auch, wenn ich zuschaue, wie sich in der einsamen Dünenlandschaft von Cape Hatteras, dieser halbmondförmigen Insel vor der Küste North Carolinas, die Wellen des Ozeans brechen und salzige Gischt aufspritzt. Letzte Woche hatte ich einen Kloß in der Kehle, nur weil ich beobachtet habe, wie ein kleiner Junge Schutz suchend nach der Hand seines Vaters tastete, während sie den Gehweg entlanggingen. Ich könnte noch andere Situationen beschreiben: Zum Beispiel verliere ich jedes Zeitgefühl, wenn ich den Wolken nachschaue, die der Wind vor sich her treibt. Und sobald ich Donnergrollen höre, renne ich ans Fenster, weil ich unbedingt mitbekommen will, wie der nächste Blitz den Himmel erhellt – und dann erfasst mich immer eine unbeschreibliche Sehnsucht, ein heftiges Verlangen, von dem ich gar nicht sagen kann, wonach.

Ich heiße Wilson Lewis, und dieses Buch ist die Geschichte einer Hochzeit. Und die Geschichte einer Ehe. Obwohl Jane und ich seit dreißig Jahren zusammenleben, gibt es bestimmt viele Leute, die wesentlich mehr von der Ehe verstehen als ich. In dieser Beziehung kann von mir niemand etwas lernen, und ich vermag keine guten Ratschläge zu erteilen. Ich habe mich schon oft egoistisch und eigensinnig verhalten, und gelegentlich bin ich ahnungslos wie ein Goldfisch im Aquarium – und diese Selbsterkenntnis macht mir sehr zu schaffen. Rückblickend würde ich allerdings sagen, dass ich *eine* Sache richtig gemacht habe: Ich habe meine Frau immer geliebt, und ich liebe sie bis heute. Viele würden jetzt vielleicht einwenden, das sei doch eine Selbstverständlichkeit und deswegen nicht weiter erwähnenswert. Aber es ist noch gar nicht so lange her, da war ich fest davon überzeugt, dass meine Frau diese Gefühle nicht mehr erwidert.

In jeder Ehe gibt es Höhen und Tiefen, das ist klar, und ich glaube, bei Paaren, die lange zusammen sind, gehört dieses Auf und Ab einfach dazu. Wie vieles haben meine Frau und ich gemeinsam durchgestanden! Den Tod meiner Eltern, den Tod ihrer Mutter, die Krankheit ihres Vaters. Wir sind vier Mal umgezogen, und bei allem beruflichen Erfolg meinerseits mussten wir doch auch zahlreiche Opfer bringen, um unseren Lebensstandard zu sichern. Wir haben drei Kinder, und die Erfahrung, Kinder großzuziehen, würden wir gegen nichts auf der Welt eintauschen, auch nicht gegen die Schätze eines Tutenchamun – aber die schlaflosen Nächte, die unzähligen Fahrten zum Arzt und ins Krankenhaus, als die Kinder noch kleiner waren, haben doch sehr an unseren Kräften gezehrt und uns oft regelrecht überfordert. Dass ich die Pubertätsjahre nicht unbedingt noch einmal durchmachen möchte, brauche ich vermutlich nicht weiter zu begründen.

Diese Dinge bringen alle ihre spezifischen Probleme mit sich, und wenn zwei Menschen zusammenleben, teilen sie Tag für Tag den Stress. Meiner Meinung nach liegt darin sowohl der Segen als auch der Fluch einer Ehe. Es ist ein Segen, weil man immer ein Ventil hat, um Dampf abzulassen und die Alltagssorgen loszuwerden. Es ist ein Fluch, weil das Ventil ausgerechnet die Person ist, die man am liebsten mag.

Warum erwähne ich das? Weil ich unterstreichen möchte, dass mir trotz allem während der ganzen Zeit niemals Zweifel an meinen Gefühlen für meine Frau gekommen sind. Natürlich gab es Tage, an denen wir uns am Frühstückstisch gegenübersaßen und uns angeschwiegen haben, doch selbst in den Momenten habe ich uns als Paar nicht infrage gestellt. Ich will nicht so tun, als hätte ich mir nie ausgemalt, wie mein Leben verlaufen wäre, wenn ich eine andere Frau geheiratet hätte, aber ich habe nie bedauert, dass ich mich für Jane entschied – und sie sich für mich. In meinen Augen war unsere Beziehung immer unverhandelbar und absolut stabil. Doch dann musste ich auf einmal erkennen, dass ich mich geirrt hatte. Darauf war ich nicht vorbereitet. Diese schmerzhafte Erkenntnis liegt jetzt ein gutes Jahr zurück – vierzehn Monate, genauer gesagt –, und sie hat einen Prozess in Gang gesetzt, der vieles andere nach sich zog.

Was damals passiert ist, fragen Sie?

Wenn man bedenkt, dass ich mich in den so genannten besten Mannesjahren befinde, könnte man auf die Idee kommen, dass alles nur mit meiner Midlifecrisis zusammenhing. Hat mich womöglich plötzlich der Wunsch gepackt, mein Leben radikal umzukrempeln? Oder habe ich mich zu einem Seitensprung verführen lassen? Nein, nein, nichts dergleichen. Es hätten viele Katastrophen eintreten können, um unsere Ehe aus dem Lot zu bringen, doch in Wirklichkeit war es eine Bagatelle, die man unter anderen Umständen ein paar Jahre später als lustige Anekdote zum Besten gegeben hätte. Aber das, was ich getan habe, war für Jane sehr schlimm, es war für uns beide schlimm, und deshalb beginnt hier meine Geschichte.

Es war der 23. August 2002. Ich war aufgestanden, hatte gefrühstückt und, wie meistens, den größten Teil des Tages in der Kanzlei verbracht. Was sich während meines Arbeitstages ereignete, hat für den weiteren Gang der Ereignisse keine Bedeutung, und ich muss zugeben, dass ich mich an nichts erinnern kann – außer, dass es keine außergewöhnlichen Vorkommnisse gab. Ich kam zur üblichen Zeit nach Hause und stellte erfreut fest, dass Jane dabei war, mein Lieblingsessen zuzubereiten. Bei der Begrüßung fiel mir auf, dass ihr Blick nach unten wanderte, als wolle sie überprüfen, ob ich außer meiner Aktentasche noch etwas anderes in der Hand hielt. Warum sie das tat, begriff ich erst viel später. Aber außer meinen Unterlagen und Akten hatte ich nichts dabei. Eine Stunde später saßen wir beim Abendessen, und während Jane anschließend den Tisch abdeckte, holte ich schon die Papiere aus meiner Tasche, die ich noch durchgehen wollte. Ich saß in meinem Arbeitszimmer und überflog gerade die erste Seite, als Jane in der Tür erschien. Sie stand einfach nur da und trocknete sich die Hände am Geschirrtuch ab – mit einer Miene, die tiefe Enttäuschung ausdrückte. Diese Enttäuschung habe ich im Laufe der Jahre zu identifizieren gelernt, auch wenn ich sie nicht immer zuordnen kann.

»Möchtest du mir irgendetwas sagen?«, fragte sie nach einer Weile.

Ich zögerte. Dass hinter dieser scheinbar harmlosen Frage etwas anderes steckte, wusste ich natürlich sofort. Hatte sie vielleicht eine neue Frisur? Nein, ihre Haare waren nicht anders als sonst, sagte mir ein prüfender Blick. Ich hatte mir längst angewöhnt, auf solche Kleinigkeiten zu achten. Was sonst konnte es sein? Ich durfte nicht zu lange schweigen, aber ich wusste beim besten Willen nicht weiter.

»Wie war dein Tag?«, erkundigte ich mich schließlich.

Mit einem eigenartigen Lächeln wandte sie sich ab und ging, ohne etwas zu antworten.

Inzwischen weiß ich natürlich, was sie erwartet hat, aber in dem Moment zuckte ich nur ratlos die Achseln und vertiefte mich wieder in meine Arbeit. Vielleicht, so dachte ich, sollte ich den Vorfall am besten in dem Ordner »Frauen sind ein Rätsel« abheften.

Ich ging ziemlich spät schlafen, doch als ich es mir gerade unter der Bettdecke bequem machen wollte, hörte ich von der anderen Seite des Betts ein eigenartiges Geräusch, das wie ein Schluchzen klang. Jane wandte mir den Rücken zu, aber als ich ihre zuckenden Schultern sah, wusste ich, dass sie tatsächlich weinte. Erschrocken flehte ich sie an, mir doch bitte zu sagen, was los sei, doch als Antwort erhielt ich nur ein röchelndes Schniefen. Ich bekam es mit der Angst zu tun, versuchte aber, die Panik zu unterdrücken und nicht gleich daran zu denken, was ihrem Vater oder den Kindern Schreckliches zugestoßen sein könnte. Oder hatte Jane vielleicht von ihrem Arzt eine bedrückende Neuigkeit erfahren? Probleme, die ich nicht lösen kann, machen mich immer völlig fertig, ich möchte sie am liebsten ganz weit weg schieben. Ich legte Jane die Hand auf die Schulter, in der Hoffnung, sie auf diese Weise ein bisschen beruhigen zu können.

»Was ist los?«

Es dauerte eine ganze Weile, bis sie reagierte. Mit einem tiefen Seufzer zog sie sich die Bettdecke über die Schultern und flüsterte:

»Alles Gute zum Hochzeitstag.«

Neunundzwanzig Jahre! In dem Moment fiel es mir wie Schuppen von den Augen, aber es war zu spät. Jetzt erst entdeckte ich auf der Kommode die Geschenke, die sie für mich gekauft hatte, wunderschön verpackt und säuberlich gestapelt.

Ich hatte unseren Hochzeitstag einfach vergessen.

Ich will mich nicht verteidigen, selbst wenn ich es könnte. Was würde es nutzen? Selbstverständlich habe ich mich sofort bei Jane entschuldigt, am nächsten Morgen noch einmal, und als wir abends auf dem Sofa saßen und sie das Parfum auspackte, das ich mit Unterstützung einer jungen Dame bei *Belk's* für sie ausgewählt hatte, lächelte sie, bedankte sich und tätschelte mein Bein.

In diesem Moment spürte ich mit fast schmerzlicher Klarheit, dass ich sie noch genauso liebte wie am Tag unserer Hochzeit. Doch als ich sie anschaute, fiel mir zum ersten Mal auf, dass sie meinem Blick auswich und traurig den Kopf zur Seite neigte – und plötzlich stellte ich fest, dass ich nicht mehr mit derselben Sicherheit sagen konnte, ob sie *mich* noch liebte.

Kapitel 1

Es bricht einem Mann das Herz, wenn er sich fragen muss, ob ihn die eigene Frau nicht mehr liebt. Nachdem Jane an jenem Abend mit dem neuen Parfum oben in unserem Schlafzimmer verschwunden war, saß ich noch stundenlang auf der Couch und grübelte, wie es so weit hatte kommen können. Zuerst versuchte ich mir einzureden, dass Jane einfach nur extrem empfindlich reagiert hatte und ich die Situation falsch interpretierte. Aber je mehr ich nachdachte, desto deutlicher wurde es mir: Sie war nicht nur von ihrem vergesslichen, unaufmerksamen Ehemann enttäuscht. Da war noch etwas anderes. In ihr verbarg sich eine tiefe Melancholie, die sich über längere Zeit hinweg entwickelt haben musste – dass ich nicht an den Hochzeitstag gedacht hatte, war nur der Tropfen, der das Fass zum Überlaufen brachte. Es war der letzte in einer langen Reihe gedankenloser Fehltritte.

Hielt Jane unsere Ehe für gescheitert? Diese Frage hätte ich lieber verdrängt, weil ich mir beim besten Willen nicht vorstellen mochte, dass sie so empfand. Aber hatte ihr Gesicht nicht genau dies ausgedrückt?

Und was bedeutete das für unsere Zukunft? Überlegte sie sich etwa, ob sie wirklich bei mir bleiben sollte? Fand sie es überhaupt noch gut, dass sie mich geheiratet hatte? Ich muss hinzufügen, dass mir all diese Fragen entsetzliche Angst einjagten – aber noch mehr fürchtete ich mich natürlich vor den Antworten. Bis dahin war ich nämlich immer davon ausgegangen, dass Jane mit mir genauso glücklich war wie ich mit ihr.

Was war geschehen? Warum entwickelten sich unsere Gefühle plötzlich voneinander weg?

Vielleicht muss ich an dieser Stelle erst einmal ein paar Sachverhalte klären und zu einem kleinen Exkurs ausholen. Ich glaube, die meisten Leute würden unser Leben als relativ durchschnittlich und normal bezeichnen. Als Ehemann bin ich der Ernährer und sichere den finanziellen Unterhalt der Familie. In meinem Leben dreht sich so gut wie alles um mein berufliches Weiterkommen. Ich arbeite seit dreißig Jahren in der Anwaltskanzlei Ambry, Saxon & Tundle in New Bern, North Carolina. Zwar verdiene ich keine astronomischen Summen, aber doch genug, um mit Fug und Recht sagen zu können, dass wir zur gehobenen Mittelschicht gehören. Am Wochenende spiele ich Golf und kümmere mich um den Garten. Ich höre am liebsten klassische Musik und lese jeden Morgen die Zeitung.

Jane arbeitete früher als Grundschullehrerin, aber seit unserer Heirat war sie vor allem für die drei Kinder da. Sie ist sowohl für den gesamten Haushalt als auch für unser gesellschaftliches Leben zuständig. Ihr ganzer Stolz sind die wunderschönen Fotoalben, in denen sie liebevoll unser Leben dokumentiert. Wir wohnen in einem hübschen Backsteinhaus mit Holzzaun, automatischem Rasensprenger und allem, was dazugehört. Wir besitzen zwei Autos und sind Mitglied bei den Rotariern und im Club für Handel und Touristik. Seit wir verheiratet sind, legen wir regelmäßig jeden Monat etwas fürs Alter zurück. Wir haben hinten im Garten eine Holzschaukel aufgestellt, die längst niemand mehr benutzt, wir waren bei Dutzenden von Elternabenden, wir gehen immer brav zur Wahl und jeden Sonntag in die Kirche. Ich bin sechsundfünfzig, drei Jahre älter als meine Frau.

Ich liebe Jane, aber manchmal denke ich, wir sind doch ein sehr ungleiches Paar. Wahrscheinlich hätte kein Mensch erwartet, dass ausgerechnet wir zwei das Leben gemeinsam verbringen würden. Wir sind so verschieden! Es heißt ja immer, Gegensätze ziehen sich an, aber ich bin fest davon überzeugt, dass ich an unserem Hochzeitstag den besseren Teil erwählt habe. Jane ist genau der Mensch, der ich gern wäre. Ich bin in der Regel sehr rational und neige zu nüchterner Logik, während Jane immer nett und umgänglich ist – sie geht auf andere Leute zu und strahlt eine Wärme aus, mit der sie alle Herzen für sich gewinnt. Sie lacht oft und gern und besitzt einen großen Freundeskreis. Im Laufe der Zeit habe ich gemerkt, dass meine Freunde größtenteils die Männer der Freundinnen meiner Frau sind, aber ich nehme an, in unserem Alter ist das bei den meisten Ehepaaren der Fall. Allerdings habe ich insofern Glück, als Jane ihre Freundinnen auch im Gedanken an mich ausgesucht hat, und es ist sehr angenehm für mich, dass deshalb bei Dinnerpartys immer ein Gesprächspartner für mich dabei ist. Wäre Jane nicht in mein Leben getreten, würde ich heute garantiert ein zurückgezogenes Mönchsleben führen.

Aber da ist noch etwas: Ich bin immer wieder sprachlos, wenn ich sehe, wie leicht es Jane fällt, ihre Gefühle zu zeigen. Wenn sie traurig ist, weint sie, wenn sie sich freut, strahlt sie über das ganze Gesicht. Am glücklichsten ist sie, wenn man sie mit etwas Schönem überrascht. Sie besitzt eine fast kindliche Unschuld, und obwohl logischerweise das Wesen einer Überraschung darin liegt, dass man nicht darauf vorbereitet ist, kann bei Jane die Erinnerung an eine angenehme Überraschung noch Jahre später dieselben Gefühle hervorzaubern. Wenn ich beobachte, dass sie vor sich hin träumt, frage ich sie manchmal, was sie gerade denkt, und dann erzählt sie mir ganz begeistert eine Geschichte, die ich schon lang vergessen habe. Das verblüfft mich jedes Mal.

Jane hat ein unglaublich weiches Herz, aber in vielerlei Hinsicht ist sie stärker und robuster als ich. Sie hat feste Überzeugungen und Wertvorstellungen, die von ihrem Glauben an Gott und an die Familie geprägt sind, wie bei den meisten Frauen hier in den Südstaaten. Sie unterteilt die Welt in Gut und Böse, in

Richtig und Falsch. Ihre Entscheidungen trifft sie aus dem Bauch heraus – und liegt damit fast immer richtig, wohingegen ich sämtliche Alternativen abwägen muss und mir dadurch häufig selbst ein Bein stelle. Im Gegensatz zu mir quält sich meine Frau fast nie mit Selbstzweifeln. Was andere Leute über sie denken, kümmert sie nicht. Um diese innere Sicherheit beneide ich sie ganz besonders.

Ein paar der Unterschiede zwischen uns rühren wahrscheinlich daher, dass wir aus ganz verschiedenen Verhältnissen stammen. Jane ist mit drei Geschwistern in einer Kleinstadt aufgewachsen. Ihre Eltern waren immer für die Kinder da und haben sie über alles geliebt. Ich komme aus Washington, D.C., bin ein Einzelkind, meine Eltern waren beide Rechtsanwälte, die für die Regierung arbeiteten und selten vor sieben Uhr abends nach Hause kamen. Deshalb habe ich nach der Schule viel Zeit allein verbracht, und bis zum heutigen Tag fühle ich mich in der Abgeschiedenheit meines Arbeitszimmers am wohlsten.

Dass wir drei Kinder haben, erwähnte ich bereits. Ich hänge sehr an ihnen, aber ich glaube, sie fühlen sich meiner Frau viel enger verbunden als mir. Jane hat sie geboren und großgezogen, und sie sind immer gern mit ihr zusammen. Manchmal bedaure ich es zwar, dass ich bei weitem nicht so viel Zeit mit ihnen verbracht habe, wie ich mir gewünscht hätte, aber ich tröste mich mit dem Gedanken, dass Jane meine Abwesenheit mehr als wettgemacht hat. Unsere Kinder sind gut geraten, finde ich – trotz meiner geringen

Beteiligung. Inzwischen sind sie erwachsen und wohnen längst nicht mehr zu Hause, aber glücklicherweise ist nur eins von ihnen in einen anderen Bundesstaat gezogen. Unsere beiden Töchter besuchen uns regelmäßig, und meine Frau achtet darauf, dass wir die Sachen, die sie am liebsten essen, stets im Kühlschrank vorrätig haben, falls sie bei ihren Besuchen plötzlich Hunger bekommen, was allerdings nie der Fall zu sein scheint. Wenn sie bei uns sind, reden sie immer stundenlang mit Jane.

Anna, unsere Älteste, ist jetzt siebenundzwanzig. Sie hat schwarze Haare und dunkle Augen. Als Jugendliche wirkte sie oft fast schwermütig, was gut zu ihrem Äußeren zu passen schien. Sie grübelte viel und schloss sich die meiste Zeit in ihrem Zimmer ein, um melancholische Musik zu hören und Tagebuch zu schreiben. In jenen Jahren hatte ich immer wieder das Gefühl, sie gar nicht zu kennen. Es konnte passieren, dass sie in meiner Gegenwart tagelang kein einziges Wort sprach, und ich hatte nicht die geringste Ahnung, warum. Ich konnte sagen, was ich wollte – sie seufzte nur und schüttelte verdrossen den Kopf, und wenn ich wissen wollte, was ihr die Laune verdorben habe, starrte sie mich an, als hätte ich eine völlig absurde Frage gestellt. Meine Frau schien das alles nicht weiter aufzuregen. Sie sagte immer, das sei eben eine Phase, die viele junge Mädchen durchmachten. Aber sie hatte gut reden, denn mit ihr unterhielt sich Anna ja trotz allem. Wenn ich an Annas Zimmer vorbeiging, hörte ich manchmal, wie Mutter und Tochter miteinander tuschelten, aber beim Klang meiner Schritte verstummten sie sofort. Und wenn ich mich später bei Jane erkundigte, worüber sie gesprochen hätten, zuckte sie nur die Achseln und machte eine vage Handbewegung, als hätten sich die beiden verschworen, mich nur ja im Unklaren zu lassen.

Aber als unsere Erstgeborene war Anna immer mein Liebling. Das würde ich zwar nie und nimmer öffentlich zugeben, aber ich glaube, sie weiß es, und in letzter Zeit denke ich öfter, dass sie mir auch in jenen stummen Jahren viel Zuneigung entgegenbrachte – viel mehr, als ich damals wahrnahm. Ich kann mich erinnern, wie sie gelegentlich in mein Arbeitszimmer spazierte, während ich irgendwelche Treuhandverträge oder Testamente studierte. Sie ging dann im Raum auf und ab, betrachtete die Bücher in den Regalen, nahm ab und zu eins in die Hand, aber sobald ich den Mund aufmachte, verschwand sie genauso wortlos wieder, wie sie gekommen war. Im Laufe der Zeit gewöhnte ich mir an, gar nichts zu sagen, und so konnte es geschehen, dass sie eine geschlagene Stunde dablieb und zuschaute, wie ich mir Notizen machte. Wenn ich ihrem Blick begegnete, lächelte sie mir komplizenhaft zu. Dieses Spiel bereitete uns beiden aus irgendeinem Grund großes Vergnügen. Zwar begreife ich bis heute nicht, was damals in ihrem Kopf vor sich ging, aber die Erfahrung hat sich tief in mein Gedächtnis eingegraben.

Zurzeit arbeitet Anna bei einer Zeitung namens *Raleigh News and Observer*, aber ich glaube, sie träumt davon, Schriftstellerin zu werden und Romane zu schreiben. Am College hat sie Kreatives Schreiben studiert, und die Geschichten, die sie für ihre Seminare verfasste, waren so düster wie ihre ganze Persönlichkeit. Ich erinnere mich vor allem an eine, in der sich eine junge Frau prostituiert, um für ihren kranken Vater sorgen zu können, der sie früher missbraucht hat. Als ich die Seiten aus der Hand legte, war ich ziemlich verwirrt und wusste nicht, was ich davon halten sollte.

Außerdem ist Anna gerade das erste Mal richtig verliebt. Da sie ihre Entscheidungen immer sehr umsichtig trifft, war sie auch in Bezug auf Männer ausgesprochen wählerisch, und zum Glück hatte ich bei Keith von Anfang an den Eindruck, dass er nett ist und ihr gut tut. Er will Orthopäde werden und besitzt das Selbstbewusstsein eines Menschen, der im Laufe seines Lebens schon einige Rückschläge überwinden musste. Von Jane habe ich erfahren, dass Keith bei der ersten Verabredung mit Anna am Strand in der Nähe von Fort Macon Drachen steigen ließ. Wenig später brachte Anna ihn mit nach Hause. Keith trug ein Sportjackett und hatte offenbar gerade geduscht, denn er roch dezent nach Eau de Cologne. Als wir uns die Hand gaben, schaute er mir fest in die Augen und sagte mit überzeugender Stimme: »Ich freue mich sehr, Sie kennen zu lernen, Mr Lewis.«

Joseph, unser Zweiter, ist ein Jahr jünger als Anna. Er nennt mich immer nur »Pop«, was sonst niemand in der Familie tut, und auch mit ihm verbinden mich wenig Gemeinsamkeiten. Er ist größer und schmaler als ich, trägt zu sämtlichen Anlässen immer nur Bluejeans, und wenn er an Thanksgiving oder Weihnachten nach Hause kommt, isst er ausschließlich Gemüse. Er war ein stilles Kind und ein wortkarger Jugendlicher, aber wie bei Anna richtete sich seine mangelnde Mitteilsamkeit vor allem gegen mich. Andere Leute sagen oft, er sei sehr humorvoll, aber davon habe ich, ehrlich gesagt, bisher nicht viel gemerkt. Wenn wir zusammen sind, kommt es mir jedes Mal so vor, als würde er immer noch versuchen, sich irgendwie ein Bild von mir zu machen.

Genau wie Jane ist er unglaublich sensibel und einfühlsam. Das wurde schon deutlich, als er noch ein kleines Kind war: Mit fünf begann er, an den Nägeln zu knabbern, weil er sich so sehr um andere Menschen sorgte. Das tut er bis heute, er hat ganz stumpfe Fingerkuppen. Ich brauche vermutlich nicht zu erwähnen, dass er meinen Rat, Betriebs- oder Volkswirtschaft zu studieren, nicht annahm. Er hat sich stattdessen für Soziologie entschieden. Heute arbeitet er in einem New Yorker Frauenhaus, erzählt uns aber so gut wie nichts von seinem Job. Ich weiß, dass ihm viele der Entscheidungen, die ich im Laufe meines Leben getroffen habe, fragwürdig erscheinen, und mir geht es umgekehrt mit ihm genauso. Doch trotz dieser Differenzen führe ich mit Joseph genau die Gespräche, die ich schon immer mit meinen Kindern führen wollte – seit ich sie als Babys in den Armen hielt. Er ist hochintelligent, er hat die Schule mit dem bestmöglichen Notendurchschnitt abgeschlossen, und seine Interessen sind breit gestreut, sie reichen vom Dharma in indischen Religionen bis zu den Anwendungen der Fraktalgeometrie. Außerdem ist er ausgesprochen ehrlich – gelegentlich so extrem, dass es an Taktlosigkeit grenzt –, und dieser Aspekt seiner Persönlichkeit hat zur Folge, dass ich bei Diskussionen mit ihm automatisch den Kürzeren ziehe. Obwohl mich seine Sturheit und Konsequenz manchmal frustrieren, bin ich in solchen Momenten doch auch besonders stolz darauf, dass er mein Sohn ist.

Leslie, unser Küken, unser Nesthäkchen, studiert am Wake Forest College Biologie und Physiologie und möchte Tierärztin werden. Im Sommer kommt sie im Gegensatz zu den meisten Studenten nicht nach Hause, sondern belegt zusätzliche Kurse, um schneller fertig zu werden, und nachmittags arbeitet sie immer für eine Institution mit dem schönen Namen »Animal Farm«. Sie ist umgänglicher als die anderen beiden, und ihr Lachen klingt ähnlich ansteckend wie das von Jane. Leslie kam früher auch oft in mein Arbeitszimmer, genau wie Anna, aber sie war am glücklichsten, wenn ich mich ihr dann ganz und gar widmete. Als kleines Kind ist sie immer auf meinen Schoß geklettert, um mich an den Ohren zu ziehen. Später machte sie sich einen Spaß daraus, mir irgendwelche albernen Witze zu erzählen. Auf meinen Regalen stehen lauter Geschenke, die sie mir im Laufe der Jahre gemacht hat: Gipsabdrücke ihrer Handflächen, Buntstiftzeichnungen, eine Halskette aus Makkaroni. Sie macht es ihrer Umgebung leicht, sie zu lieben. Sie ließ sich immer als Erste von den Großeltern küssen und drücken, und sie kann sich auch heute noch genüsslich auf die Couch kuscheln und einen schmalzigen Liebesfilm ansehen. Ich war nicht überrascht, als sie vor drei Jahren in der Highschool beim großen Abschlussball zur *Homecoming Queen* gewählt wurde.

Vor allem aber hat sie ein unglaublich gutes Herz. Zu ihren Geburtstagspartys lud sie immer die ganze Klasse ein, weil sie niemanden kränken wollte. Und mit neun ist sie eines Nachmittags am Strand von Handtuch zu Handtuch gewandert, weil sie eine Armbanduhr gefunden hatte, die sie unbedingt dem Besitzer zurückgeben wollte. Von meinen Kindern hat Leslie mir am wenigsten Anlass zur Beunruhigung gegeben, und wenn sie nach Hause kommt, lasse ich alles stehen und liegen, weil ich Zeit für sie haben will. Ihre Energie ist so erfrischend, und wenn wir zusammen sind, frage ich mich oft, womit ich eine so charmante Tochter verdient habe.

Jetzt, da alle drei Kinder ausgezogen sind, hat sich die Atmosphäre im Haus vollkommen verändert. Wo früher wummernde Bässe durch die Wände dröhnten, herrscht heute absolute Stille. In unserer Vorratskammer, in der sich noch vor ein paar Jahren alle möglichen Corn-Flakes-Sorten stapelten, findet sich inzwischen nur noch eine einzige – ohne Zucker und mit zusätzlichen Ballaststoffen. Die Möbel in den Zimmern unserer Kinder sind noch dieselben wie früher, aber weil Poster, Pinnwände und überhaupt alle persönlichen Gegenstände verschwunden sind, unterscheiden sich die Räume kaum noch voneinander. Am schlimmsten ist allerdings das Gefühl der Verlassenheit, das sich jetzt über alles breitet. Für eine fünfköpfige Familie war unser Haus ideal. Heute jedoch kommt es mir oft vor wie eine leere Hülse, die uns ständig daran erinnert, wie schön es früher einmal war. Hat Janes eigentümliches Verhalten vielleicht auch etwas mit diesen Veränderungen zu tun?

Doch nun zurück zu meiner Geschichte.

Gleichgültig, was dahinter steckte – die Tatsache, dass Jane und ich uns immer weiter voneinander entfernten, konnte niemand leugnen, und je mehr ich darüber nachdachte, desto deutlicher sah ich, wie tief die Kluft zwischen uns war. Wir hatten als Paar begonnen und uns dann in Eltern verwandelt – ein Prozess, den ich eigentlich für normal und unvermeidlich gehalten hatte. Doch jetzt, nach neunundzwanzig Jahren, begegneten wir uns beinahe wie zwei Fremde. Nur das Ritual der Gewohnheit schien uns noch zusammenzuhalten. Wir führten völlig separate Leben, es gab kaum noch etwas, was uns miteinander verband – unsere Wecker klingelten zu verschiedenen Zeiten, tagsüber sahen wir uns so gut wie nie, und abends gingen wir unseren jeweiligen Verpflichtungen nach. Oft wusste ich gar nicht, wie Janes Tag aussah, und ich muss zugeben, dass ich meinerseits Teile meines Tagesablaufs vor ihr verheimlichte. Ich konnte mich nicht erinnern, wann Jane und ich das letzte Mal über etwas gesprochen hatten, was außerhalb der eingespielten Routine lag.

Aber zwei Wochen nach dem vergessenen Hochzeitstag geschah genau dies: Jane begann ein Gespräch über ein ungewohntes Thema.

»Wilson – wir müssen reden«, sagte sie.

Ich schaute sie erstaunt an. Eine Flasche Wein stand zwischen uns auf dem Tisch, wir waren fast fertig mit dem Essen.

»Ja?«

»Ich habe nachgedacht – ich glaube, ich fände es schön, mal wieder nach New York zu fahren und Joseph zu besuchen.«

»Wollte er denn nicht über die Feiertage hierher kommen?«

»Thanksgiving ist erst in gut zwei Monaten. Und weil er im Sommer gar nicht nach Hause kommen konnte, wäre es doch nicht schlecht, zur Abwechslung einmal zu ihm zu fahren.«

Jane hatte Recht. Ein Tapetenwechsel würde uns sicher gut tun. Vielleicht stand diese Überlegung ja hinter ihrem Vorschlag. Lächelnd griff ich zu meinem Weinglas. »Gute Idee«, pflichtete ich ihr bei. »Wir waren schon ewig nicht mehr in New York – ich glaube, kein einziges Mal, seit wir hierher gezogen sind.«

Jane lächelte ebenfalls, doch dann schlug sie die Augen nieder und starrte auf ihren fast leeren Teller. »Aber da ist noch etwas.«

»Und das wäre?«

»Tja, also – du bist mit deiner Arbeit immer so eingespannt, und ich weiß ja aus Erfahrung, wie schwierig es für dich ist, dich loszueisen ...«

»Ich denke, ein paar Tage könnte ich mir schon
freinehmen«, sagte ich. In Gedanken ging ich bereits
meinen Terminkalender durch. Klar, einfach würde es
nicht werden, aber es schien mir durchaus machbar.
»Wann möchtest du fahren?«

»Das ist es ja eben ...«

»Was meinst du?« Ich merkte, dass sie nicht so richtig mit der Sprache herauswollte, und versuchte, ihr
zu helfen.

»Wilson, bitte, lass mich doch mal ausreden!« Sie
bemühte sich gar nicht, den genervten Unterton in
ihrer Stimme zu verbergen. »Was ich sagen wollte –
ich glaube, ich würde gern allein fahren.«

Ich war sprachlos.

»Damit bist du nicht einverstanden, stimmt's?«, fragte sie.

»Doch, doch«, entgegnete ich hastig. »Weshalb sollte ich nicht einverstanden sein, dass du unseren Sohn
besuchst?« Um meine Gelassenheit zu unterstreichen,
schnitt ich mir noch ein Stück Fleisch ab. »Wann
möchtest du denn fliegen?«

»Nächste Woche. Donnerstag«, antwortete sie.

»Donnerstag?«

»Ja, ich habe schon ein Ticket.«

Sie hatte zwar noch nicht aufgegessen, erhob sich
aber trotzdem und ging in die Küche. Da sie meinem
Blick so konsequent auswich, vermutete ich, dass sie

noch etwas auf dem Herzen hatte, was sie nicht über die Lippen brachte. Ich blieb allein am Tisch sitzen. Vermutlich stand sie jetzt an der Spüle und wartete.

»Klingt gut!«, rief ich in der Hoffnung, dass sich meine Stimme ruhig und freundlich anhörte. »Joseph freut sich bestimmt. Vielleicht könnt ihr ja in ein Musical gehen oder so etwas.«

»Ja, vielleicht«, erwiderte Jane. »Es hängt von seinen Terminen ab.«

Als ich das Wasser laufen hörte, stand ich ebenfalls auf und trug mein Geschirr in die Küche. Jane schwieg.

»Das wird garantiert ein schönes Wochenende«, sagte ich.

Sie nahm mir meinen Teller ab und hielt ihn unter das laufende Wasser.

»Ach, übrigens ...«, begann sie – und verstummte wieder.

»Ja?«

»Ich wollte ein bisschen länger als nur übers Wochenende bleiben.«

Ich spürte, wie sich bei diesen Worten meine Schultern verkrampften. »Wie lange denn?«

Sie stellte meinen Teller weg.

»Zwei Wochen«, antwortete sie.

Nein, ich schob keineswegs Jane die Schuld in die Schuhe. Mir war klar, dass es eher an mir lag als an ihr, obwohl ich noch nicht konsequent analysiert hatte, warum alles so lief, wie es lief. Ich wusste genau, dass ich nicht in allen Punkten den Erwartungen meiner

Frau entsprach – das war von Anfang an so gewesen. Zum Beispiel hätte sie mich gern ein bisschen romantischer gehabt. Ihr wäre es lieb gewesen, wenn ich mich ihr gegenüber so verhalten hätte wie ihr Vater gegenüber ihrer Mutter. Ihr Vater gehörte zu den Männern, die nach dem Abendessen gern mit ihrer Frau auf dem Sofa sitzen und Händchen halten. Auf dem Heimweg von der Arbeit hatte er oft spontan einen Strauß Wiesenblumen für Allie gepflückt. Schon als Kind hatte Jane die zärtliche Beziehung zwischen ihren Eltern als Vorbild empfunden.

Ich habe mehr als einmal mitbekommen, wie sie mit ihrer Schwester Kate telefonierte und darüber rätselte, warum es mir wohl so schwer fiel, romantisch zu sein. Es ist ja nicht so, dass ich nicht immer wieder einen Versuch unternommen hätte, aber ich glaube, ich habe keine richtige Vorstellung davon, was man tun muss, um das Herz der Geliebten höher schlagen zu lassen. In der Familie, in der ich aufgewachsen bin, war es nicht üblich, sich zu umarmen und zu küssen. Offen zur Schau gestellte Zärtlichkeit ist mir peinlich, vor allem in Gegenwart meiner Kinder. Einmal habe ich mit Janes Vater über dieses Thema gesprochen, und er schlug mir vor, ich solle meiner Frau doch einen Brief schreiben. »Schreib ihr, warum du sie liebst«, sagte er. »Zähle ein paar ganz konkrete Gründe auf.« Das ist jetzt zwölf Jahren her. Ich habe versucht, seinen Rat zu befolgen, aber immer, wenn ich vor dem leeren Papier saß, sind mir einfach nicht die passenden Worte eingefallen, und so habe ich jedes Mal den Stift wieder weggelegt. Im Gegensatz zu Janes Vater fällt es mir schwer, meine Gefühle auszudrücken. Ich bin ein sehr zuverlässiger Mensch, man kann sich hundertprozentig auf mich verlassen. Treu und loyal bin ich auch, daran gibt es keinen Zweifel. Aber Romantik ist nicht das meine. Ich kann nicht romantisch sein, genauso wenig, wie ich schwanger werden kann.

Manchmal wüsste ich gern, wie vielen Männern es in dieser Hinsicht ähnlich geht wie mir.

Als ich in New York anrief, um mit Jane zu sprechen, nahm Joseph den Hörer ab.

»Hey, Pop«, sagte er nur.

»Hallo. Wie geht es dir?«

»Gut, danke«, antwortete er. Und nach einer quälend langen Pause fügte er hinzu: »Und dir?«

Ich trat unruhig von einem Fuß auf den andern. »Hier ist alles sehr still – aber ich komme klar. Wie geht es Mom?«

»Bestens. Ich sorge dafür, dass sie beschäftigt ist.«

»Spielt ihr Touristen?«

»Das auch. Aber im Grund reden wir hauptsächlich. Sehr spannend.«

Was wollte er damit sagen? Joseph schien keinen Anlass zu sehen, von sich aus mehr zu erklären.

»Aha«, sagte ich nur. »Ist sie da?«

»Im Moment leider nicht – sie ist noch ein paar Lebensmittel einkaufen gegangen. Aber eigentlich müsste sie gleich wiederkommen. Vielleicht kannst du's ja später noch mal versuchen.«

»Ach, nein, ist schon gut«, sagte ich. »Sag ihr einfach, dass ich angerufen habe. Ich bin den ganzen Abend hier, falls sie mich sprechen möchte.«

»Wird gemacht«, sagte er. Und nach kurzem Überlegen fügte er hinzu: »Hey, Pop – darf ich dich etwas fragen?«

»Ja, gern.«

»Hast du wirklich euren Hochzeitstag vergessen?«

Ich seufzte. »Ja, leider.«

»Warum denn?«

»Ich weiß es nicht«, sagte ich. »Ein paar Tage vorher habe ich noch dran gedacht, aber am Tag selbst ist es mir entfallen. Ich habe keine Entschuldigung.«

»Ich glaube, das hat Mom sehr gekränkt.«

»Ich weiß.«

Wieder folgte ein Schweigen am anderen Ende der Leitung, bis Joseph fragte: »Verstehst du, warum?«

Ich beantwortete seine Frage zwar nicht, aber ich glaubte doch, die Gründe zu kennen. Jane wollte auf keinen Fall, dass es bei uns so lief wie bei den älteren Ehepaaren, die wir manchmal im Restaurant beobachteten. Wir hatten diese Paare immer nur bemitleidet.

Die Paare sind, das möchte ich betonen, in der Regel durchaus höflich zueinander. Der Mann rückt seiner Frau den Stuhl zurecht und bringt die Mäntel zur Garderobe. Die Frau schlägt eines der Tagesgerichte vor. Und wenn der Kellner kommt, unterbrechen sie sich beim Bestellen immer gegenseitig, weil der andere alles besser weiß – die Spiegeleier bitte nicht salzen,

dafür aber ein zusätzliches Stück Butter für das Toastbrot und so weiter.

Doch wenn sie dann die Bestellung aufgegeben
haben, wechseln sie kein Wort mehr miteinander.

Stattdessen nippen sie stumm an ihren Drinks,
schauen aus dem Fenster und warten darauf, dass das
Essen serviert wird. Wenn der Kellner erscheint, sprechen sie vielleicht kurz mit ihm – sie bitten ihn beispielsweise, noch etwas Kaffee nachzuschenken –,
aber sobald er weg ist, zieht sich jeder wieder in sein
Schneckenhaus zurück. Während der ganzen Mahlzeit wirken sie wie zwei Leute, die sich gar nicht kennen und sich nur zufällig am selben Tisch gegen-
übersitzen. Man hat das Gefühl, als erschiene ihnen
ein richtiges Gespräch nicht der Mühe wert.

Vielleicht ist das alles völlig übertrieben, vielleicht
entsprechen diese Beobachtungen gar nicht der Wirklichkeit, aber ich habe mich oft gefragt, wie diese Paare
so tief sinken konnten.

Und während Jane in New York war, kam mir der
schreckliche Verdacht, wir könnten uns in dieselbe
Richtung bewegen.

Als ich Jane am Flughafen abholte, war ich ganz aufgeregt. Was für ein seltsames Gefühl! Sie begrüßte
mich mit einem scheuen Lächeln. Erleichtert nahm ich
ihr den Koffer ab.

»Wie war die Reise?«

»Sehr schön. Aber ich verstehe wirklich nicht, wieso Joseph unbedingt in New York wohnen muss. Diese

Hektik überall! Und dann der ständige Lärm! Auf die Dauer würde ich das nicht aushalten.«

»Heißt das, du freust dich, dass du wieder hier bist?«

»Ja. Aber ich bin erschöpft.«

»Das kann ich mir vorstellen. Reisen ist anstrengend.« Wir schwiegen beide, und ich nahm ihr Gepäck in die andere Hand. »Wie geht es Joseph?«, erkundigte ich mich dann.

»Gut. Ich finde, er hat seit seinem letzten Besuch ein wenig zugenommen.«

»Gibt es irgendwelche Neuigkeiten, die du mir am Telefon noch nicht erzählt hast?«

»Ich glaube nicht. Er arbeitet zu viel, aber das ist ja nichts Neues.«

In Janes Stimme schwang eine leise Traurigkeit mit, die ich nicht recht einordnen konnte. Während ich noch darüber nachdachte, fiel mein Blick auf ein junges Paar: Die beiden umarmten sich so stürmisch, als hätten sie sich seit Jahren nicht mehr gesehen.

»Ich bin froh, dass du wieder da bist«, sagte ich leise.

Jane schaute mir fest in die Augen, bevor sie sich dem Förderband zuwandte, auf dem die ersten Gepäckstücke kreisten. »Ich weiß«, sagte sie.

So sah es vor einem Jahr zwischen uns aus.

Ich würde gern behaupten, dass sich die Situation nach Janes Reise rapide und grundlegend verbesserte, aber leider war das nicht der Fall. Stattdessen lebten wir weiterhin in unserem Alltagstrott nebeneinander her. Es war nicht so, dass sich Jane mir gegenüber irgendwie aggressiv verhalten hätte, aber unterschwellig wirkte sie immer unzufrieden. Ich wusste mir nicht mehr zu helfen. Es war, als stünde zwischen uns eine Mauer der Gleichgültigkeit, die sich, von mir unbemerkt, nach und nach aufgebaut hatte. Ende November, also drei Monate nach dem vergessenen Hochzeitstag, war ich so zermürbt, dass ich beschloss, noch einmal mit Janes Vater zu reden.

Er heißt Noah Calhoun, und wenn Sie ihn kennen würden, wäre Ihnen sofort klar, weshalb ich mich in meiner Ratlosigkeit an ihn wandte. Er und seine Frau Allie sind vor fast elf Jahren nach Creekside gezogen. Creekside ist eine Anlage für betreutes Wohnen, zu der auch eine Pflegestation gehört. Die beiden waren zum Zeitpunkt ihres Umzugs bereits fünfundvierzig Jahre verheiratet. Inzwischen musste Noah lernen, wieder allein zu schlafen.

Ich war nicht überrascht, als ich sein Zimmer leer vorfand. Meistens saß er draußen auf einer Bank am Teich, wenn ich ihn besuchte, aber vorsichtshalber trat ich ans Fenster, um mich zu vergewissern, dass ich ihn auch heute dort antreffen würde.

Selbst aus der Ferne konnte man ihn ohne Probleme erkennen: die dichte weiße Haarmähne, seine gebeugte Haltung, die hellblaue Wolljacke, die Janes Schwester Kate kürzlich für ihn gestrickt hatte. Noah war siebenundachtzig Jahre alt, ein Witwer mit arthritisch verkrümmten Händen, und auch sonst war sein Gesundheitszustand alles andere als stabil: Er musste immer seine Herztabletten mit sich herumtragen, und er hatte Prostatakrebs. Aber das wäre alles nicht so schlimm gewesen – seine psychische Verfassung bereitete den Ärzten viel größere Sorgen. Vor ein paar Jahren hatten sie mich und Jane zu sich gebeten und uns mit ernster Miene eröffnet, Noah leide an Wahnvorstellungen, die immer schlimmer würden. Ich wusste nicht recht, was ich davon halten sollte, denn schließlich kannte ich Noah besser als die meisten anderen Leute – auf jeden Fall besser als die Ärzte. Abgesehen von Jane war er mein bester Freund. Und als ich ihn nun so mutterseelenallein auf seiner Bank sitzen sah, wurde mir schwer ums Herz, weil ich an all das denken musste, was er verloren hatte.

Seine Ehe war vor fünf Jahren zu Ende gegangen. Zynische Menschen würden vielleicht die These vertreten, dass sie schon lang vorher vorbei war: Allie litt in ihren letzten Lebensjahren an Alzheimer. Was für eine grausame Krankheit! Die Persönlichkeit löst sich langsam auf, Stück für Stück verschwindet alles, was den Menschen einmal ausgemacht hat. Was sind wir ohne unsere Erinnerungen, ohne unsere Träume? Das Fortschreiten der Krankheit mitzuerleben, ist für alle Beteiligten sehr beklemmend. Die Tragödie nimmt unaufhaltsam ihren Lauf, man fühlt sich wie in einem todtraurigen Film, der in Zeitlupe abläuft. Jane und mir ist es nicht immer leicht gefallen, Allie zu besuchen. Am liebsten hätte Jane ihre Mutter so in Erinnerung behalten, wie sie vor der Krankheit gewesen war. Ich habe sie zu diesen Besuchen nie gedrängt, denn auch für mich waren sie sehr schmerzlich. Am meisten gelitten hat jedoch zweifellos Noah.

Doch das ist eine andere Geschichte.

Ich ging nun hinunter in den Park. Es war ein kühler Morgen, für die Jahreszeit fast etwas zu frisch. Die bunten Blätter leuchteten im Sonnenlicht, in der Luft lag ein leichter Kaminfeuergeruch. Den Herbst hatte Allie ganz besonders geliebt, das wusste ich. Als ich näher kam, spürte ich fast physisch die Einsamkeit, die Noah umgab. Wie immer war er dabei, den Schwan zu füttern. Ich hatte eine Einkaufstüte dabei, in der sich drei Packungen Wonderbread befanden. Noah bestand darauf, dass ich ihm jedes Mal, wenn ich ihn besuchte, diese Sorte Toastbrot mitbrachte. Leise stellte ich die Einkaufstüte neben ihm auf den Boden.

»Guten Morgen, Noah.« Selbstverständlich hätte ich ihn auch »Dad« nennen können, wie Jane es bei meinem Vater getan hatte, aber irgendwie brachte ich diese Anrede nicht über die Lippen, und Noah schien das nicht weiter zu stören.

Beim Klang meiner Stimme drehte er sich zu mir um.

»Oh, hallo, Wilson«, sagte er. »Wie nett, dass du mich besuchen kommst.«

Ich legte ihm die Hand auf die Schulter. »Wie geht's denn so?«

»Könnte besser sein«, brummelte er und fügte dann mit einem verschmitzten Grinsen hinzu: »Könnte aber auch wesentlich schlechter sein.«

Das waren die Standardsätze, die wir nach der Begrüßung immer austauschten. Er klopfte auf den Platz neben sich, und ich setzte mich zu ihm auf die Bank. Versonnen schaute ich hinaus aufs Wasser: Wie bei einem Kaleidoskop bildeten die schwimmenden Herbstblätter immer neue Muster. In der glatten Oberfläche hingegen spiegelte sich der wolkenlose Himmel.

»Ich muss dich etwas fragen«, begann ich.

»Ja?« Noah rupfte ein Stück Brot ab und warf es ins Wasser. Der Schwan senkte den Kopf, schnappte sich das Brot und richtete sich dann wieder auf, um zu schlucken.

»Es ist wegen Jane«, fügte ich hinzu.

»Wegen Jane«, wiederholte er. »Wie geht es ihr?«

»Gut.« Ich nickte und rückte verlegen ein Stückchen von ihm weg. »Sie kommt später auch vorbei, glaube ich.« Das stimmte. Seit Jahren besuchten wir Noah fast jeden Tag, manchmal gemeinsam, manchmal getrennt. Ich hätte für mein Leben gern erfahren, ob Vater und Tochter in meiner Abwesenheit manchmal über mich redeten.

»Und wie geht's den Kindern?«

»Auch gut, glaube ich. Anna schreibt inzwischen längere Artikel, und Joseph hat endlich eine neue Wohnung gefunden. In Queens, aber ganz in der Nähe einer U-Bahn-Station. Leslie fährt am Wochenende mit Freunden in die Berge, um zu zelten. Sie hat erzählt, ihre Zwischenklausuren seien hervorragend ausgefallen.«

Noah nickte nachdenklich. Die ganze Zeit hatte er wie gebannt auf den Schwan geschaut. »Du hast großes Glück, Wilson«, sagte er. »Ich hoffe, dir ist bewusst, wie glücklich du dich preisen kannst, dass sie sich alle drei so wunderbar entwickelt haben.«

»Ja, dafür bin ich sehr, sehr dankbar – und ich nehme es keineswegs als selbstverständlich hin.«

Wir schwiegen beide. Aus der Nähe konnte man sehen, wie tief sich die Falten in Noahs Gesicht eingegraben hatten, und unter der hauchdünnen Pergamenthaut seines Handrückens traten die pulsierenden Adern hervor. Der Park war menschenleer. Bei der kühlen Witterung hielten sich die Leute lieber im Haus auf.

»Ich habe unseren Hochzeitstag vergessen«, sagte ich.

»Ach, ja?«

»Neunundzwanzig Jahre.«

»Hmm.«

Hinter uns raschelten die Blätter im Herbstwind.

»Ich mache mir Sorgen um uns – um unsere Ehe«, gestand ich seufzend.

Noah schaute mich an. Eigentlich erwartete ich, er würde mich fragen, wie mir so etwas passieren konnte, aber er kniff nur prüfend die Augen zusammen, als versuche er, meine Gedanken zu lesen. Dann nickte er und warf dem Schwan ein neues Stück Brot zu. Endlich begann er zu reden, mit seiner warmen, weichen Baritonstimme, der Tonfall geprägt von dem unaufdringlichen, aber nicht zu überhörenden Singsang der Südstaaten.

»Erinnerst du dich, wie es war, als Allie krank wurde? Ich habe ihr immer vorgelesen – weißt du noch?«

»Ja, natürlich.« Überdeutlich standen die Erinnerungen vor meinen Augen. Noah hatte seiner Frau immer die Notizen vorgelesen, die er vor dem Umzug nach Creekside niedergeschrieben hatte. Es war die Geschichte ihrer jungen Liebe, und wenn er sie Allie laut vorlas, war sie manchmal vorübergehend so klar im Kopf, dass kein Mensch sie für eine Alzheimerpatientin gehalten hätte. Diese Luzidität hielt nie lange an – und gegen Ende ihrer Krankheit verschwand sie vollständig –, aber die Veränderung war dermaßen frappierend, dass sogar Spezialisten aus Chapel Hill nach Creekside gereist kamen, weil sie hofften, aus dieser Erfahrung allgemeinere Erkenntnisse ableiten zu können. Dass Allie manchmal aufwachte, wenn Noah ihr vorlas, war nicht zu übersehen. Aber woran es letztlich lag, dafür fanden die Experten keine wissenschaftliche Erklärung.

»Weißt du, wieso ich es getan habe?«, fragte er mich jetzt.

»Ich glaube, ja. Es hat Allie geholfen. Und du hattest es ihr versprochen.«

»Ja, das stimmt.« Ich hörte, wie schwer ihm das Atmen fiel – seine Lungen ächzten und quietschten wie ein altes Akkordeon. »Aber das war nicht der einzige Grund. Ich habe es auch für mich getan. Das können viele Leute nicht begreifen.«

Er sprach nicht weiter, aber ich spürte, dass er noch nicht alles gesagt hatte, was er sagen wollte, und wartete deshalb schweigend ab. Während wir beide stumm dasaßen, kam der Schwan näher ans Ufer geschwommen. Sein eierschalfarbenes Gefieder war wunderschön gleichmäßig, abgesehen von einem dunklen Fleck auf der Brust, der etwa so groß war wie ein Silberdollar. Sobald Noah wieder zu reden begann, hielt der Schwan inne, als würde er seinen Worten lauschen.

»Weißt du, was mir aus den guten Tagen am lebhaftesten in Erinnerung geblieben ist?«, fragte er.

Ich schüttelte den Kopf. Zwar wusste ich, dass er mit den »guten Tagen« die seltenen Stunden meinte, in denen Allie ihn erkannte. Aber von seinen Erinnerungen hatte er mir noch nie erzählt.

»Das Gefühl des Verliebtseins«, sagte er. »An den guten Tagen kam es mir vor, als würden wir noch einmal ganz von vorn beginnen und uns neu ineinander verlieben.« Er lächelte verträumt. »Das meine ich, wenn ich sage, ich habe es für mich getan. Jedes Mal, wenn ich ihr vorlas, war es, als würde ich ihr wieder den Hof machen, und manchmal, ganz selten, hat sie sich wieder in mich verliebt – genau wie damals. Und das war das schönste Gefühl auf der Welt. Wie viele Menschen bekommen so eine Chance? Dass der Mensch, den sie lieben, sich immer wieder in sie verliebt?«

Da diese Frage rhetorisch gemeint war, schwieg ich.

Die nächste Stunde verbrachten wir damit, über die Kinder und über Noahs Gesundheitszustand zu reden. Jane oder Allie kamen in unserem Gespräch nicht mehr vor. Aber nachdem ich ihn verlassen hatte, gingen mir seine Worte noch lange durch den Kopf. Mochten sich die Ärzte noch so große Sorgen um ihn machen – mir erschien Noah so hellwach wie eh und je. Und in typischer Südstaatenmanier hatte er mir eine Antwort auf meine Fragen gegeben, ohne mich zu zwingen, sie direkt auszusprechen.

Nun wusste ich, was ich zu tun hatte.

KAPITEL 2

Ich musste meine Frau wieder umwerben.

Klingt kinderleicht, stimmt's? Meine einfachste Übung, dachte ich. Immerhin bot unsere Situation gewisse Vorteile. Erstens wohnten Jane und ich im selben Haus. Und zweitens mussten wir nach drei gemeinsamen Jahrzehnten nicht ganz von vorn anfangen: Wir kannten unsere jeweiligen Familiengeschichten sowie die lustigen Anekdoten aus unserer Kindheit. Wir mussten uns nicht mehr fragen, wie wir unseren Lebensunterhalt verdienen wollten und ob unsere Ziele, Träume und Ideen vereinbar waren. Die kleinen Peinlichkeiten, die Paare am Anfang voreinander zu verheimlichen versuchen, waren längst aufgedeckt: Meine Frau wusste, dass ich schnarche – es gab also keinen Grund, ihr in dieser Hinsicht etwas vorzugaukeln. Ich wiederum wusste, wie sie aussah, wenn sie Grippe hatte und sich hundeelend fühlte, und es störte mich nicht im Geringsten, wenn ihr die Haare morgens beim Aufstehen vom Kopf abstanden.

Ich ging also davon aus, dass es relativ unkompliziert sein würde, Janes Liebe wiederzugewinnen. Ich brauchte doch nur das zu beleben, was uns in den Anfangsjahren miteinander verbunden hatte – denn genau das hatte Noah immer gemacht, wenn er Allie die Geschichte ihrer Liebe vorlas. Aber je länger ich darüber nachdachte, desto verwirrter wurde ich: Im Grunde wusste ich überhaupt nicht, was Jane eigentlich an mir gefunden hatte! Ich war schon immer ein ausgesprochen verantwortungsbewusster Mensch gewesen, aber das war ein Charakterzug, den junge Frauen damals nicht unbedingt attraktiv fanden. Immerhin gehörte ich zur Generation der »Babyboomer«, also zu den Kindern, die nach dem Krieg geboren wurden und eigentlich nur an sich selbst und ihr Vergnügen dachten.

1971 bin ich Jane das erste Mal begegnet. Ich war damals vierundzwanzig und studierte Jura an der Duke University. Die meisten Leute hätten mich als gewissenhaften, fleißigen Studenten beschrieben. Ich nahm das Studium von Anfang an ernst. Meine Zimmergenossen im Wohnheim wollten immer schon nach einem Semester mit jemand anderem zusammenziehen, weil ich bis spät in die Nacht lernte und meine Lampe sie störte. Für die meisten meiner Kommilitonen schien das Leben aus einer endlosen Reihe von Wochenenden zu bestehen, die durch langweilige Vorlesungen und Seminare unterbrochen wurden, wohingegen ich mich konsequent auf meinen zukünftigen Beruf vorbereiten wollte.

Dass ich ein ernsthafter junger Mann war, gebe ich gern zu, aber Jane war die Erste, die mich als schüchtern bezeichnete. Wir lernten uns an einem Samstagmorgen in einem Café in der Innenstadt kennen. Es war Anfang November, und wegen meiner Arbeit für die Juristenzeitschrift *Law Review* fand ich meine Semesterkurse noch anstrengender als sonst, weil mir einfach nicht genug Zeit blieb. Ich hatte Angst, vielleicht nicht mehr richtig mithalten zu können, also ging ich in das Café, in der Hoffnung, dort für eine Weile büffeln zu können, ohne dass mich jemand erkannte und ansprach.

Jane trat an meinen Tisch und nahm die Bestellung entgegen. Ich erinnere mich ganz genau, als wäre es gestern gewesen: Sie hatte ihre dunklen Haare zu einem Pferdeschwanz frisiert, und ihre schokoladenbraunen Augen passten wunderbar zu der leicht olivenfarbenen Haut. Sie trug eine dunkelblaue Schürze über ihrem himmelblauen Kleid, und zu meiner großen Verblüffung lächelte sie mich an, als würde sie sich ehrlich freuen, dass ich mich an einen ihrer Tische gesetzt hatte. Als sie mich fragte, was ich gern hätte, fiel mir gleich ihr dezenter Südstaatenakzent auf, der verriet, dass sie aus dem Osten von North Carolina stammte.

In dem Augenblick ahnte ich natürlich noch nicht, dass wir schon in naher Zukunft miteinander essen gehen würden, aber ich kam prompt am nächsten Tag wieder und setzte mich an denselben Tisch. Sie lächelte mir zu, als ich Platz nahm, und ich kann kaum beschreiben, wie sehr es mich freute, dass sie mich wiedererkannte. Etwa einen Monat lang ging ich nun jedes Wochenende in dieses Café, aber wir wechselten nie ein persönliches Wort. Ich hätte es nicht gewagt, sie nach ihrem Namen zu fragen, und sobald sie an meinen Tisch trat, um meine Kaffeetasse nachzufüllen, wurde ich jedes Mal furchtbar nervös. Aus irgendeinem Grund schien sie immer nach Zimt zu riechen.

Leider kann ich nicht leugnen, dass ich mich als junger Mensch in Gesellschaft des anderen Geschlechts nie besonders wohl gefühlt habe. In der Highschool war ich zudem weder ein erstklassiger Sportler noch Schülersprecher oder etwas Ähnliches. Aber ich spielte außerordentlich gern Schach und gründete deshalb einen Schachclub, der immerhin auf eine Gruppe von elf Mitgliedern anwuchs. Bedauerlicherweise war aber kein einziges Mädchen darunter. Trotz meiner mangelnden Erfahrung gelang es mir, im ersten Studienjahr mit sechs oder sieben jungen Frauen auszugehen. Diese Abende fand ich schön, aber da ich fest entschlossen war, erst dann eine ernsthaftere Beziehung zu beginnen, wenn ich finanziell auf eigenen Beinen stand, lernte ich keine dieser Frauen näher kennen und vergaß sie alle ziemlich schnell wieder.

Aber die Kellnerin mit dem Pferdeschwanz ging mir nicht mehr aus dem Sinn. Oft erschien ihr Bild vor meinem inneren Auge, wenn ich am wenigsten damit rechnete. Mehr als einmal schweiften meine Gedanken während einer Vorlesung ab, und ich malte mir aus, sie würde in ihrer blauen Schürze durch den

Hörsaal wandern und Speisen anbieten. Obwohl mir diese Träumereien sehr peinlich waren, konnte ich nichts dagegen machen.

Wer weiß, wohin das alles geführt hätte, wenn Jane nicht die Initiative ergriffen hätte. Ich hatte den ganzen Vormittag damit verbracht, in den Rauchwolken, die von den anderen Tischen zu mir herüberzogen, meine Paragraphen zu pauken, als es plötzlich in Strömen zu regnen begann. Ein eisiger Wind peitschte die Tropfen vor sich her. Ich hatte selbstverständlich einen Schirm dabei, da ich schon mit einem Unwetter gerechnet hatte.

Als Jane an meinen Tisch kam, blickte ich hoch, weil ich dachte, sie wollte mir Kaffee nachfüllen, aber dann merkte ich, dass sie ihre Schürze unter den Arm geklemmt hatte. Sie löste das Haarband aus ihrem Pferdeschwanz, sodass ihr die Haare in dichten Wellen über die Schultern fielen.

»Ich wollte Sie fragen, ob Sie mich vielleicht zu meinem Wagen bringen könnten«, sagte sie. »Ich habe gesehen, dass Sie einen Schirm dabeihaben, ganz im Gegensatz zu mir – und ich möchte nicht gern nass werden.«

Diese Bitte konnte ich ihr natürlich nicht abschlagen, also packte ich meine Bücher ein, hielt ihr höflich die Tür auf, und gemeinsam stapften wir durch die riesigen Pfützen. Beim Gehen stießen wir unter dem Schirm immer wieder aneinander, und während wir im strömenden Regen die Straße überquerten, erzählte sie mir, wie sie hieß und dass sie am Meredith College studierte, einem College, an dem nur Frauen zugelassen waren. Sie studiere Englisch, fügte sie hinzu, und am liebsten wolle sie Lehrerin werden. Sie musste fast schreien, damit ich sie bei dem Geprassel des Regens überhaupt verstand. Ich sagte nicht viel, weil ich mich so darauf konzentrieren musste, den Schirm richtig zu halten, damit sie nicht nass wurde. Als wir ihren Wagen erreicht hatten, dachte ich, sie würde gleich einsteigen, aber stattdessen blieb sie stehen und musterte mich prüfend.

»Du bist ziemlich schüchtern, stimmt's?«

Was sollte ich darauf antworten? Wahrscheinlich konnte man mir meine Ratlosigkeit ansehen. Jedenfalls begann Jane zu lachen.

»Keine Sorge, Wilson. Ich mag schüchterne Männer.«

Dass sie es ohne mein Zutun geschafft hatte, meinen Namen herauszubekommen, hätte mir eigentlich als Fingerzeig dienen müssen, aber irgendwie habe ich damals nicht geschaltet. Ich konnte nur einen einzigen Gedanken denken, als sie da vor mir stand, fröstelnd und mit vom Regen verschmierter Wimperntusche, und dieser Gedanke war: Eine so schöne Frau habe ich in meinem ganzen Leben noch nicht gesehen.

Meine Frau ist auch heute noch schön.

Natürlich ist es jetzt eine etwas andere, sanftere Art von Schönheit, eine, die sich mit dem Älterwerden eher noch steigert. Ihre Haut fühlt sich unglaublich weich an, auch wenn sie nicht mehr ganz glatt ist, sondern ein paar Fältchen hat. Um die Hüften herum ist Jane etwas rundlicher als damals, und auch ihr Bauch wölbt sich ein bisschen, aber wenn ich sie sehe, während sie sich im Schlafzimmer auszieht, finde ich sie immer noch unglaublich begehrenswert.

Wir schlafen seit einigen Jahren weniger häufig miteinander als früher, und wenn wir es tun, ist die Liebe nicht mehr so spontan und leidenschaftlich. Aber das ist es nicht, was mir am meisten fehlt. Ich sehne mich vor allem danach, dass Jane mich wieder voller Verlangen anschaut. Mir fehlen die einfachen Gesten und Berührungen, mit denen sie mir mitteilen würde, dass sie immer noch gern mit mir zusammen ist und mich haben möchte. Irgendetwas, was mir zu verstehen geben würde, dass ich etwas Besonderes für sie bin.

Über diesen und andere Wünsche grübelte ich seit dem Gespräch mit Noah ständig nach. Wie konnte ich mein Ziel erreichen? Ja, ich hatte begriffen, dass ich mich wieder um Jane bemühen musste, aber das war nicht so leicht, wie ich ursprünglich angenommen hatte. Wir kannten einander in- und auswendig, und diese Vertrautheit machte mein Vorhaben nicht einfacher, sondern erschwerte es erheblich, wie ich sehr bald herausfand. Unsere Gespräche beim Abendessen folgten immer demselben Muster. Jetzt dachte ich mir nachmittags spannende neue Themen aus, aber wenn ich sie dann beim Essen einzubringen versuchte, wirkten sie erzwungen und verkrampft, das heißt, die

Ansätze verliefen im Sand, und mit schöner Regelmäßigkeit landeten wir wieder bei den Kindern oder bei meinen Klienten und Mitarbeitern.

Unser gemeinsames Leben war in ein Schema gepresst, das sich nicht dazu eignete, die alte Leidenschaft wieder zu entfachen. Wie gesagt – wir hatten seit Jahren separate Tagesabläufe und ganz unterschiedliche Verpflichtungen. In den ersten Jahren unseres Familienlebens musste ich oft bis spät abends in der Kanzlei arbeiten – auch am Wochenende –, weil ich beweisen wollte, dass ich genau der richtige Mann war, um als Partner in die Kanzlei einzusteigen, wenn dies zur Debatte stand. Ich habe nie den mir zustehenden Urlaub aufgebraucht. Vielleicht war ich übereifrig, weil ich auf Ambry und Saxon unbedingt einen guten Eindruck machen wollte, aber schließlich musste ich den Lebensunterhalt für eine immer größer werdende Familie verdienen und durfte deshalb kein Risiko eingehen. Heute sehe ich das anders: Ich glaube, dieser übertriebene berufliche Ehrgeiz und meine angeborene Schweigsamkeit führten dazu, dass ich zum Rest der Familie stets eine gewisse Distanz hielt. Letzten Endes blieb ich dadurch in meinem eigenen Haus immer eine Art Außenseiter.

Während ich von der Arbeitswelt verschlungen wurde, hatte Jane mit den Kindern alle Hände voll zu tun. Die drei belegten sie rund um die Uhr mit Beschlag, und gelegentlich hatte ich das Gefühl, dass Jane nur noch ein Schatten war, der auf dem Flur eilig an mir vorbeihuschte, um wieder einmal eins der Kinder schnell noch irgendwohin zu kutschieren. In diesen Jahren haben wir häufiger getrennt gegessen als gemeinsam. Das fand ich zwar irgendwie merkwürdig und ärgerlich, aber auf die Idee, etwas dagegen zu unternehmen, kam ich nicht.

Vermutlich wurde uns dieser Lebensstil zur zweiten Natur, und nachdem die Kinder nicht mehr unsere Zeiteinteilung bestimmten, wollte es uns einfach nicht gelingen, die Leere zwischen uns neu zu füllen. All meine Bemühungen, die Alltagsroutine zu durchbrechen, waren etwa so effizient wie der Versuch, mit einem Kaffeelöffel einen Tunnel durch Granit zu graben.

Dabei strengte ich mich so an! Im Januar kaufte ich ein Kochbuch und begann, samstagabends immer für uns beide zu kochen. Manche der Gerichte waren sehr originell und schmeckten gut – da muss ich mir selbst auf die Schulter klopfen. Ich spielte nicht mehr nur Golf, sondern fing an, dreimal in der Woche morgens durch unser Viertel zu joggen, um abzunehmen. Ich verbrachte mehrere Nachmittage in der Buchhandlung und blätterte alle möglichen Ratgeber durch, um vielleicht noch ein paar nützliche Tipps zu finden. Was schlagen die Experten bei Eheproblemen vor? Man solle sich auf vier Hauptpunkte konzentrieren, sagen sie, und sie fassten die Begriffe unter der Abkürzung »ARZA-Prinzip« zusammen – Aufmerksamkeit, Respekt, Zärtlichkeit, Attraktivität. Das leuchtete mir unmittelbar ein, und ich begann, mich daran zu orientieren. Abends verbrachte ich mehr Zeit mit Jane, statt mich gleich nach dem Essen in mein Arbeitszimmer zurückzuziehen. Ich machte ihr immer wieder Komplimente, und wenn sie mir von ihrem Tag erzählte, hörte ich ihr aufmerksam zu und nickte an den entsprechenden Stellen, um ihr zu zeigen, dass mich das alles brennend interessierte.

Ich bildete mir nicht ein, dass diese Maßnahmen wie von Zauberhand alles zum Guten wenden und Janes Leidenschaft wieder wecken würden – ich wusste, dass ich Geduld haben musste. Es hatte neunundzwanzig Jahre gedauert, uns so weit voneinander zu entfernen, also konnte ich nicht damit rechnen, dass es innerhalb weniger Wochen mit einer Annäherung klappen würde. Trotzdem ging alles sehr viel langsamer voran, als ich erwartet hatte. Klar, es gab durchaus Verbesserungen, aber die waren minimal, und als sich das Frühjahr dem Ende entgegenneigte, befand ich, dass mir diese Politik der kleinen Schritte nicht genügte. Ich musste mir etwas anderes einfallen lassen, etwas Dramatisches, etwas, womit ich Jane ein für alle Mal beweisen konnte, dass sie der wichtigste Mensch in meinem Leben war und es immer bleiben würde. Die zündende Idee kam mir, als ich eines Abends spät im Wohnzimmer saß und ein Familienalbum durchblätterte.

Am nächsten Morgen war ich voller Tatendrang. Ich hatte einen Plan! Diesen Plan wollte ich allerdings vor Jane geheim halten. Dabei musste ich methodisch vorgehen. Mein allererster Schritt war, ein Postfach einzurichten. Viel weiter kam ich nicht – denn genau an jenem Tag erlitt Noah einen Schlaganfall.

Es war nicht sein erster, aber der schwerste bisher. Fast acht Wochen lag Noah im Krankenhaus, und meine Frau widmete sich nun ausschließlich seiner Pflege. Sie verbrachte den ganzen Tag auf der Station, und abends war sie viel zu müde und erschlagen, um noch zu merken, wie ich mich um eine Auffrischung unserer Beziehung bemühte.

Schließlich konnte Noah nach Creekside zurückkehren und auch schon bald wieder den Schwan füttern, aber uns allen war schmerzlich bewusst geworden, dass er voraussichtlich nicht mehr lange bei uns sein würde. Ich verbrachte viele Stunden damit, Jane zu trösten und ihre Tränen zu trocknen.

Von all den Dingen, die ich in diesem Jahr für sie tat, war es wohl am wichtigsten, dass ich ihr in dieser schweren Zeit beigestanden habe und für sie der Fels in der Brandung war. Aber möglicherweise hatte sich auch sonst schon etwas verändert. Jedenfalls spürte ich seither von ihrer Seite gelegentlich eine gewisse Wärme mir gegenüber. Nicht sehr oft, aber ich genoss diese seltenen Augenblicke, weil sie mir Mut machten. Vielleicht würde unsere Beziehung ja doch wieder ins Lot kommen.

Zum Glück verbesserte sich Noahs Zustand von Tag zu Tag ein wenig. Inzwischen war es schon Anfang August und seit dem vergessenen Hochzeitstag fast ein ganzes Jahr vergangen. Durch mein morgendliches Joggen hatte ich knapp zwanzig Pfund abgenommen. Ich hatte es mir außerdem zur Gewohnheit gemacht, jeden Tag im Postamt vorbeizuschauen, um die Sachen abzuholen, die ich bei verschiedenen Leuten bestellt hatte – an meinem Spezialprojekt arbeitete ich nur in der Kanzlei, denn ich wollte unbedingt verhindern, dass Jane vorzeitig Verdacht schöpfte. Um unseren dreißigsten Hochzeitstag herum wollte ich auf alle Fälle zwei Wochen freinehmen. Seit ich berufstätig war, hatte ich noch kein einziges Mal so lange an einem Stück Urlaub gemacht! Diese Wochen würde ich ausschließlich Jane widmen, denn es war mir wichtig, dass dieser Hochzeitstag ein unvergessliches Ereignis wurde, damit ich wieder gutmachen konnte, was ich im vergangenen Jahr vermasselt hatte.

Doch dann kam der 15. August, und an jenem Abend ereignete sich etwas, was weder Jane noch ich je vergessen werden. Es war mein erster Urlaubstag und genau acht Tage vor unserem Hochzeitstag.

Wir waren beide im Wohnzimmer. Ich hatte es mir in meinem Lieblingssessel bequem gemacht und las eine Biographie von Theodore Roosevelt, während meine Frau auf dem Sofa saß und in einem Katalog blätterte. Plötzlich kam Anna hereingestürzt. Sie wohnte damals noch in New Bern, hatte aber vor kurzem eine Anzahlung für eine Wohnung in Raleigh gemacht und wollte in zwei Wochen umziehen, weil Keith demnächst am Universitätskrankenhaus der Duke Medical School als Assistenzarzt zu arbeiten anfangen sollte.

Trotz der Hitze trug sie Schwarz. In jedes Ohr hatte sie sich zwei Löcher stechen lassen, und ihr Lippenstift war für meinen Geschmack viel zu dunkel, aber ich hatte mich an ihren etwas morbiden Stil gewöhnt. Als sie sich zu uns setzte, fiel mir wieder einmal auf, wie stark sie im Grunde ihrer Mutter ähnelte. Jetzt waren ihre Wangen gerötet, und sie presste die Handflächen aneinander, als hätte sie Mühe, sich zu konzentrieren.

»Mom und Dad – ich muss euch etwas sagen«, begann sie.

Jane setzte sich kerzengerade hin und legte sofort ihren Katalog beiseite. Genau wie ich hatte sie an Annas Tonfall gemerkt, dass es um etwas Wichtiges ging. Das letzte Mal hatte Anna diesen Ton angeschlagen, als sie uns eröffnete, dass sie mit Keith zusammenziehen wolle.

Ich weiß, ich weiß, sie ist erwachsen – aber was soll ich tun?

»Was ist, Schätzchen?«, fragte Jane.

Anna schaute von ihrer Mutter zu mir, dann wanderte ihr Blick wieder zurück zu Jane. Schließlich schloss sie die Augen, atmete tief durch und sagte:

»Ich werde heiraten.«

Ich bin zu der Überzeugung gelangt, dass Kinder ihr Tun und Lassen vor allem darauf ausrichten, ihre Eltern zu überraschen. Wie man sich unschwer vorstellen kann, bildete Annas Ankündigung da keine Ausnahme.

Ich würde sogar behaupten, dass *alles*, was mit Kindern zu tun hat, eine Überraschung ist. Oft heißt es ja, das erste Ehejahr sei das schwierigste. Auf Jane und mich trifft diese These nicht zu. Auch das siebte Ehejahr, in dem es angeblich unvermeidlich kriselt, bildete für uns keine Hürde.

Nein, für uns war immer das erste Jahr nach der Geburt eines Kindes sehr, sehr hart. Ich glaube, vor allem bei Paaren, die selbst keine Kinder haben, herrscht die irrige Ansicht vor, das erste Lebensjahr eines Kindes sei ein Paradies, nichts als Friede, Freude, Eierkuchen: Die Babys lächeln pausenlos – und die Eltern natürlich auch.

Aber meine Frau bezeichnet diese Zeit immer noch als die »Schreckensjahre«. Das meint sie nicht ganz wörtlich, versteht sich, aber ich bin davon überzeugt, dass sie genauso wenig wie ich diese Jahre noch einmal durchmachen will.

Von »Schreckensjahren« redet sie, weil es Augenblicke gab, in denen sie alles schrecklich fand. Sie war eigentlich ständig genervt. Es nervte sie, wie sie aussah und wie sie sich fühlte. Frauen, deren Brüste nicht schmerzten, und Frauen, die noch in ihre Kleider passten, nervten sie. Sie fand es schrecklich, dass sie ständig fettige Haare hatte und zum ersten Mal seit ihrer Pubertät wieder Pickel bekam. Am allerschrecklichsten war jedoch der chronische Schlafmangel. Der führte zu einer permanenten Überreizung, und so ärgerte es sie immer ganz besonders, wenn ihr andere Mütter berichteten, ihre Kinder würden durchschlafen, seit sie aus der Klinik nach Hause gekommen seien. Im Grunde hasste sie jeden, der mehr als drei Stunden Schlaf bekam, und manchmal hasste sie sogar auch mich dafür, dass ich gelegentlich im Gästezimmer übernachtete – aber ich konnte die Kinder ja nicht stillen und musste außerdem in der Kanzlei dauernd Überstunden machen. Ohne ein paar Stunden Schlaf am Stück hätte ich mein Arbeitspensum niemals durchgehalten. Vom Verstand her sah sie das natürlich völlig ein, aber übel nahm sie mir mein Schlafprivileg trotzdem.

»Guten Morgen«, begrüßte ich sie für gewöhnlich, wenn sie völlig übernächtigt in die Küche gestolpert kam. »Wie war deine Nacht?«

Statt zu antworten, winkte sie nur erschöpft ab und griff zur Kaffeekanne.

»Unruhig?«, fragte ich, schon etwas eingeschüchtert.

»Du würdest das keine Woche durchstehen!«

Wie auf ein Stichwort fing das Baby wieder an zu weinen. Jane biss die Zähne zusammen, stellte ihre Kaffeetasse geräuschvoll auf den Tisch und zog ein Gesicht, als würde sie sich fragen, für welches Verbrechen Gott sie eigentlich bestrafe.

Ich begriff schnell, dass wir die Situation am besten bewältigten, wenn ich gar nichts sagte.

Außerdem ist es ganz einfach eine Tatsache, dass sich durch die Geburt eines Kindes eine Beziehung grundlegend verändert. Man ist nicht mehr nur Mann und Frau, sondern auch noch Vater und Mutter. Spontane Entscheidungen funktionieren nicht mehr. Abends essen gehen? Da müssen wir erst einmal in Erfahrung bringen, ob die Schwiegereltern auf das Kind aufpassen können. Oder einen anderen Babysitter suchen. Es läuft ein toller neuer Film? Tut mir Leid, seit einem Jahr studieren wir nicht einmal mehr das Kinoprogramm. Wochenendurlaub? Völlig undenkbar. Für all die Dinge, die zu Beginn unserer Ehe so zentral gewesen waren – Spaziergänge, endlose Gespräche, traute Zweisamkeit –, blieb keine Zeit mehr. Und das empfanden wir beide als problematisch.

Das soll nicht heißen, dass die ersten Jahre mit den Kindern nur Mühe und Arbeit waren. Wenn mich jemand fragt, wie man sich als Vater fühlt, antworte ich immer: Es ist die schwierigste Aufgabe im Leben eines Menschen, aber man bekommt sehr viel dafür – man bekommt das Geschenk bedingungsloser Liebe. Alles, was ein kleines Kind tut, erscheint seinen Eltern wie ein Wunder. Sie haben das Gefühl, noch nie etwas so Zauberhaftes gesehen zu haben. Bei jedem meiner drei Kinder gab es Tage, die ich nie vergessen werde: den Tag, an dem sie mich das erste Mal angelächelt haben. Oder den Tag, an dem sie die ersten Schritte wagten – ich weiß noch genau, wie ich immer Beifall geklatscht habe und wie Jane vor Rührung die Tränen über die Wangen liefen. Und es gibt nichts Beglückenderes, als ein friedlich schlafendes Kind in den Armen zu halten. In solchen Momenten habe ich mich immer wieder gefragt: Wie entstehen diese tiefen, innigen Gefühle? Woher kommt diese hingebungsvolle, diese schrankenlose Liebe? Die Mühen und Strapazen kann ich zwar auch noch aufzählen, aber die dazugehörenden Emotionen und Bilder sind viel unschärfer, viel weiter weg als die Glücksgefühle, sie sind wie Träume, die man beim Aufwachen schon fast wieder vergessen hat.

Es gibt nichts, was man mit der Erfahrung, Kinder zu haben, vergleichen kann, und trotz aller Schwierigkeiten bin ich unendlich glücklich darüber, dass wir diese Familie gegründet haben.

Aber, wie gesagt: Ich habe auch gelernt, dass man immer auf Überraschungen gefasst sein muss.

Jane sprang vom Sofa auf und fiel Anna vor Freude um den Hals. Wir mochten Keith sehr. Als auch ich meiner Tochter gratulierte und sie in die Arme schloss, erschien auf Annas Gesicht ein geheimnisvolles Lächeln.

»Ach, Schätzchen!«, rief Jane. »Wie wundervoll! Wann hat er dir den Heiratsantrag gemacht? Was hat er gesagt? Ich möchte alles ganz genau wissen. Darf ich den Ring sehen?«

Doch Anna schüttelte nur den Kopf, und schon wurde Jane hellhörig. Was stimmte hier nicht?

»Wir wollen keine große Hochzeit, Mom. Weißt du, wir wohnen doch schon zusammen – da fänden wir es irgendwie komisch, wenn wir so ein aufwändiges Fest veranstalten würden. Und wir brauchen weder eine neue Küchenmaschine noch eine supertolle Salatschüssel.«

Ich wunderte mich nicht besonders über diese Antwort. Dass Anna schon immer etwas eigenwillig war, habe ich ja bereits erwähnt.

»Ja, aber ...« Ehe Jane weiterreden konnte, nahm Anna ihre Hand.

»Ich muss noch etwas sagen, Mom. Es ist wirklich wichtig.«

Wieder schaute Anna vorsichtig von mir zu Jane.

»Also – ihr wisst ja so gut wie ich, dass es Grampa nicht besonders gut geht.«

Wir nickten. Wie alle meine Kinder stand Anna ihrem Großvater sehr nah.

»Ich meine – der Schlaganfall und alles drumherum. Keith hat Grampa gleich ins Herz geschlossen, und für mich ist er sowieso der beste Mensch auf der ganzen Welt ...«

Sie schwieg. Jane drückte ihre Hand, um sie zum Weitersprechen zu ermuntern.

»Also – wir möchten gern heiraten, solange Grampa noch mit uns feiern kann, und es weiß ja niemand, wie viel Zeit ihm noch bleibt. Deshalb haben Keith und ich uns überlegt – also, wir sind alle möglichen Termine durchgegangen, und weil Keith in zwei Wochen schon seine neue Stelle antritt – und weil ich ja auch um- ziehe – und dann Grampas Gesundheitszustand – also, wir wollten euch fragen, ob es euch sehr viel aus- machen würde, wenn wir ...«

Sie verstummte.

»Ob es uns sehr viel ausmachen würde, wenn ihr ...?«, wiederholte Jane tonlos.

Anna holte noch einmal tief Luft. »Wir wollten euch fragen, ob es euch etwas ausmachen würde, wenn wir nächsten Samstag heiraten.«

Janes Lippen bildeten ein kleines rundes O. Anna sprach schnell weiter, um möglichst alles loszuwerden, ehe wir sie unterbrechen konnten.

»Ich weiß, es ist euer Hochzeitstag – und ich würde es natürlich akzeptieren, wenn ihr nein sagt –, aber wir dachten, es wäre doch eine schöne Art, euch als Eltern zu ehren und euch zu danken. Für alles, was ihr für mich getan habt und überhaupt. Und ich finde, so wäre es am besten – also, wir möchten eine ganz schlichte Feier, nur auf dem Standesamt und vielleicht ein Abendessen im Kreis der Familie. Wir wollen keine Geschenke oder so etwas. Wärt ihr damit einverstanden?«

Als ich Jane anschaute, wusste ich, wie ihre Antwort lauten würde.

KAPITEL 3

Genau wie Anna und Keith waren auch Jane und ich nicht lang verlobt.

Nach meinem ersten juristischen Examen arbeitete ich gleich als Assistent bei Ambry & Saxon – Joshua Trundle war damals noch kein Teilhaber. Er war Angestellter, genau wie ich, und unsere Büros lagen sich gegenüber. Joshua stammte ursprünglich aus Pollocksville, einem kleinen Dorf zwölf Meilen südlich von New Bern. Er hatte die East Carolina University besucht, und während meines ersten Jahres bei der Firma erkundige er sich öfter, wie ich mit dem Kleinstadtleben zurechtkäme. Es sei schon ein bisschen gewöhnungsbedürftig, antwortete ich jedes Mal. Während meines Jurastudiums hatte ich mir natürlich vorgestellt, dass ich später in einer Großstadt arbeiten würde wie meine Eltern, doch dann hatte ich in dem Provinzstädtchen, in dem Jane aufgewachsen war, eine Stelle angenommen.

Ich bin ihretwegen hierher gezogen, das stimmt, aber ich kann sagen, dass ich diese Entscheidung keinen Tag bereut habe. New Bern hat zwar keine Universität und keine Forschungseinrichtungen, aber was der Stadt an Größe abgeht, macht sie durch Charme und Charakter wett. Sie liegt neunzig Meilen südöstlich von Raleigh, der Hauptstadt North Carolinas, in einer flachen Küstenlandschaft zwischen großen Weihrauchkiefernwäldern, am Zusammenfluss von zwei breiten, trägen Strömen, dem Trent River und dem Neuse River. Dieser fließt am Rand der Stadt entlang, und sein brackiges Wasser scheint fast stündlich die Farbe zu wechseln – am frühen Morgen schimmert es bleigrau und verwandelt sich an sonnigen Nachmittagen in ein leuchtend blaues Band, um dann bei Sonnenuntergang zu einem müden Braun zu wechseln. In den Nachtstunden wirkt es so schwarz wie flüssige Kohle.

Mein Büro befindet sich in der Innenstadt, nicht weit von dem historischen Stadtkern entfernt, und nach dem Mittagessen schlendere ich gern durch die alten Straßen. New Bern wurde 1710 von Schweizer und Rheinpfälzer Einwanderern gegründet und ist die zweitälteste Stadt in North Carolina. Als ich hierher zog, standen viele der alten Gebäude leer und waren vom Verfall bedroht. Das hat sich in den letzten dreißig Jahren grundlegend geändert. Nach und nach haben neue Besitzer die ehrwürdigen Wohnhäuser hergerichtet und ihnen ihre alte Schönheit zurückgegeben, und inzwischen bekommt man, wenn man die Gehwege entlanggeht, das Gefühl, dass immer ein Neuanfang möglich ist, selbst da, wo man es am wenigsten erwartet. Wer sich für Architektur interessiert, kann uralte Butzenscheiben entdecken, kunstvolle Messingbeschläge an den Türen und geschnitzte Sockelverkleidungen, die den breiten Dielen im Inneren der Häuser entsprechen. Hübsche, elegante Veranden blicken auf die schmalen Straßen hinaus und erinnern an eine Zeit, als die Bewohner abends immer draußen im Freien saßen, um endlich eine kühle Brise zu erhaschen. Eichen und Hartriegel spenden Schatten, und in jedem Frühjahr blühen Tausende von Azaleen. New Bern ist wirklich einer der schönsten Orte, die ich kenne.

Jane ist am Stadtrand aufgewachsen, in einem ehemaligen Farmhaus, das vor fast zweihundert Jahren gebaut wurde. In den Jahren nach dem Zweiten Weltkrieg hat Noah das Haus mit sehr viel Sorgfalt und Liebe renoviert, und wie viele der historischen Gebäude hier hat es seinen Glanz und seine Würde bewahrt, wenn nicht sogar gesteigert.

Gelegentlich statte ich dem alten Haus einen Besuch ab. Ich fahre nach der Arbeit oder auf dem Weg zum Einkaufen kurz dort vorbei, aber es kommt auch vor, dass ich extra deswegen eine kleine Spazierfahrt unternehme. Diese Ausflüge gehören zu meinen kleinen Geheimnissen – Jane ahnt nichts davon. Sie hätte bestimmt nichts dagegen einzuwenden, aber es bereitet mir irgendwie Vergnügen, die »Hausbesuche« für mich zu behalten. Ich komme mir dann fast vor wie ein Mann mit einer geheimen Mission, aber gleichzeitig fühle ich mich auch mit allen anderen Menschen verbunden, denn ich weiß ja, dass jeder von uns seine Geheimnisse hat, auch meine Frau. Wenn ich vor dem Haus stehe, frage ich mich oft, was Jane wohl vor mir verbirgt.

Es gibt nur einen einzigen Menschen, der Bescheid weiß. Er heißt Harvey Wellington und ist der Nachbar, der auf dem angrenzenden Grundstück wohnt, ein Schwarzer, etwa in meinem Alter. Schon seit Anfang des letzten Jahrhunderts lebt seine Familie dort, und ich weiß, dass er Prediger an der hiesigen Baptistenkirche ist. Er war mit allen Mitgliedern von Janes Familie gut befreundet, vor allem mit Jane, aber seit Allie und Noah nach Creekside gezogen sind, besteht unser Kontakt hauptsächlich aus den jährlichen Weihnachtskarten. Ich sehe ihn oft auf seiner schiefen Veranda stehen, aber auf die Entfernung kann ich sein Gesicht nicht richtig erkennen und habe deshalb keine Ahnung, was er denkt, wenn er mich vor dem verlassenen Gebäude entdeckt.

Das Haus selbst betrete ich nur selten. Es ist fest verriegelt, seit Noah und Allie nicht mehr dort leben. Die Möbelstücke sind mit Laken verhängt und sehen aus wie Halloween-Gespenster. Nein, ich laufe lieber auf dem Grundstück herum. Ich gehe die Kieswege entlang, folge dem Zaun, berühre die Pfosten, gehe hinter das Haus, wo der Fluss vorbeifließt. Er ist hier draußen schmaler als weiter stadteinwärts, und es gibt Momente, in denen das Wasser fast still zu stehen scheint. Dann sieht es aus wie ein silberner Spiegel, der den Himmel reflektiert. Manchmal stehe ich am Ufer, betrachte die Wolken, die sich im Wasser spiegeln, und lausche dem Wind, der sanft mit den Blättern über mir spielt.

An anderen Tagen gehe ich zu der Laube, die Noah nach seiner Hochzeit gebaut hat. Da Allie immer eine besondere Vorliebe für Blumen hatte, legte Noah für sie einen Rosengarten in Form von konzentrischen Herzen an, in deren Mitte sich ein dreistöckiger Springbrunnen befindet. Vom Elternschlafzimmer aus blickt man direkt auf diese wunderschöne Anlage. Noah hatte mehrere Scheinwerfer installiert, damit man die Blumen auch bei Nacht sehen konnte. Die Wirkung war atemberaubend. Die selbst gebaute Laube grenzt an diesen Rosengarten, und Allie verwendete auf ihren Bildern immer wieder diese beiden Motive. Allie war eine hochbegabte Malerin, aber speziell diese Gartengemälde besaßen bei aller Schönheit stets auch einen Hauch von Melancholie. Jetzt kümmert sich niemand mehr um den Rosengarten, er ist verwildert, die Laube alt und brüchig, aber ich bin trotzdem immer ergriffen, wenn ich hier bin. Wie viel Mühe und Liebe hat Noah investiert, um etwas so Einmaliges zu schaffen! Oft berühre ich das Gitterwerk der Laube oder atme den Duft der Rosen ein und wünsche mir dabei, dass auf diese Weise vielleicht etwas von Noahs Talenten auf mich übergeht.

Ich komme hierher, weil dieser Ort für mich eine ganz besondere Bedeutung hat. Hier ist mir zum ersten Mal bewusst geworden, dass ich Jane liebe. Diese Liebe ist das Beste, was mir im Leben widerfahren ist, aber bis heute erscheint sie mir wie ein Wunder – vor allem, wenn ich daran denke, wie es dazu kam.

Ich hatte nicht die geringste Absicht, mich in Jane zu verlieben, als ich sie an jenem verregneten Vormittag mit meinem Schirm zum Auto begleitete. Ich kannte sie ja kaum, aber während ich ihrem Wagen nachschaute, spürte ich, dass ich sie unbedingt wiedersehen musste. Und noch Stunden später, als ich längst wieder für meine Prüfungen lernte, hörte ich ihre Stimme:

Keine Sorge, Wilson. Ich mag schüchterne Männer.

Weil ich mich beim besten Willen nicht konzentrieren konnte, legte ich mein Buch weg und stand vom Schreibtisch auf. Ich hatte einfach keine Zeit für eine Beziehung! Und eigentlich auch gar nicht den Wunsch, eine einzugehen. Unruhig ging ich im Zimmer auf und ab, dachte an meinen vollen Stundenplan und an meinen festen Entschluss, möglichst schnell finanziell unabhängig zu werden. Ich durfte nicht mehr in das Café gehen! Auf keinen Fall! Diese Entscheidung fiel mir unglaublich schwer, aber sie war notwendig und richtig, versuchte ich mir einzureden. Es gab keine Alternative – ich musste Jane so schnell wie möglich vergessen.

In der folgenden Woche lernte ich in der Bibliothek, aber es wäre gelogen, wenn ich behaupten würde, ich hätte Jane nicht gesehen. Abend für Abend ging ich in Gedanken unsere kurze Begegnung noch einmal durch. Janes Bild erschien vor meinem inneren Auge, ich sah ihre langen dunklen Haare, ich hörte ihre melodiöse Stimme, ich spürte den geduldigen Blick, mit dem sie mich ansah, als wir im Regen standen. Je mehr ich mich zwang, nicht an sie zu denken, desto stärker wurden die Bilder. Da begriff ich, dass ich meinen Entschluss keine zweite Woche würde durchhalten können, und am Samstagmorgen machte ich mich auf den Weg zu ihr.

Ich ging nicht in das Café, um sie zu fragen, ob sie mit mir ausgehen wolle. Im Gegenteil – ich wollte mir selbst beweisen, dass es sich um eine vorübergehende Schwärmerei handelte. Jane war nur ein ganz normales junges Mädchen, sagte ich mir. Ich musste sie lediglich noch einmal sehen, um mich endgültig von ihr loszusagen. Als ich den Wagen parkte, war ich wild entschlossen.

Wie immer war das Café ziemlich voll. Ein Schwall junger Leute kam mir entgegen, als ich eintrat – ich musste mich regelrecht zu meinem üblichen Tisch durchkämpfen. Er war gerade abgewischt worden, und ich rieb ihn mit einer Papierserviette trocken, ehe ich mein Buch aufschlug.

Mit gesenktem Kopf suchte ich das Kapitel, mit dem ich mich gerade beschäftigte. Ich tat so, als würde ich Jane nicht bemerken, bis sie direkt neben meinem Tisch stand, aber als ich hochblickte, sah ich, dass es gar nicht Jane war. Nein, es war eine Frau zwischen vierzig und fünfzig. In ihrer Schürze steckte der Bestellblock, der Stift hinterm Ohr.

»Hätten Sie gern eine Tasse Kaffee?«, fragte sie freundlich. Sie klang, als arbeitete sie seit Jahren hier. Warum war sie mir bisher nicht aufgefallen?

»Ja, bitte.«

»Bin gleich wieder da«, versprach sie, legte eine Speisekarte auf den Tisch und verschwand. Ich schaute mich um und entdeckte Jane, die gerade die Bestellungen zu einem Tisch am anderen Ende des Restaurants brachte. Hatte sie mich hereinkommen sehen? Nein, sicher nicht, sie musste sich ja auf ihre Teller konzentrieren, und sie schaute nicht in meine Richtung. Aus der Ferne lösten ihre Bewegungen nichts Besonderes in mir aus, und ich seufzte erleichtert auf. Endlich hatte ich es geschafft, diese absurde Besessenheit, die mich in den letzten Tagen so gequält hatte, erfolgreich abzuschütteln.

Mein Kaffee kam, ich bestellte ein Frühstück und vertiefte mich wieder in mein Lehrbuch. Nach einer halben Seite hörte ich plötzlich ihre Stimme.

»Hi, Wilson.«

Lächelnd stand sie vor mir. »Ich habe dich letztes Wochenende gar nicht gesehen«, fuhr sie fort. »Hoffentlich hab ich dich nicht vergrault.«

Ich schluckte, weil ich kein Wort herausbrachte. Sie war noch viel hübscher als in meiner Erinnerung! Ich weiß nicht, wie lange ich sie anstarrte – jedenfalls lange genug, dass sie mich besorgt fragte: »Wilson? Ist alles in Ordnung?«

»Ja, klar«, antwortete ich schnell. Mehr fiel mir nicht ein.

Jane nickte. Sie wirkte jetzt auch etwas durcheinander. »Also dann ... tut mir Leid, dass ich dich nicht gesehen habe, als du reingekommen bist. Sonst hätte ich dir einen Platz in meinem Teil angeboten. Du bist ja schon fast mein Stammkunde.«

»Ja, klar«, sagte ich wieder. Diese Antwort passte zwar überhaupt nicht, aber es wollte mir einfach kein vernünftiger vollständiger Satz gelingen.

Sie wartete. Vermutlich dachte sie, ich würde noch etwas hinzufügen. Als ich schwieg, schien sie enttäuscht. »Na ja, ich sehe, du willst weiterlesen«, sagte sie mit einer Kopfbewegung zu meinem Buch hin. »Ich wollte dich nur kurz begrüßen und mich noch mal dafür bedanken, dass du mich neulich zu meinem Auto begleitet hast. Lass dir dein Frühstück schmecken.«

Sie wandte sich zum Gehen, und in dem Moment unternahm ich einen letzten verzweifelten Versuch, den Bann zu brechen, der meine Zunge lähmte.

»Jane?«

»Ja?«

Ich räusperte mich. »Vielleicht könnte ich dich ja mal wieder zu deinem Auto begleiten. Auch wenn es nicht regnet.«

Sie musterte mich ein wenig erstaunt, ehe sie antwortete: »Das fände ich sehr nett.«

»Wie wär's mit heute?«

Sie lächelte. »Ja, gern.«

Sie wollte gehen, aber ich rief ihr nach: »Da ist noch etwas, Jane!«

Sie blickte über die Schulter zurück. »Ja?«

Endlich gestand ich mir selbst ein, weshalb ich gekommen war. Ich legte beide Hände auf mein Buch, um aus dieser Welt, die ich so gut verstand, Kraft zu schöpfen.

»Hättest du Lust, mit mir essen zu gehen – jetzt am Wochenende?«

Ich glaube, sie fand es amüsant, dass ich so lange gebraucht hatte, um diesen Vorschlag zu machen.

»Ja, Wilson«, sagte sie. »Sehr gern.«

Wie sonderbar – nun war es mehr als dreißig Jahre später, und wir saßen mit unserer gemeinsamen Tochter im Wohnzimmer und sprachen über deren Hochzeitspläne.

Annas Wunsch, schon so bald zu heiraten und ein ganz schlichtes Fest zu feiern, stieß bei Jane auf wenig Gegenliebe. Sie schien wie erstarrt, aber dann wachte sie wieder auf, schüttelte empört den Kopf und flüsterte mit wachsender Dringlichkeit: »Nein, nein, NEIN!«

Rückblickend erscheint mir ihre Reaktion alles andere als verwunderlich. Ich glaube, zu den Momenten im Leben, auf die eine Mutter sich am allermeisten freut, gehört die Hochzeit ihrer Tochter. Ein ganzer Industriezweig beschäftigt sich ausschließlich mit diesem Ereignis, und daher ist es nur natürlich, dass fast alle Mütter genaue Vorstellungen haben, wie dieses Fest aussehen soll. Annas Ideen standen in krassem Widerspruch zu dem, was sich Jane für ihre

Töchter ausgemalt hatte, und obwohl es sich um *Annas* Hochzeit handelte, konnte Jane ihre Traumvorstellungen so wenig abschütteln wie ihre eigene Vergangenheit.

Jane hatte nichts dagegen, dass Anna und Keith an unserem Hochzeitstag heirateten – sie wusste ja besser als alle anderen, wie es um Noah stand, und außerdem mussten Anna und Keith demnächst umziehen –, aber ihr gefiel es absolut nicht, dass die beiden nur standesamtlich heiraten wollten. Dass ihr gerade mal acht Tage für die Vorbereitungen blieben, fand sie grauenhaft. Und dass Anna es vorzog, im kleinen Kreis zu feiern.

Ich saß stumm dabei, als die Verhandlungen losgingen. Jane sagte: »Und was ist mit den Sloans? Es würde ihnen das Herz brechen, wenn sie nicht eingeladen werden. Und John Peterson! Er hat dir jahrelang Klavierunterricht gegeben, und ich weiß doch, wie gern du ihn mochtest.«

»Aber dass wir heiraten, ist wirklich keine große Sache«, wandte Anna ein. »Keith und ich wohnen doch schon zusammen. Die meisten Leute behandeln uns längst wie ein Ehepaar.«

»Was ist mit dem Fotografen? Ich wette, ihr wollt, dass jemand Bilder macht.«

»Ich könnte mir denken, dass viele Leute ihre Kameras mitbringen«, entgegnete Anna. »Oder *du* könntest diese Aufgabe übernehmen, Mom – was meinst du? Du hast doch im Laufe der Jahre schon Tausende von Fotos gemacht.«

Wieder schüttelte Jane empört den Kopf und setzte zu einer leidenschaftlichen Rede an: Die Hochzeit solle der schönste Tag in Annas Leben werden, deshalb müsse sie auch entsprechend begangen werden, ein unvergessliches Fest – aber Anna antwortete, dass es auch ohne das ganze Drumherum eine richtige Heirat sei. Die Stimmung war nicht feindselig, sie hackten nicht aufeinander herum, aber sie drehten sich im Kreis und kamen nicht weiter.

Normalerweise ordne ich mich in solchen Dingen Jane unter, vor allem, wenn es um unsere Töchter geht, aber ich merkte, dass ich in diesem Fall etwas zur Klärung der Lage beitragen konnte. Also setzte ich mich gerade hin, räusperte mich und sagte:

»Vielleicht gibt es ja einen Kompromiss.«

Anna und Jane schauten mich verdutzt an.

»Ich weiß, dass dir der Termin am nächsten Wochenende sehr wichtig ist, Anna«, sagte ich. »Aber hättest du prinzipiell etwas dagegen, wenn wir noch ein paar zusätzliche Gäste einladen, außer dem engsten Familienkreis? Und würde es dich stören, wenn wir beide bei den Vorbereitungen mithelfen?«

»Keine Ahnung, ob dafür noch genug Zeit ist ...«, begann Anna.

»Aber wärst du damit einverstanden, dass wir es wenigstens versuchen?«

Die Debatte zog sich noch eine ganze Stunde lang hin, doch am Schluss hatten wir ein paar konstruktive Kompromisse erzielt. Anna zeigte sich erstaunlich entgegenkommend, nachdem ich mich eingemischt hatte. Sie kenne einen Pfarrer, sagte sie, der bestimmt bereit sei, nächste Woche die Trauung zu übernehmen. Jane wirkte erleichtert, als die Pläne nun etwas konkretere Gestalt annahmen.

Ich dachte allerdings nicht nur an die Hochzeitsfeier meiner Tochter, sondern auch an unseren dreißigsten Hochzeitstag. Ich hatte mir fest vorgenommen, diesen Tag ganz besonders schön zu gestalten, denn schließlich hatte ich etwas gutzumachen! Und nun sollte am selben Tag plötzlich noch ein zweites Fest stattfinden. Ich wusste, welchem der beiden man mehr Bedeutung zumessen würde.

Das Haus, in dem Jane und ich wohnen, liegt am Trent River, der an dieser Stelle fast achthundert Meter breit ist. Manchmal sitze ich draußen auf unserer Veranda, die wir meistens als »Deck« bezeichnen, weil sie nur nach hinten hinaus geht, und beobachte die kleinen Wellen, auf denen das Mondlicht tanzt. Je nach Wetterlage kann man den Eindruck bekommen, das Wasser sei ein eigenständiges Lebewesen.

Anders als Noahs Haus hat unseres keine Veranda, die ums ganze Haus herumgeht, sondern hinten das Deck und vorn eine normale Veranda. Es wurde nämlich in einer Zeit gebaut, als Klimaanlagen und Fernsehen dafür sorgten, dass die Leute viel mehr Zeit drinnen verbrachten. Bei unserem ersten Rundgang durch das Haus warf Jane einen Blick aus den Fenstern, die nach hinten hinaus gehen, und beschloss sofort, wenn sie schon keine richtige Veranda haben konnte, wie es hier in den Südstaaten üblich war, dann wollte sie wenigstens ein großes Deck. Es war die erste von verschiedenen Veränderungen, die wir an dem Haus vornahmen und mit denen wir es nach und nach so umgestalteten, dass wir es wirklich als unsere Heimat betrachten konnten.

Nachdem nun Anna wieder gegangen war, blieb Jane noch für eine Weile auf dem Sofa sitzen und starrte auf die gläserne Schiebetür, die zum Deck führte. Ich konnte ihren Gesichtsausdruck nicht richtig deuten, aber gerade, als ich sie fragen wollte, was ihr durch den Kopf gehe, stand sie auf und trat nach draußen. Dass der Abend ein Schock für uns beide gewesen war, daran gab es keinen Zweifel. Deshalb ging ich in die Küche und machte eine Flasche Wein auf. Jane trinkt nie besonders viel, aber hin und wieder gönnt sie sich doch ein Gläschen, und die Neuigkeiten, die uns unsere Tochter soeben aufgetischt hatte, schienen ein angemessener Anlass zu sein.

Mit einem Glas in der Hand trat ich hinaus auf das Deck. Die Abendstille wurde vom Quaken der Frösche und vom Zirpen der Grillen durchbrochen. Der Mond war noch nicht aufgegangen, und am anderen Flussufer konnte ich die gelblichen Lichter der Landhäuser erkennen. Es ging ein leichter Wind, und ich hörte das harmonische Klimpern der Windorgel, die Leslie uns letztes Jahr zu Weihnachten geschenkt hatte.

Sonst war alles still. Im milden Schein der Lampe erinnerte mich Janes Profil an das einer griechischen

Statue. Wieder einmal verblüffte es mich, wie stark sie noch der jungen Frau glich, die ich vor so langer, langer Zeit kennen gelernt hatte. Ihre hohen Wangenknochen, die vollen Lippen – ich war froh und dankbar, dass unsere Töchter mehr Ähnlichkeit mit Jane hatten als mit mir. Und jetzt wollte eine dieser Töchter heiraten! Eigentlich hätte Jane überglücklich sein müssen. Aber als ich näher trat, bemerkte ich, dass sie weinte.

Ich erschrak fast und wusste nicht recht, wie ich mich verhalten sollte. Hätte ich doch lieber im Wohnzimmer auf sie warten sollen? Ich wollte wieder gehen, aber Jane schien meine Anwesenheit gespürt zu haben. Sie blickte über die Schulter.

»Oh, hallo«, sagte sie und schniefte.

»Ist alles okay?«, fragte ich.

»Ja, natürlich.« Aber dann schüttelte sie den Kopf. »Das heißt, nein. Ich weiß eigentlich gar nicht, wie ich mich fühle.«

Ich trat neben sie und stellte das Glas auf das Geländer. In der Dunkelheit sah der Wein aus wie Öl.

»Danke.« Jane trank einen Schluck, seufzte tief und schaute dann wieder hinaus aufs Wasser.

»Das war typisch Anna«, murmelte sie. »Eigentlich dürfte ich mich ja über nichts mehr wundern, aber trotzdem ...«

Sie verstummte und stellte das Glas wieder ab.

»Ich dachte, du magst Keith«, sagte ich.

»Ja, natürlich mag ich ihn. Aber eine Woche? Ich weiß gar nicht, wie sie sich das vorstellt! Wenn sie schon keine große Feier haben möchte, warum ist sie dann nicht einfach mit ihm durchgebrannt und hat irgendwo in Las Vegas geheiratet?«

»Wäre dir das lieber gewesen?«

»Nein. Ich hätte mich maßlos aufgeregt.«

Ich grinste. Jane ist immer so wunderbar ehrlich, auch sich selbst gegenüber.

»Aber es gibt unglaublich viel zu organisieren!«, fuhr sie fort. »Wie sollen wir das alles schaffen? Ich möchte ja gar nicht, dass wir im großen Saal des Plaza Hotels feiern, aber trotzdem – ich hätte gedacht, Anna will wenigstens einen guten Fotografen dabei haben. Und ein paar von ihren Freunden.«

»Aber am Schluss war sie doch mit allem einverstanden, oder?«

Jane zögerte kurz, bevor sie betont ruhig erwiderte:

»Ich glaube nicht, dass ihr klar ist, wie oft sie später an ihren Hochzeitstag zurückdenken wird. Sie bildet sich ein, es wäre eine Bagatelle.«

»Sie wird den Tag bestimmt nie vergessen – egal, wie sie ihn feiert.«

Jane schloss die Augen. »Das verstehst du nicht.«

Mehr brauchte sie nicht zu sagen. Ich wusste nur zu gut, worauf sie damit anspielte.

Kurz gesagt: Jane wollte nicht, dass Anna den gleichen Fehler machte wie sie selbst.

Meine Frau hat immer darunter gelitten, dass unsere Hochzeit so prosaisch ablief. Ich hatte auf einer standesamtlichen Eheschließung bestanden, weil ich keine festliche Zeremonie wollte, und obwohl ich selbstverständlich die gesamte Verantwortung dafür übernehme, spielten doch auch meine Eltern eine zentrale Rolle.

Im Gegensatz zur großen Mehrheit der Menschen hierzulande waren sie überzeugte Atheisten und haben mich entsprechend erzogen. Ich interessierte mich zwar für die Kirche und ihre rätselhaften Rituale, über die ich hin und wieder irgendwo etwas las, aber wir redeten zu Hause nie über religiöse Fragen.

Gelegentlich fiel mir auf, wie sehr ich mich in dieser Hinsicht von den anderen Kindern in unserem Viertel unterschied, aber das beschäftigte mich nicht weiter.

Heute sehe ich das völlig anders. Mein Glaube ist für mich das schönste Geschenk, das ich je bekommen habe. Ich will mich hier nicht weiter darüber auslassen – nur eins möchte ich noch hinzufügen: Rückblickend kommt es mir so vor, als hätte ich immer gewusst, dass in meinem Leben etwas fehlt. Die Jahre, die ich mit Jane verbracht habe, sind der Beweis dafür. Genau wie ihre Eltern ist Jane sehr gläubig. Sie war diejenige, die mich das erste Mal in die Kirche mitnahm. Sie kaufte die Bibel, in der wir abends immer lesen, und sie beantwortete meine anfänglichen Fragen.

Aber all das geschah erst, nachdem wir schon verheiratet waren.

Wenn es in der ersten Zeit Spannungen zwischen uns gab, hingen diese fast immer mit meinem Verhältnis zur Religion zusammen. Ich weiß genau, dass sich Jane an manchen Tagen fragte, ob wir überhaupt zusammenpassten. Sie hat mir später gestanden, sie hätte mich nicht geheiratet, wenn sie nicht davon überzeugt gewesen wäre, dass ich eines Tages zum Glauben finden würde. Ich wusste, dass Annas Pläne bei ihr schmerzliche Erinnerungen wach riefen, denn meine Skepsis in Religionsdingen war ja der Grund gewesen, weshalb wir eben nur standesamtlich geheiratet hatten. Aber damals wäre ich mir vorgekommen wie ein Heuchler, wenn ich mich in der Kirche hätte trauen lassen.

Es gab noch einen weiteren Grund, weshalb wir nicht zu einem Pfarrer gingen, und der hatte mit meinem Stolz zu tun. Ich wollte nicht, dass Janes Eltern für eine traditionelle kirchliche Hochzeit bezahlten, obwohl sie es sich problemlos hätten leisten können. Jetzt, da ich selbst Vater von zwei Töchtern bin, betrachte ich diese Verpflichtung mit Recht als ein Geschenk, aber in meinen jungen Jahren fand ich, dass ich allein für die Kosten aufkommen sollte. Wenn ein offizieller Empfang meine finanziellen Mittel überstieg, dann wollte ich keinen haben. So dachte ich damals.

Ich hatte nicht genug Geld für eine große Feier. Ich war neu in der Kanzlei und bezog zwar ein anständiges Gehalt, hatte aber nur ein Ziel vor Augen: Ich wollte möglichst viel sparen, um bald ein Haus zu kaufen. Zwar schafften wir es auf diese Weise, bereits neun Monate nach der Hochzeit in unser erstes eigenes Haus zu ziehen, aber ich finde heute, dieser Umzug war ein solches Opfer nicht wert. Sparsamkeit, das habe ich inzwischen begriffen, hat ihren Preis, und wenn man am falschen Ort spart, muss man später teuer dafür bezahlen.

Die Hochzeit war in weniger als zehn Minuten abgewickelt. Selbstverständlich wurde kein einziges Gebet gesprochen. Ich trug einen dunkelgrauen Anzug, Jane hatte ein gelbes Sommerkleid gewählt und sich eine Gladiole ins Haar gesteckt. Ihre Eltern winkten uns zum Abschied, und wir verbrachten unsere Flitterwochen in einem hübschen, altmodischen Gasthaus in Beaufort. Jane war entzückt von dem Himmelbett, in dem wir das erste Mal miteinander schliefen, aber von wegen Flitterwochen – wir verbrachten nicht einmal das ganze Wochenende dort, weil ich am Montag schon wieder im Büro sein musste.

Das war nicht die Art von Hochzeit, die sich Jane als Mädchen erträumt hatte. Heute kann ich das richtig einschätzen, aber damals habe ich nicht darüber nachgedacht. Sie hatte sich genau das Fest gewünscht, zu dem sie jetzt Anna überreden wollte: eine glücklich lächelnde Braut, die von ihrem Vater den Gang hinuntergeführt wird, eine kirchliche Trauung mit Freunden und Verwandten, ein Empfang mit Büfett und Kuchen, dazu bezaubernder Blumenschmuck auf jedem Tisch – und die Braut und der Bräutigam nehmen freudestrahlend die Glückwünsche entgegen.

Vielleicht spielt sogar eine Musikkapelle, damit die Braut mit ihrem Ehemann und mit ihrem Vater tanzen kann, während alle anderen zuschauen und enthusiastisch Beifall klatschen, manche mit Tränen der Rührung in den Augen.

So eine Hochzeit hätte sich Jane gewünscht.

KAPITEL 4

Am Samstag, dem Tag nach Annas Ankündigung, fuhr ich morgens nach Creekside. Als ich meinen Wagen auf dem Parkplatz abstellte, brannte die Sonne schon ziemlich heiß. In den Südstaaten verlangsamt sich im August der Rhythmus des Lebens, und das gilt selbstverständlich auch für New Bern. Die Leute fahren bedächtiger, die Ampeln scheinen länger auf Rot zu stehen als normalerweise, und die Fußgänger verbrauchen gerade genug Energie, um irgendwie vorwärts zu kommen, aber man hat immer den Eindruck, sie würden einen Wettbewerb im Schleichen veranstalten.

Jane und Anna waren schon aufgebrochen, um die ersten Erledigungen zu machen. Nach unserem Gespräch auf dem Deck hatte Jane noch lange am Küchentisch gesessen und angefangen, eine Liste mit all den Dingen anzulegen, die organisiert werden mussten. Sie hatte zwar wenig Hoffnung, sämtliche Punkte termingerecht abhaken zu können, aber eine Liste fand sie trotzdem praktisch. Drei Seiten hatte sie voll geschrieben und die verschiedenen Aufgaben genau auf die verbleibenden Tage aufgeteilt.

Jane konnte schon immer gut organisieren. Gleichgültig, ob es um einen Kirchenbasar oder um ein Pfadfindertreffen ging – immer wurde meine Frau gefragt, ob sie die Sache nicht in die Hand nehmen könne. Manchmal fühlte sie sich überfordert, denn schließlich nahmen alle drei Kinder an irgendwelchen Aktivitäten teil, aber sie lehnte nie ab. Aus Erfahrung wusste ich, dass sie zwischendurch immer furchtbar nervös wurde, deshalb nahm ich mir vor, sie in der kommenden Woche so viel wie möglich zu entlasten.

Die Parkanlage von Creekside war mit Hecken und Azaleenbüschen wunderschön gestaltet. Ich war mir sicher, dass ich Noah nicht in seinem Zimmer antreffen würde, deshalb folgte ich gleich dem gewundenen Kiesweg hinunter zum Teich. Als ich Noah entdeckte, schüttelte ich den Kopf – trotz der Hitze trug er wie immer seine blaue Strickjacke. Noah war der einzige Mensch, der an einem Tag wie diesem frieren konnte.

Er hatte gerade den Schwan gefüttert, der am Rand des Teichs kreiste. Beim Näherkommen hörte ich, dass Noah mit ihm sprach, aber ich konnte nichts verstehen. Der Schwan wirkte sehr zutraulich. Noah hatte mir einmal erzählt, dass er sich oft zu seinen Füßen niederließ, was ich selbst allerdings noch nie beobachtet hatte.

»Guten Tag, Noah«, sagte ich.

Es fiel ihm schwer, den Kopf zu drehen. »Hallo, Wilson.« Er hob die Hand. »Wie nett, dass du vorbeischaust.«

»Wie geht's denn so?«

»Könnte besser sein«, antwortete er. »Könnte aber auch wesentlich schlechter sein.«

Ich kam zwar oft nach Creekside, aber manchmal fand ich es doch recht deprimierend. Hier lebten viele Menschen, bei denen man den Eindruck gewinnen konnte, die Welt habe sie vergessen. Die Ärzte und Krankenschwestern sagten öfter zu uns, Noah habe Glück, weil er so häufig Besuch bekomme, wohingegen die Mehrzahl der anderen Senioren den ganzen Tag vor dem Fernseher verbrächte, um der Einsamkeit zu entrinnen. Noah hatte sich angewöhnt, den Leuten, die hier lebten, abends ein paar Gedichte vorzulesen. Sein Lieblingsdichter war Walt Whitman, und dessen Gedichtesammlung *Grashalme* lag auch jetzt neben ihm auf der Bank. Er ging eigentlich nie ohne dieses Buch aus dem Haus. Jane und ich haben es ebenfalls gelesen, aber ich muss gestehen, so ganz verstehe ich bis heute nicht, was Noah an diesen Gedichten so gut gefällt.

Wieder einmal wurde mir bewusst, wie schwer es mir fiel, zu akzeptieren, dass Noah tatsächlich ein alter Mann geworden ist. Wie schon erwähnt, litt er öfter an Atemnot, und seine linke Hand konnte er seit dem Schlaganfall im Frühjahr nicht mehr richtig bewegen. Im Grunde verabschiedete er sich nach und nach von der Welt, was wir ja schon lange wussten, doch jetzt schien er es auch selbst zu spüren.

Ich setzte mich zu ihm, und gemeinsam beobachteten wir nun den majestätischen Vogel mit dem rätselhaften schwarzen Fleck auf der Brust, der mich immer an ein Muttermal oder an ein Stück Kohle im Schnee erinnerte – der Versuch der Natur, die Perfektion zu unterwandern. Eigentlich lebten zu bestimmten Jahreszeiten mehr als zwölf Schwäne auf dem Teich, aber dieser hier war der einzige, der nie wegging. Ich hatte ihn schon bei eisigen Wintertemperaturen hier gesehen, wenn die anderen Schwäne längst gen Süden gezogen waren. Noah hatte mir einmal erklärt, warum dieser Schwan immer bei ihm blieb, und diese Erklärung war eine der Ursachen, weshalb die Ärzte ihn für nicht mehr ganz zurechnungsfähig hielten.

Nach einer Weile erzählte ich ihm, was sich am Abend zuvor zwischen Anna und Jane abgespielt hatte. Als ich mit meiner Geschichte fertig war, musterte mich Noah mit einem vielsagenden Grinsen.

»Jane war nicht allzu begeistert, was?«, fragte er.

»Stimmt.«

»Sie möchte, dass das Fest nach ganz bestimmten Spielregeln verläuft?«

»Ja, klar.« Ich berichtete von der Liste, die sie aufgestellt hatte. Dann erst erzählte ich ihm von meiner eigenen Idee – ich fand nämlich, dass Jane etwas übersehen hatte.

Mit seiner gesunden Hand tätschelte Noah mein Bein, um sein Einverständnis zu signalisieren.

»Was ist mit Anna?«, wollte er dann wissen. »Geht's ihr gut?«

»Ich denke schon. Ich glaube, Janes Reaktion hat sie nicht weiter beeindruckt.«

»Und Keith?«

»Ihm geht es auch gut. Jedenfalls laut Anna.«

Noah nickte. »Ein sehr nettes junges Paar, die beiden. Sie sind beide gute Menschen. Sie erinnern mich an Allie und mich selbst.«

Ich lächelte. »Das muss ich unbedingt Anna sagen. Es freut sie bestimmt – sie legt nämlich großen Wert auf dein Urteil.«

Für eine Weile schwiegen wir beide. Dann sagte Noah, mit einer Kopfbewegung zum Wasser hin:

»Wusstest du, dass Schwäne ihr ganzes Leben einem einzigen Partner treu bleiben?«

»Ich dachte immer, das sei ein Mythos.«

»Nein, es stimmt. Allie fand das unglaublich romantisch. Für sie war das der Beweis dafür, dass die Liebe tatsächlich eine Himmelsmacht ist. Ehe wir geheiratet haben, war sie ja mit einem anderen verlobt. Das weißt du doch, oder?«

Ich nickte.

»Hab ich mir's doch gedacht. Na ja, jedenfalls hat sie mich besucht, ohne es ihrem Verlobten zu sagen, und ich bin mit ihr im Kanu zu einer Stelle im See gepaddelt, wo wir Tausenden von Schwänen begegneten. Es sah aus, als wäre das Wasser mit Schnee bedeckt. Habe ich dir das auch schon mal erzählt?«

Wieder nickte ich. Ich war selbstverständlich nicht dabei gewesen, hatte aber ein lebendiges Bild vor Augen, weil Jane diese Geschichte öfter erzählte – jedes Mal mit großer innerer Beteiligung.

»Danach haben wir nie wieder so viele Schwäne auf einmal gesehen. Ein paar waren immer da, aber so wie an dem Tag war's nie mehr.« Verträumt hing Noah seinen Erinnerungen nach. »Allie wollte aber trotzdem immer wieder dorthin zurück. Es machte ihr Freude, die Schwäne zu füttern, die noch da waren. Jedes Mal hat sie mich auf die Paare aufmerksam gemacht. ›Da drüben ist ein Pärchen‹, hat sie gesagt, ›und dort ist noch eins – ist es nicht wunderbar, wie sie zusammenhalten?‹« Ein Lächeln huschte über Noahs Gesicht. »Ich glaube, das war ihre Art, mich darauf hinzuweisen, dass ich ihr treu bleiben soll.«

»Aber deswegen brauchte sie sich doch keine Sorgen zu machen!«

»Nein?«

»Für mich seid ihr beide das ideale Paar – ihr wart doch für einander geschaffen.«

Er lächelte. »Ja, das stimmt«, sagte er schließlich. »Aber wir mussten daran arbeiten. Wir hatten auch unsere schwierigen Zeiten.«

Meinte er Allies Krankheit? Oder spielte er darauf an, dass vor langer Zeit eines ihrer Kinder gestorben war? Sicher gab es noch andere Vorfälle, aber er schien die »schwierigen Zeiten« nicht konkretisieren zu wollen.

»Von außen betrachtet hat es immer so einfach ausgesehen«, sagte ich schließlich.

Noah schüttelte den Kopf. »Mag sein – war es aber nicht. Jedenfalls nicht immer. Mit meinen Briefen wollte ich sie nicht nur daran erinnern, was ich für sie empfinde, sondern ihr auch immer wieder unser Ehegelöbnis ins Gedächtnis rufen.«

Wollte er mich vielleicht darauf hinweisen, dass er mir einmal vorgeschlagen hatte, die gleiche Methode bei Jane zu versuchen? Ich sprach es nicht an, sondern stellte ihm eine Frage, die mir schon länger auf dem Herzen lag.

»War es eigentlich schwierig für dich und Allie, als alle eure Kinder aus dem Haus waren?«

Noah überlegte einen Augenblick lang. »Ich weiß nicht, ob ›schwierig‹ das richtige Wort dafür ist – auf jeden Fall war es anders.«

»Inwiefern?«

»Erstens war es viel ruhiger als vorher. Das ist ja klar. Alice arbeitete in ihrem Atelier, und ich war oft ganz allein im Haus und reparierte irgendetwas. Ich glaube, damals habe ich angefangen, Selbstgespräche zu führen, um wenigstens ein bisschen Gesellschaft zu haben.«

»Und wie hat Allie auf diese Veränderung reagiert?«

»So ähnlich wie ich«, antwortete er. »Besonders am Anfang. Die Kinder waren so lange der Mittelpunkt unseres Lebens gewesen, da dauert es natürlich eine ganze Weile, bis man sich daran gewöhnt hat, dass sie nicht mehr ständig da sind. Aber nachdem sich Allie umgestellt hatte, fand sie es großartig, dass wir wieder zu zweit waren, glaube ich.«

»Wie lange hat die Umstellung gedauert?«

»Das kann ich so nicht sagen. Aber zwei, drei Wochen bestimmt.«

Hatte ich richtig gehört? Zwei, drei *Wochen*?

Noah schien mein verdutztes Gesicht bemerkt zu haben. Er räusperte sich und sagte: »Wenn ich mir's recht überlege – ich glaube, es dauerte nicht mal so lange. Es handelte sich wohl nur um ein paar Tage, dann war sie wieder normal.«

Ein paar Tage? Ich war sprachlos.

Er fasste sich ans Kinn. »Das heißt, wenn mich meine Erinnerung nicht trügt, waren es nicht mal ein paar Tage. Ehrlich gesagt, wir haben gleich, nachdem wir Davids Sachen ins Auto gepackt hatten, vor dem Haus einen flotten Jitterbug hingelegt. Aber die ersten Minuten waren ganz schön hart, das kann ich dir sagen. Ich frage mich manchmal, wie wir sie überlebt haben.«

Er machte bei seinen Worten ein bitterernstes Gesicht, aber ich sah jetzt doch das übermütige Glitzern in seinen Augen.

»Ihr habt einen Jitterbug hingelegt?«

»Das ist ein Tanz.«

»Ich weiß.«

»Er war mal sehr populär.«

»Das ist aber ziemlich lange her.«

»Was? Tanzt heute niemand mehr Jitterbug?«

»Nein, das ist leider eine untergegangene Kunst, Noah.«

Er stieß mich an. »Na, hast du mir geglaubt?«

»Für einen Moment schon«, gab ich zu.

»Reingefallen!« Er zwinkerte mir zu.

Er schwieg zufrieden, aber ihm war natürlich klar, dass er meine Frage noch nicht beantwortet hatte. Mit einem tiefen Seufzer schlug er die Beine übereinander.

»Es war wirklich sehr hart – für uns beide, Wilson. Als die Kinder aus dem Haus gingen, waren sie ja nicht mehr nur unsere Kinder, sondern auch so etwas wie Freunde. Wir haben uns schrecklich allein gefühlt, einsam und verlassen, und eine Zeit lang wussten wir nicht viel miteinander anzufangen.«

»Davon hast du noch nie gesprochen.«

»Du hast mich noch nie danach gefragt«, entgegnete er. »Ich habe die Kinder sehr vermisst, aber ich denke, für Allie war es noch viel schlimmer. Sie war zwar Malerin, aber zuerst und vor allem war sie Mutter, und als die Kinder fort waren, wusste sie gar nicht mehr richtig, wer sie ist. Zumindest eine Zeit lang.«

Ich versuchte, mich in Allies Lage hineinzuversetzen, aber es wollte mir nicht gelingen. So hatte ich meine Schwiegermutter nie gesehen.

»Warum war das so?«, fragte ich.

Statt zu antworten, musterte Noah mich von oben bis unten. Dann fragte er: »Hab ich dir schon mal von Gus erzählt? Er hat mich immer besucht, als ich das Haus renovierte.«

Ich nickte. Gus war mit Harvey verwandt, dem schwarzen Pastor, den ich öfter aus der Ferne sah, wenn ich zu Noahs Haus fuhr.

»Tja, der gute alte Gus«, begann Noah, »er liebte verrückte Geschichten. Je komischer, desto besser. Manchmal saßen wir abends draußen auf der Veranda und erzählten uns gegenseitig wilde Anekdoten, bis wir vor Lachen nicht mehr konnten. Im Laufe der Jahre haben wir uns die tollsten Geschichten erzählt –

aber willst du wissen, welcher Satz mir am allerbesten gefallen hat? Dieser Satz war das Verrückteste, was Gus je von sich gegeben hat. Damit du das richtig einordnen kannst, musst du wissen, dass Gus ein halbes Jahrhundert lang mit derselben Frau verheiratet war. Sie hatten acht Kinder. Die beiden sind gemeinsam durch dick und dünn gegangen. Und immer Hand in Hand. Also, wir saßen eines Abends wieder mal draußen, erzählten uns dies und jenes, bis Gus plötzlich verkündete: ›Ich muss euch was sagen.‹ Er holte tief Luft, sah mir in die Augen und erklärte mit feierlicher Miene: ›Noah, ich verstehe die Frauen.‹«

Noah lachte leise in sich hinein. »Dabei gibt es keinen einzigen Mann auf der Welt, der diesen Satz sagen und ihn tatsächlich ernst meinen kann. Es ist schlicht unmöglich, die Frauen zu verstehen. Man braucht es gar nicht erst zu versuchen. Was allerdings nicht heißt, dass man sie nicht trotzdem lieben kann. Und es heißt auch nicht, dass wir je aufhören sollten, ihnen zu sagen, wie wichtig sie für uns sind.«

Ich beobachtete, wie der Schwan die Flügel schüttelte. Was wollte Noah mir mit dieser Geschichte sagen? Im letzten Jahr hatte er immer wieder in solchen Gleichnissen mit mir über Jane gesprochen. Nie hatte er einen konkreten Ratschlag gegeben, er hatte mir kein einziges Mal gesagt, was ich tun solle. Dabei war ihm sonnenklar gewesen, dass ich seine Unterstützung brauchte.

»Ich glaube, Jane wünscht sich, ich wäre mehr wie du«, sagte ich.

Noah grinste. »Nicht übel, Wilson«, sagte er. »Wirklich, gar nicht übel.«

Bis auf das Ticken der Standuhr und das gleichmäßige Summen der Klimaanlage war es still im Haus. Als ich meine Schlüssel auf die Ablage im Wohnzimmer legte, fiel mein Blick auf die Bücherregale rechts und links vom Kamin. Vor den Büchern standen lauter Familienfotos, die im Laufe der Jahre entstanden waren. Wir fünf in Jeans und blauen Hemden, vor zwei Jahren im Sommer. Ein Foto vom Strand bei Fort Macon, als die Kinder Teenager waren, ein drittes, auf dem sie noch jünger waren. Dann die Fotos, die Jane gemacht hatte: Anna in ihrem Abschlussballkleid, Leslie in ihrem Cheerleader-Outfit, ein Bild von Joseph mit unserem Hund Sandy, der leider vor ein paar Jahren im Sommer gestorben ist. Auf manchen Bildern waren die drei noch Babys, und obwohl die Fotos nicht chronologisch angeordnet waren, konnte man an ihnen doch ablesen, wie sich unsere Familie im Laufe der Zeit verändert hatte.

In der Mitte des Regals direkt über dem Kamin stand ein Schwarzweißfoto von Jane und mir an unserem Hochzeitstag. Allie hatte das Bild auf den Stufen zum Standesamt gemacht. Selbst bei einem Schnappschuss wie diesem konnte man ihre künstlerische Begabung erkennen. Jane zeigte sich wie immer sehr fotogen, aber auch zu mir war die Kamera an jenem Tag durchaus freundlich gewesen. Am liebsten hätte ich mir eingeredet, dass ich immer so aussah, wenn ich neben Jane stand.

Eigenartigerweise gab es auf den Regalen sonst kein einziges Bild von Jane und mir als Ehepaar. In den Alben konnte man Dutzende von Paarfotos finden, die unsere Kinder geknipst hatten, aber keines von ihnen hatte je den Weg in einen Rahmen gefunden. Jane hatte immer wieder vorgeschlagen, wir sollten uns doch noch einmal offiziell fotografieren lassen, doch im Trubel des Alltags und der beruflichen Pflichten war ich nie auf diesen Vorschlag eingegangen. Jetzt fragte ich mich manchmal, warum wir uns nie die Zeit genommen hatten. Bedeutete das etwas für unsere Zukunft? Oder war es vielleicht gar nicht wichtig?

Mein Gespräch mit Noah hatte mich nachdenklich gemacht. Wie sah unser Leben eigentlich aus, seit die Kinder aus dem Haus waren? Hätte ich ein besserer Ehemann sein können? Ganz bestimmt – das stand außer Frage. Aber im Rückblick waren es vor allem die Monate nach Leslies Aufbruch ins College, in denen ich Jane im Stich gelassen hatte. Das heißt – lässt man jemanden im Stich, wenn man seine Befindlichkeit gar nicht richtig wahrnimmt? Ist es dasselbe? Mir fiel wieder ein, dass Jane oft ziemlich still und sogar launisch und gereizt gewesen war. Manchmal starrte sie wie gelähmt durch die Glastür, oder sie sortierte lustlos die Kartons mit den alten Kindersachen. Aber ich hatte in dem Jahr noch mehr zu tun gehabt als sonst – der alte Ambry hatte einen Herzinfarkt und sah sich gezwungen, seine Arbeitszeit drastisch zu reduzieren. Deshalb reichte er viele seiner Klienten an mich weiter. Diese Doppelbelastung konnte ich kaum bewältigen, und wenn ich nach Hause kam, war ich total erschöpft und vermochte gar nicht abzuschalten.

Als Jane plötzlich beschloss, das Haus zu renovieren, betrachtete ich das als gutes Zeichen – endlich hatte sie ein Projekt, eine sinnvolle Beschäftigung. Wenn sie etwas Konkretes plante und es auch durchführte, konnte sie nicht dauernd an die Kinder denken. Und bald schon standen an der Stelle unserer alten Polstermöbel elegante Ledersofas, Couchtischchen aus Kirschbaumholz und Lampen mit geschwungenen Messinghälsen zierten plötzlich unser Wohnzimmer, neue Tapeten das Esszimmer, und um den Tisch gruppierten sich genug Stühle für unsere Kinder und ihre zukünftigen Ehepartner. Jane arrangierte jedes Detail sehr stilsicher und mit viel Geschmack, aber ich muss gestehen, dass ich häufig doch recht schockiert war, wenn ich am Monatsende die Kreditkartenrechnung sah. Um Jane nicht zu entmutigen, hielt ich jedoch lieber den Mund.

Nachdem sie das ganze Haus neu eingerichtet hatte, ging es uns immer noch nicht besser miteinander. Irgendetwas stimmte nicht. Dieses Gefühl hatte allerdings gar nichts mit dem leeren Nest zu tun, sondern damit, wie wir uns als Paar zueinander verhielten. Wir redeten nicht darüber. Es war wie eine stumme Übereinkunft – als wären wir beide der Meinung, dass wir alles nur noch schlimmer machen würden, sobald wir es laut aussprächen. Und wahrscheinlich hatten wir beide Angst vor dem, was danach passieren würde.

Das war auch der Grund, weshalb wir nie zur Eheberatung gingen. Man mag es altmodisch finden, aber mir hat der Gedanke, mit anderen über unsere Probleme zu sprechen, noch nie gefallen, und Jane geht es da ganz ähnlich wie mir. Außerdem hätte ich schon im Voraus gewusst, was ein Eheberater sagen würde. Nein, das Problem wurde nicht durch die Abwesenheit der Kinder ausgelöst, hätte der Psychologe uns versichert, auch nicht dadurch, dass Jane jetzt so viel freie Zeit hatte. Diese Dinge waren nur die Katalysatoren, die bereits vorhandene Unstimmigkeiten ans Tageslicht brachten.

Aber wie sind wir in diese Situation geraten?

Es fällt mir zwar sehr schwer, es zuzugeben, aber ich glaube, im Grunde war es reine Fahrlässigkeit – vor allem meinerseits, um ehrlich zu sein. Ich habe nicht nur meine berufliche Laufbahn ernster genommen als die Bedürfnisse und Wünsche meiner Familie, ich bin auch immer davon ausgegangen, dass unsere Ehe niemals in Gefahr geraten würde. Niemals! Meiner Ansicht nach gab es in unserer Beziehung keine größeren Differenzen. Aber ich war, weiß Gott, nicht der Typ, der seine Frau mit Kleinigkeiten verwöhnte, so wie Noah es immer bei Allie getan hatte. Wenn ich darüber nachdachte – was zugegebenermaßen nicht sehr häufig vorkam –, dann redete ich mir ein, dass Jane ja von Anfang an gewusst hatte, worauf sie sich einließ, sie wusste, was für ein Mann ich bin, und bisher hatte ihr das immer genügt.

Aber Liebe, das habe ich inzwischen begriffen, ist mehr als drei Worte, die man kurz vor dem Einschlafen murmelt. Liebe muss sich täglich beweisen, sie muss sich in allem, was wir tun, widerspiegeln, voller Zärtlichkeit, jeden Tag.

Während ich nun unser Hochzeitsfoto betrachtete, konnte ich nur einen Gedanken denken: Es ist zu Ende. Dreißig Jahre voller Fahrlässigkeit hatten dafür gesorgt, dass meine Liebe wie eine Lüge aussah, und jetzt musste ich die Rechnung bezahlen. Wir waren nur noch auf dem Papier ein Ehepaar. Seit einem halben Jahr hatten wir nicht mehr miteinander geschlafen, und wenn wir uns küssten oder umarmten, was selten genug vorkam, waren es nur mechanische, oberflächliche Gesten, die uns beiden nichts bedeuteten. Ich war kurz davor, innerlich abzusterben – und dabei sehnte ich mich doch so sehr nach all dem, was wir einmal besessen hatten und was irgendwo unterwegs verloren gegangen war. Dass ich es so weit hatte kommen lassen, konnte ich mir nicht verzeihen.

KAPITEL 5

Trotz der Hitze verbrachte ich den frühen Nachmittag damit, Unkraut zu jäten. Anschließend duschte ich, bevor ich mich auf den Weg zum Einkaufen machte: Es war Samstag, das heißt, ich war mit Kochen dran. Ich hatte mir vorgenommen, ein ganz neues Rezept auszuprobieren. Dafür brauchte ich als Beilage Farfalle, diese Nudeln, die aussehen wie Schleifchen, und verschiedene Gemüsesorten. Im Grunde hätte das Hauptgericht für uns beide sicher ausgereicht, doch in letzter Minute beschloss ich, noch eine Vorspeise und einen Cesar's Salad mit Croûtons zu machen.

Um fünf Uhr legte ich in der Küche los, um halb sechs war die Vorspeise bereits so gut wie fertig. Ich hatte Champignons mit Hackfleisch und Frischkäse gefüllt. Sie befanden sich im Backofen, zusammen mit dem Baguette, das ich beim Bäcker gekauft hatte. Der Tisch war gedeckt, und ich wollte gerade eine Flasche Merlot aufmachen, da hörte ich Jane zur Tür hereinkommen.

»Hallo?«, rief sie.

»Ich bin im Esszimmer!«, antwortete ich.

Als ich sie vor mir sah, registrierte ich wieder einmal fast betroffen, wie fantastisch meine Frau aussieht. Ich selbst habe schon etwas schütteres Haar mit grauen Strähnen, während ihres immer noch so dunkel und so dicht ist wie an dem Tag, als ich sie geheiratet habe. Um den Hals trug sie heute den kleinen Diamantanhänger, den ich ihr in unseren ersten Ehejahren gekauft hatte. Ich mag zwar oft zerstreut und gedankenabwesend sein, aber den Blick für Janes Schönheit habe ich nie verloren.

»Olala!«, sagte sie und schnupperte. »Hier riecht es aber gut! Was gibt's denn heute Abend?«

»Kalbfleisch Marsala«, verkündete ich, goss ein Glas Wein ein und reichte es ihr. Die nervöse Spannung des Abends zuvor war von ihr gewichen – sie wirkte so fröhlich und energiegeladen wie schon lange nicht mehr. Daraus schloss ich, dass ihre Unternehmungen mit Anna erfolgreich verlaufen waren. Mir fiel ein Stein vom Herzen, den ich vorher gar nicht bewusst gespürt hatte.

»Du wirst nicht glauben, was heute alles passiert ist!«, begann sie. »Einfach sagenhaft!«

Sie nippte an ihrem Wein und hielt sich dabei an meinem Arm fest, weil sie gleichzeitig erst den einen, dann den zweiten Schuh abstreifte. Ich spürte die Wärme ihrer Berührung noch, als sie ihre Hand längst wieder weggenommen hatte.

»Schieß los! Ich bin gespannt.«

»Komm mit«, sagte sie, lebhaft mit ihrer freien Hand gestikulierend. »Wir gehen in die Küche, und ich erzähl dir alles, während du weiter kochst. Ich falle fast um vor Hunger! Wir sind so viel herumgerannt, dass wir völlig vergessen haben, zwischendurch etwas zu essen. Als wir endlich merkten, dass Mittagessenszeit ist, waren die meisten Restaurants schon wieder geschlossen, und wir mussten noch in ein paar Geschäfte, ehe Anna dann zurückgefahren ist. Vielen Dank, dass du kochst! Ich habe gar nicht daran gedacht, dass du heute dran bist, und hatte mir schon überlegt, wie ich dich überreden könnte, etwas zu bestellen.«

Die Worte kamen wie ein Wasserfall aus ihrem Mund. Ich folgte ihr durch die Schwingtür in die Küche und bewunderte wieder einmal ihre harmonischen Bewegungen, ihren dezenten Hüftschwung.

»Also, ich glaube, Anna kommt langsam auch auf den Geschmack. Heute war sie schon viel kooperativer als gestern Abend.«

Mit funkelnden Augen blickte Jane über die Schulter zurück. »Aber – wart's nur ab. Du wirst staunen!«

Sämtliche Arbeitsflächen in der Küche waren belegt, weil ich noch dabei gewesen war, den Hauptgang vorzubereiten: Ich musste Gemüse schneiden, das Fleisch präparieren, die Nudeln kochen ... Ich schlüpfte in einen Ofenhandschuh, um die Vorspeise aus dem Backofen zu holen, und stellte das Blech oben auf den Herd.

»Hier«, sagte ich.

Jane schaute mich verblüfft an. »Schon fertig?«

Sie nahm einen Pilz und biss hinein.

»Heute Morgen, nachdem ich zu Anna gefahren bin, um sie abzuholen ... Wow! Das schmeckt aber fein!« Sie schwieg, betrachtete den Pilz eingehend, biss noch einmal hinein und kaute genüsslich. Dann erst fuhr sie fort: »Also, als Erstes haben wir noch mal über die Fotografen gesprochen, die infrage kämen – ich will jemanden, der viel besser qualifiziert ist als ich. In der Innenstadt kenne ich ein paar Ateliers, aber ich war mir sicher, dass so auf den letzten Drücker niemand mehr einen Termin frei hat. Gestern Abend ist mir Claires Sohn eingefallen, weißt du, er studiert am Carteret Community College Fotografie und möchte unbedingt Profi werden. Ich habe Claire gleich heute Morgen angerufen und gesagt, wir würden eventuell vorbeikommen, aber Anna war ein bisschen unsicher, weil sie noch nichts von ihm gesehen hat. Als Alternative hatte ich mir überlegt, jemanden zu fragen, den sie von der Zeitung kennt, aber sie hat mir erklärt, dass man es dort nicht gern sieht, wenn die Leute solche Nebenjobs annehmen. Na ja, langer Rede kurzer Sinn: Anna wollte lieber bei den Fotoateliers in der Innenstadt vorbeischauen, um zu fragen, ob nicht doch zufällig jemand Zeit hat. Und was soll ich dir sagen – ach, du wirst es nicht glauben!«

»Vielleicht doch – wenn du's mir erzählst.«

Jane steckte den Rest des Champignons in der Mund, und um die Spannung noch zu steigern, nahm sie sich mit spitzen Fingern einen zweiten.

»Die schmecken wirklich ausgezeichnet!«, schwärmte sie. »Hast du ein neues Rezept ausprobiert?«

»Ja.«

»Ist es kompliziert?«

»Nicht besonders«, antwortete ich mit einem Achselzucken.

Sie seufzte wohlig. »Na, gut. Die ersten beiden Studios waren ausgebucht, wie ich schon vermutet hatte. Aber dann sind wir zu *Cayton's Studio* gegangen. Hast du schon einmal eins von Jim Caytons Hochzeitsfotos gesehen?«

»Soviel ich weiß, gilt er als der beste Fotograf weit und breit, stimmt's?«

»Er ist absolut genial!«, schwärmte Jane. »Seine Bilder sind einmalig. Sogar Anna war beeindruckt, und das passiert nicht so schnell – du kennst sie ja. Cayton hat Dana Crowes Hochzeit fotografiert, erinnerst du dich? Normalerweise ist er sechs Wochen im Voraus belegt, und selbst dann ist es nicht leicht, ihn zu bekommen. Ehrlich, ich dachte, wir haben nicht die geringste Chance. Aber dann habe ich mit seiner Frau gesprochen – sie ist sozusagen die Chefin und führt den Kalender –, und was erzählt sie? Gerade habe jemand einen Termin abgesagt.«

Mit einem triumphierenden Lächeln biss Jane wieder zu.

»Und stell dir vor – ausgerechnet nächsten Samstag!«

Ich seufzte erleichtert. »Das ist ja toll.«

Nachdem sie nun das Wichtigste losgeworden war, machte sie nicht mehr so viele dramatische Pausen.

»Anna hat sich gefreut wie ein kleines Kind. Jim Cayton! Selbst wenn wir für die Planung ein ganzes Jahr Zeit gehabt hätten, wäre er uns mit Abstand der Liebste gewesen. Wir haben mindestens zwei Stunden damit verbracht, uns verschiedene Alben anzuschauen, die sie dort zusammengestellt haben, damit man sich was aussuchen kann. Anna hat mich immer wieder gefragt, ob mir diese oder jene Aufnahme gefällt, und ich wollte natürlich auch wissen, was sie gut findet. Mrs Cayton hält uns bestimmt für völlig verrückt. Sobald wir mit einem Album fertig waren, wollten wir gleich das nächste – und sie hat mit Engelsgeduld all unsere Fragen beantwortet. Als wir uns verabschiedeten, konnten wir immer noch nicht fassen, dass sie tatsächlich den Termin noch frei haben. Wir mussten uns immer wieder gegenseitig kneifen, um uns zu versichern, dass wir nicht träumen.«

»Kann ich verstehen.«

»Und anschließend haben wir die Konditoreien unsicher gemacht. Bei den ersten beiden Versuchen hatten wir kein Glück, aber ich war trotzdem eher optimistisch. Eine Torte muss man ja nicht Monate im Voraus backen, stimmt's? Wir entdeckten schließlich ein kleines Geschäft, das sich bereit erklärte, den Auftrag auszuführen. Aber ich hatte ja keine Ahnung, wie viele Möglichkeiten es zur Auswahl gibt! Tausend Sachen muss man bedenken. Sie hatten einen riesigen Katalog, nur mit Hochzeitstorten. Es gibt große und kleine, versteht sich, und außerdem noch sämtliche Zwischengrößen, und dann muss man sich für eine Geschmacksrichtung entscheiden und welche Glasur man möchte, wenn überhaupt eine, ob man vielleicht eine ausgefallene Form will und welche zusätzliche Dekoration – und so weiter und so fort ...«

Ich nickte beeindruckt.

»Aber das ist längst noch nicht alles.« Jane verdrehte die Augen, und ich musste lachen – ihr Enthusiasmus rührte mich richtig.

Nicht immer stehen die Sterne günstig, aber an dem Tag passte alles zusammen. Jane sprudelte euphorisch, der Abend hatte eben erst angefangen, gleich würden wir gemeinsam ein romantisches Dinner zu uns nehmen. Die Welt schien wieder in Ordnung zu sein, und als ich der Frau zulächelte, mit der ich nun fast dreißig Jahre verheiratet war, dachte ich, der Tag hätte nicht besser verlaufen können, selbst wenn ich ihn bis ins Detail geplant hätte.

Während ich das Essen zu Ende vorbereitete, berichtete mir Jane vom Rest ihres Tages. Sie beschrieb ausführlich die Torte (zwei Etagen, Vanillearoma, die Glasur mit Crème fraîche) und die geplanten Fotos (Cayton korrigiert kleinere Mängel am Computer). Im warmen Küchenlicht konnte ich die kleinen Fältchen in ihren Augenwinkeln sehen, diese federleichten Spuren unserer zahlreichen gemeinsamen Jahre.

»Wie schön, dass alles so gut gelaufen ist«, sagte ich. »Und wenn man bedenkt, dass es der erste Tag war, habt ihr doch schon ganz schön viel geleistet.«

Der Duft von zerlassener Butter erfüllte die Küche, das Kalbfleisch begann leise zu zischen.

»Ich weiß. Und ich bin sehr froh darüber, das kannst du mir glauben«, entgegnete Jane. »Aber wir wissen immer noch nicht, wo der eigentliche Empfang stattfinden soll, und bis das nicht feststeht, sind mir bei vielen Sachen die Hände gebunden. Ich habe Anna gesagt, wir könnten doch hier feiern, wenn sie möchte – aber von dem Vorschlag schien sie nicht besonders angetan.«

»Was hätte sie denn gern?«

»Das weiß sie selbst noch nicht so genau. Am liebsten möchte sie ein Gartenfest, glaube ich. Irgendwo, wo es nicht allzu förmlich zugeht.«

»Es dürfte doch nicht allzu schwierig sein, so etwas zu finden, oder?«

»Du wirst staunen – mir ist bis jetzt nur der *Tyron Palace* eingefallen, aber ich glaube nicht, dass wir den so kurzfristig bekommen können. Und ich weiß noch nicht einmal, ob sie dort Hochzeiten ausrichten.«

»Hmmm ...« Ich würzte das Fleisch mit Salz, Pfeffer und Knoblauchpulver.

»Die *Orton Plantation* ist auch ganz hübsch – erinnerst du dich? Dort waren wir letztes Jahr bei der Bratton-Hochzeit.«

Ich erinnerte mich sehr gut, aber das Lokal befand sich zwischen Wilmington und Southport, fast zwei Stunden von New Bern entfernt. »Das liegt etwas abseits, meinst du nicht? Die meisten Gäste kommen von hier, nehme ich an – da wäre es unpraktisch, oder?«

»Finde ich auch. War nur so eine Idee. Bestimmt ist sie sowieso ausgebucht.«

»Wie wär's denn mit einem Lokal in der Innenstadt? Da gibt es doch einige sehr hübsche Pensionen, die im Erdgeschoss ein Lokal mit Garten haben.«

Jane schüttelte den Kopf. »Die meisten sind zu klein, fürchte ich. Ich weiß auch gar nicht, welche einen Garten haben. Aber vielleicht hast du Recht – ich sollte sie mir mal ansehen. Und wenn gar nichts klappt – ach, Unsinn, wir werden schon etwas finden. Man darf die Hoffnung nicht aufgeben!«

Sie legte nachdenklich die Stirn in Falten. An die Anrichte gelehnt, den bestrumpften Fuß an der Küchenschranktür hinter ihr abgestützt, sah sie wieder aus wie die junge Frau, die mich damals gebeten hatte, sie zu ihrem Auto zu begleiten. Als ich sie das zweite Mal begleitete, erwartete ich, dass sie, wie bei unserem ersten Spaziergang im Regen, gleich einsteigen und wegfahren würde. Stattdessen lehnte sie sich an die Fahrertür und stützte den Fuß hinter sich ab, genau wie jetzt, und wir unterhielten uns zum ersten Mal richtig. Ich sehe sie noch vor mir: ihre lebendige Mimik, als sie mir von ihrer Kindheit in New Bern erzählte, ihre blitzenden Augen ... Und intuitiv nahm ich schon all die Eigenschaften wahr, die ich von da an immer an ihr lieben sollte: ihre Intelligenz, ihre Leidenschaft, ihren Charme, die unbefangene Art, wie sie die Welt sah. Jahre später setzte sie diese Charakterzüge bei der Erziehung unserer Kinder ein, und das ist einer der Gründe, warum unsere drei zu solch liebenswerten, verantwortungsbewussten Menschen herangewachsen sind.

Ich räusperte mich leise, um Jane aus ihren Gedanken zu holen. »Ich war bei Noah«, begann ich.

Sofort war Jane ganz Ohr. »Und? Wie geht es ihm?«

»Ganz gut, glaube ich. Er sah zwar müde aus, war aber bester Dinge.«

»Saß er wieder am Teich?«

»Ja.« Da ich ihre nächste Frage vorausahnte, fügte ich hinzu: »Der Schwan war auch da.«

Sie presste besorgt die Lippen aufeinander. Ich wollte ihr nicht die Laune verderben, deshalb wechselte ich schnell das Thema.

»Ich habe ihm von der Hochzeit erzählt.«

»Hat er sich gefreut?«

»Ja, sehr! Er hat gleich verkündet, dass er unbedingt mitfeiern möchte.«

Jane presste die Handflächen zusammen. »Ich gehe morgen mit Anna zu ihm. Sie hatte die ganze Woche keine Zeit, ihn zu besuchen, und sie möchte ihm gern alles persönlich erzählen.« Sie lächelte zufrieden. »Ich finde es wirklich sehr nett, dass du heute bei ihm warst. Er genießt es immer ganz besonders, wenn du kommst.«

»Ich genieße diese Besuche auch.«

»Ich weiß. Aber es ist trotzdem nett von dir.«

Das Fleisch war gar, und ich gab die restlichen Zutaten in die Pfanne: goldgelben Marsala, Zitronensaft, Pilze, Fleischbrühe, gehackte Schalotten, klein geschnittene grüne Zwiebeln. Dann noch einen Klecks

Butter, um den Geschmack zu verfeinern – und als kleine Belohnung für die zwanzig Pfund, die ich im vergangenen Jahr abgenommen hatte.

»Hast du schon mit Joseph und Leslie gesprochen?«, erkundigte ich mich.

»Nein, dazu bin ich noch gar nicht gekommen.«

Einen Moment lang schaute Jane gebannt zu, wie ich die Zutaten in der Pfanne vermischte. Dann holte sie einen Löffel aus der Schublade und kostete die Sauce. »Mmmm – sehr lecker!«, murmelte sie anerkennend.

»Du klingst erstaunt?«

»Bin ich aber nicht. In letzter Zeit hast du dich zu einem Vier-Sterne-Koch entwickelt. Jedenfalls gemessen an deinen Anfängen.«

»Wie bitte? Schmeckt dir etwa nicht immer, was ich koche?«

Sie legte den Finger ans Kinn, als müsse sie überlegen. »Tja – meinst du vielleicht verkohlte Kartoffeln und klumpige Sauce? Sehr extravagant, würde ich sagen.«

Ich grinste. Sie hatte Recht. Meine ersten Experimente waren nicht unbedingt überzeugend gewesen.

Sie probierte noch einmal, dann legte sie den Löffel auf die Anrichte.

»Wilson? Da ist noch etwas – wegen der Hochzeit ...«

Ich schaute sie fragend an.

»Dir ist doch sicher klar, dass es zum Beispiel ziemlich teuer wird, in letzter Minute für David ein Flugticket zu buchen, nicht wahr?«

»Ja, natürlich«, sagte ich.

»Und der Fotograf ist auch nicht gerade billig, obwohl wir eigentlich nur Lückenbüßer sind.«

Ich nickte. »Versteht sich.«

»Und die Torte ist ebenfalls recht kostspielig. Also – jedenfalls für eine Torte.«

»Kein Problem. Sie muss ja auch für ein paar Leute reichen, stimmt's?«

Jane musterte mich neugierig. Meine Antworten verwunderten sie offensichtlich. »Tja dann – ich wollte dich nur warnen, damit du dich nicht nachträglich ärgerst.«

»Wieso sollte ich mich ärgern?«

»Ach, du weißt schon. Manchmal regst du dich auf, wenn etwas teuer ist.«

»Ehrlich?«

Jane legte den Kopf schief. »Tu nicht so. Du weißt doch noch genau, wie es war, als ich das Haus renoviert habe! Obwohl du nie etwas gesagt hast. Oder als die Heizungspumpe dauernd kaputt gegangen ist. Du putzt sogar deine Schuhe selbst!«

Ich hob resignierend die Hände. Dabei hatte ich mir doch solche Mühe gegeben, mir nichts anmerken zu lassen! »Okay, okay, du hast gewonnen«, sagte ich. »Aber keine Sorge – das hier ist etwas anderes.« Ich schaute ihr fest in die Augen. Ich wusste, dass sie mir aufmerksam zuhörte. »Selbst wenn wir unseren letzten Cent dafür ausgeben – das ist mir die Sache wert.«

Jane verschluckte sich beinahe an ihrem Wein und musterte mich von Kopf bis Fuß. Dann kam sie plötzlich näher und bohrte ihren Finger in meinen Oberarm.

»Was tust du?«, fragte ich verdutzt.

»Ich wollte nur testen, ob du noch mein Mann bist oder ob du vielleicht durch einen Körperfresser ersetzt worden bist.«

»Durch einen *Körperfresser*?«

»Ach, du weißt doch, dieser Horrorfilm – *Invasion der Körperfresser*. Wir haben ihn damals zusammen gesehen.«

»Klar, jetzt fällt's mir wieder ein. Aber ich bin tatsächlich derselbe wie immer.«

»Gott sei Dank!« Sie tat so, als wäre sie ehrlich erleichtert. Dann zwinkerte sie mir zu. Ich war sprachlos. »Aber warnen wollte ich dich trotzdem.«

Ich lächelte. Mir wurde ganz warm ums Herz, weil ich mich rundum glücklich fühlte. Wie lange war es her, dass wir das letzte Mal so in der Küche miteinander gescherzt und gelacht hatten? Monate, wenn nicht Jahre! Aber auch wenn es nur ein vorübergehendes Phänomen sein sollte, fächelte es dennoch die kleine Flamme der Hoffnung an, die ich insgeheim hegte.

Unsere allererste Verabredung war keineswegs nach Plan verlaufen.

Ich hatte einen Tisch bei *Harper's* reserviert, dem besten Restaurant der Stadt. Natürlich war es auch das teuerste. Ich hatte genügend Geld bei mir, um das Essen zu bezahlen, aber für den Rest des Monats würde ich eisern sparen müssen, wenn ich einigermaßen über die Runden kommen wollte. Doch das Essen sollte ja etwas Besonderes sein. Und für später hatte ich mir auch schon eine spezielle Überraschung ausgedacht.

Ich holte Jane von ihrem Studentenwohnheim in der Meredith Road ab. Die Fahrt zum Restaurant dauerte nur ein paar Minuten. Unser Gespräch verlief typisch für ein erstes Rendezvous: oberflächlich, banal. Wir sprachen über die Universität und dass es plötzlich so kalt geworden war, und ich sagte, es sei doch gut, dass wir unsere warmen Jacken dabeihätten. Aber ich weiß auch noch, dass ich ihr ein Kompliment zu ihrem Pullover machte. Sie antwortete, sie habe ihn gestern gekauft. Wie gern hätte ich gewusst, ob sie ihn extra für diesen Abend ausgesucht hatte, aber sie direkt darauf anzusprechen, traute ich mich nicht.

Weil so viele Leute unterwegs waren, um ihre Weihnachtseinkäufe zu erledigen, fanden wir keinen Parkplatz in der Nähe des Restaurants und mussten deshalb zwei Straßen weiter parken. Ich hatte reichlich Zeit eingeplant – wir würden es ohne Probleme rechtzeitig schaffen. Unterwegs bekamen wir von der Kälte ganz rote Nasen, und unser Atem bildete kleine Wölkchen. In vielen Schaufenstern blinkte bunter Lichterschmuck, und durch die Tür einer Pizzeria drang festliche Weihnachtsmusik aus der Jukebox.

Den Hund sahen wir kurz vor dem Restaurant. Er war mittelgroß, abgemagert und kauerte völlig verdreckt in einer Ecke, zitternd vor Kälte. Seinem Fell konnte man ansehen, dass er schon einige Tage herumstreunte. Ich trat zwischen Jane und das Tier, für den Fall, dass es gefährlich war – womöglich hatte der Hund ja Tollwut. Aber Jane ging einfach hinter mir herum, kauerte sich hin und redete besänftigend auf das verschüchterte Tier ein.

»Es ist alles okay«, flüsterte sie. »Wir tun dir nichts.« Der Hund schlich rückwärts in den Schatten.

»Er trägt ein Halsband«, sagte Jane. »Bestimmt hat er sich verlaufen.« Sie nahm den Blick nicht von dem Tier, das sie seinerseits misstrauisch fixierte.

Ich schaute auf die Uhr. In ein paar Minuten lief unsere Reservierung ab. Ich wusste zwar immer noch nicht, ob der Hund krank war, aber ich hockte mich neben Jane und fing an, in demselben beruhigenden Ton mit ihm zu sprechen. Er rührte sich nicht vom Fleck. Jane näherte sich ihm ein kleines Stück, aber gleich winselte er erschrocken und wich noch weiter zurück.

»Er hat Angst«, flüsterte Jane besorgt. »Was sollen wir tun? Wir können ihn doch nicht einfach hier sitzen lassen! Heute Nacht soll es eiskalt werden, Temperaturen unter Null, da erfriert er! Und wenn er sich verlaufen hat, möchte er bestimmt nach Hause.«

Wahrscheinlich hätte ich alle möglichen Einwände vorbringen können. Ich hätte sagen können, wir hätten unser Bestes getan und sollten lieber den Tierdienst rufen. Oder dass wir nach dem Essen wieder hier vorbeikommen könnten, und wenn der Hund dann noch da sein sollte, noch einmal unser Glück versuchen. Aber Janes Gesichtsausdruck – diese Mischung aus Sorge und Trotz – hinderte mich daran, überhaupt etwas zu sagen. Zum ersten Mal bekam ich eine Vorstellung von der liebevollen Anteilnahme, mit der Jane allen Not leidenden Lebewesen begegnete. Mir war instinktiv klar, dass ich nichts anderes tun konnte, als sie in ihrem Vorhaben zu unterstützen.

»Lass es mich mal allein versuchen«, sagte ich.

Ich hatte, ehrlich gesagt, keine Ahnung, was ich tun sollte. Als Kind hatte ich nie einen Hund gehabt, weil meine Mutter an einer Hundeallergie litt. Ich streckte die Hand aus und redete ganz leise mit dem Hund. Diese Szene hatte ich einmal in einem Film gesehen.

Ich wartete, bis sich der Hund an meine Stimme gewöhnt hatte, dann robbte ich langsam vorwärts, Zentimeter für Zentimeter. Der Hund war wie erstarrt. Ich durfte ihn auf keinen Fall noch mehr einschüchtern, also wartete ich immer eine Weile lang, bis ich mich wieder bewegte. Es dauerte eine halbe Ewigkeit, aber schließlich war ich so nahe an ihm dran, dass ich ihn fast berühren konnte. Ich hielt ihm meine Hand hin, er hob den Kopf und schnupperte an meinen Fingerspitzen. Offenbar kam er zu dem Schluss, dass er von mir nichts zu befürchten hatte, und leckte kurz über meine Hand. Dann gestattete er mir sogar, ihm über den Kopf zu streichen. Ich blickte über die Schulter zu Jane.

»Er mag dich«, sagte sie fast verwundert.

Ich zuckte die Achseln. »Sieht so aus.«

Jetzt konnte ich die Telefonnummer auf seinem Halsband lesen. Jane rannte in die Buchhandlung nebenan, um von dem dortigen Münzfernsprecher den Besitzer anzurufen. Ich blieb solange bei dem Hund, und je mehr ich ihn streichelte, desto besser schien es ihm zu gefallen. Als Jane zurückkam, mussten wir noch eine gute Viertelstunde ausharren, bis »Herrchen« erschien. Der Besitzer war Mitte dreißig und sprang regelrecht aus seinem Auto. Der Hund schoss ihm freudig schwanzwedelnd entgegen. Der Mann begrüßte ihn herzlich und wandte sich dann uns zu.

»Vielen, vielen Dank, dass Sie mich benachrichtigt haben!«, sagte er. »Seit einer Woche haben wir ihn verzweifelt gesucht, mein kleiner Sohn hat sich jeden Abend vor Kummer in den Schlaf geweint. Sie können sich nicht vorstellen, wie sehr er seinen Spielkameraden vermisst! Auf seinem Wunschzettel stand nur eine einzige Bitte: dass er seinen Hund wiederhaben möchte.«

Er bot uns einen großzügigen Finderlohn, aber wir lehnten beide höflich ab – wir wollten kein Geld für unsere Hilfe. Also bedankte er sich noch einmal überschwänglich und brauste davon. Wir schauten dem Wagen nach, erfüllt von dem beglückenden Gefühl, eine gute Tat getan zu haben. Jane hakte sich bei mir unter.

»Meinst du, der Tisch ist noch reserviert?«, fragte sie.

Ich schaute auf die Uhr. »Wir sind eine halbe Stunde zu spät dran.«

»Aber eigentlich müssten sie unseren Tisch so lange freihalten.«

»Keine Ahnung. Es war schon ziemlich schwierig, überhaupt einen zu bekommen. Ich musste einen meiner Professoren bitten, für mich anzurufen.«

»Vielleicht haben wir ja Glück.«

Aber wir hatten kein Glück, unser Tisch war schon besetzt, und der nächste wurde erst um Viertel vor zehn frei. Jane sah mich an.

»Wenigstens haben wir ein Kind glücklich gemacht«, sagte sie seufzend.

»Das stimmt«, pflichtete ich ihr bei. »Und ich würde es jederzeit wieder tun.«

Sie drückte meinen Arm. »Ich bin so froh, dass wir uns um den Hund gekümmert haben – selbst wenn wir deswegen jetzt nicht hier essen können.«

Das Licht der Straßenlampe umgab sie wie ein Heiligenschein – sie erinnerte fast an eine überirdische Erscheinung.

»Möchtest du gern woanders hingehen?«, fragte ich sie.

Sie legte den Kopf schief. »Hörst du gern Musik?«

Zehn Minuten später saßen wir in der Pizzeria, an der wir kurz zuvor vorbeigekommen waren. Ich hatte mir ein erlesenes Dinner mit Wein und Kerzenlicht ausgemalt – und nun bestellten wir Pizza mit Bier.

Jane schien alles andere als enttäuscht zu sein. Munter erzählte sie von ihren Seminaren über griechische Mythologie und englische Literatur, von ihren anderen Veranstaltungen am Meredith College, von ihren Freundinnen und überhaupt von allem Möglichen, was ihr so in den Sinn kam. Ich nickte meistens nur oder fragte mal kurz nach. Auf diese Weise redete sie die nächsten beiden Stunden ohne peinliche Pausen, und ich muss gestehen, dass ich in meinem ganzen Leben noch nie mit jemandem so gern zusammen war.

Nun, über dreißig Jahre später, standen wir also in unserer gemeinsamen Küche, und ich merkte, dass Jane mich neugierig musterte. Schnell schob ich meine Erinnerungen beiseite, würzte die Fleischsauce noch einmal nach, schmeckte sie ab und trug alles ins Esszimmer. Wir setzten uns an den Tisch, und ich sprach mit gesenktem Kopf ein kurzes Tischgebet, in dem ich Gott für die guten Gaben dankte, die wir von ihm empfangen hatten.

»Ist alles in Ordnung?«, fragte Jane, während sie sich Salat nahm. »Vorhin hatte ich das Gefühl, du bist mit deinen Gedanken ganz weit weg.«

Ich goss uns beiden ein Glas Wein ein, ehe ich wahrheitsgemäß antwortete: »War ich auch – ich habe an unsere erste Verabredung gedacht.«

»Tatsächlich?« Vor Staunen vergaß sie, die Gabel zum Mund zu führen. »Darf ich fragen, wieso?«

»Keine Ahnung«, sagte ich. »Erinnerst du dich überhaupt noch daran?«

»Aber selbstverständlich!«, rief sie empört. »Es war kurz vor den Weihnachtferien. Wir wollten bei *Harper's* essen, aber dann haben wir einen streunenden Hund entdeckt, und als wir schließlich ins Restaurant kamen, war unser Tisch schon vergeben. Also sind wir stattdessen in einer kleinen Pizzeria gelandet. Und anschließend ...«

Sie kniff die Augen zusammen, um sich die Reihenfolge der Ereignisse noch einmal zu vergegenwärtigen.

»Anschließend sind wir mit deinem Auto zur Havermill Road gefahren, um uns die Weihnachtsdekoration anzusehen, stimmt's? Du wolltest unbedingt aussteigen und herumlaufen, obwohl es bitterkalt war. Vor einem der Häuser hatten die Leute eine richtige Weihnachtsstadt aufgebaut, mit Santa Claus und allem, und plötzlich kam der Weihnachtsmann auf mich zu und überreichte mir das Geschenk, das du für mich ausgesucht hattest. Ich war total verblüfft, dass du dir für unsere erste Verabredung gleich so etwas Tolles ausgedacht hast.«

»Und weißt du noch, was in dem Päckchen war?«

»Wie könnte ich das je vergessen?« Sie lächelte verschmitzt. »Ein Regenschirm!«

»Wenn ich mich recht entsinne, warst du nicht gerade begeistert.«

»Tja – da ich nun einen eigenen Regenschirm besaß, wusste ich leider nicht mehr, wie ich irgendwelche Männer kennen lernen sollte.« Sie lachte. »Das war nämlich damals meine Taktik – wenn es regnete, habe ich einen Mann, der mir gefiel, gebeten, mich zum Auto zu begleiten. Am Meredith College gab's ja weit und breit keine jungen Männer, das darfst du nicht vergessen, da gab's nur Professoren und Hausmeister.«

»Deshalb habe ich dir den Schirm ja geschenkt«, sagte ich. »Weil ich deine Methode längst durchschaut hatte.«

»Ach, du hattest doch keine Ahnung!«, sagte sie mit einem frechen Grinsen. »Ich war die erste Frau, mit der du ausgegangen bist.«

»Stimmt gar nicht! Ich hatte schon vor dir ein paar Dates.«

Janes Augen blitzten. »Gut, meinetwegen – aber ich war die erste, die du geküsst hast.«

Das stimmte, aber ich hatte es schon öfter bereut, ihr das gestanden zu haben, da sie es sich selbstverständlich gemerkt hatte und es immer in den unpassendsten Augenblicken aufs Tapet brachte. Zu meiner Verteidigung konnte ich nur ein einziges Argument vorbringen:

»Ich war viel zu sehr damit beschäftigt, meine Zukunft zu planen. Deshalb hatte ich gar keine Zeit für irgendwelche Techtelmechtel.«

»Du warst schüchtern.«

»Ich war fleißig und strebsam. Das ist etwas anderes!«

»Erinnerst du dich nicht mehr an unser Essen? Oder an die Autofahrt? Du hast kein Wort über die Lippen gebracht. Nur von der Uni hast du geredet.«

»Nein, ich habe auch noch über andere Sachen gesprochen«, protestierte ich. »Ich habe dir zum Beispiel gesagt, dass mir dein Pullover gefällt.«

»Das zählt nicht.« Wieder zwinkerte sie mir zu. »Du hattest Glück, dass ich so geduldig und beharrlich bin.«

»Ja«, sagte ich nur. »Da hatte ich wirklich großes Glück.«

Wie gern hätte ich diesen Satz auch von ihr gehört! Ich glaube, sie merkte das an meinem Tonfall. Ein Lächeln erschien auf ihrem Gesicht, verschwand aber gleich wieder.

»Weißt du, woran ich mich am besten erinnere?«, fragte ich.

»An meinen Pulli?«

Meine Frau, das sollte ich hier vielleicht kurz erwähnen, war schon immer sehr schlagfertig. Ich musste lachen. Aber eigentlich war ich nicht zu Scherzen aufgelegt, deshalb fuhr ich ernsthaft fort: »Ich fand es schön, dass du stehen geblieben bist, um dich um den Hund zu kümmern. Und dass du erst weiter gehen wolltest, als du wusstest, er ist versorgt. Daran habe ich gemerkt, dass dein Herz auf dem rechten Fleck sitzt.«

Ich hätte schwören mögen, dass Jane bei dieser Bemerkung rot wurde, aber weil sie schnell zu ihrem Weinglas griff, kann ich es nicht mit hundertprozentiger Sicherheit sagen. Bevor sie etwas erwidern konnte, wechselte ich lieber das Thema.

»Ist Anna schon sehr nervös?«

Jane schüttelte den Kopf. »Ganz im Gegenteil. Man hat den Eindruck, sie macht sich nicht die geringsten Sorgen. Wahrscheinlich glaubt sie, es läuft alles so geschmiert wie heute Morgen mit dem Fotografen und der Torte. Als ich ihr meine Liste gezeigt habe, hat sie nur gesagt: ›Na, dann wollen wir mal loslegen, was?‹«

Ich nickte lächelnd. Wie gut ich mir vorstellen konnte, in welchem Tonfall Anna so etwas sagte!

»Und was ist mit ihrem Freund, dem Pastor?«, wollte ich wissen.

»Sie hat ihn gestern Abend noch angerufen, und er hat sofort zugesagt.«

»Ausgezeichnet! Ein Problem weniger auf deiner Agenda.«

»Stimmt.« Jane schwieg. Ich wusste, dass sie in Gedanken schon wieder bei den bevorstehenden Erledigungen war.

»Ich glaube, ich brauche deine Hilfe«, sagte sie schließlich.

»Inwiefern?«

»Na ja – zum Beispiel müssen wir einen Smoking für dich ausleihen. Und natürlich auch einen für Keith und Joseph. Und für Daddy, versteht sich.«

»Kein Problem.«

»Außerdem will Anna noch die Namen von den Leuten aufschreiben, die sie gern dabeihaben möchte. Für schriftliche Einladungen reicht die Zeit nicht mehr, deshalb muss jemand sie alle anrufen. Und weil ich dauernd mit Anna unterwegs sein werde, während du Urlaub hast ...«

»Na klar! Das mache ich doch gern. Ich kann gleich morgen früh damit anfangen.«

»Weißt du, wo das Adressbuch liegt?«

An solche Fragen habe ich mich im Laufe der Jahre gewöhnt. Jane glaubt, ich bin von Natur aus unfähig, bestimmte Gegenstände in unserem Haus zu finden. Sie ist außerdem davon überzeugt, dass ich manchmal etwas verlege und dann ihr die Verantwortung zuschiebe, als müsste sie wissen, wo ich die Sachen hingeräumt habe. Aber das stimmt beides nicht ganz. Jedenfalls ist es nicht ausschließlich meine Schuld. Richtig ist, dass ich nicht immer weiß, wo sich jede einzelne Kleinigkeit im Haus befindet. Aber das hängt eher mit unseren unterschiedlichen Ordnungssystemen zusammen und ist durchaus kein Versagen meinerseits. Meine Frau ist zum Beispiel der Ansicht, dass eine Taschenlampe logischerweise in die Küchenschublade gehört, während ich finde, sie sollte in der Kammer, in der die Waschmaschine und der Trockner stehen, aufbewahrt werden. Als Folge davon wandert die Lampe von einem Ort zum andern, und da ich nicht zu Hause arbeite, kann ich diese Wanderschaft unmöglich verfolgen. Und wenn ich meine Autoschlüssel auf die Kommode lege, sagt mir eigentlich mein logischer Verstand, dass sie dort liegen müssten, wenn ich sie wieder brauche, während Jane automatisch annimmt, dass ich sie an der Pinnwand neben der Haustür suchen werde. Was das Adressbuch betrifft – meiner Meinung nach liegt es in der kleinen Schublade im Telefontischchen. Dort habe ich es verstaut, nachdem ich es das letzte Mal benutzt hatte.

Gerade, als ich das sagen wollte, verkündete Jane: »Es steht auf dem Regal mit den Kochbüchern.«

Ich schaute sie an.

»Ja – wo auch sonst?«, sagte ich nur.

Die entspannte Atmosphäre hielt an – bis wir begannen, den Tisch abzudecken.

Langsam und fast unmerklich schlug die Stimmung um, und aus dem heiteren Hin und Her wurde eine schleppende Unterhaltung mit langen Pausen. Als wir anfingen, die Küche aufzuräumen, hatten wir wieder unser übliches Niveau erreicht. Man hörte vor allem das Tellerklappern.

Ich kann nicht erklären, wieso. Fiel uns nichts mehr ein? Mangelte es uns an interessantem Gesprächsstoff? Jane erkundigte sich noch einmal nach Noah, und ich wiederholte, was ich zuvor schon gesagt hatte. Eine Minute später redete sie wieder über den Fotografen, unterbrach sich aber auf halber Strecke, weil sie merkte, dass sie die ganze Geschichte schon erzählt hatte. Da wir beide noch nicht mit Joseph und Leslie gesprochen hatten, gab es auch in dieser Hinsicht nichts Neues zu berichten. Und weil ich Ferien hatte und nicht ins Büro ging, konnte ich nicht einmal über die Arbeit reden, was in solchen Situationen normalerweise mein letzter Rettungsanker war. Ich spürte fast körperlich, wie die gute Laune dahinschwand. Wie gern hätte ich sie irgendwie fest gehalten! Verzweifelt zermarterte ich mein Gehirn. Schließlich räusperte ich mich und sagte:

»Hast du schon von dem schrecklichen Hai-Angriff in Wilmington gehört?«

»Du meinst den von letzter Woche? Als das junge Mädchen attackiert wurde?«

»Ja, genau.«

»Du hast mir davon erzählt.«

»Ach, tatsächlich?«

»Letzte Woche. Du hast mir den Artikel vorgelesen.«

Ich spülte Janes Weinglas unter dem fließenden Wasser ab, dann das Küchensieb. Ich hörte, wie Jane etwas im Schrank suchte – vermutlich eine Plastikdose für die Reste.

»Schon schrecklich, wenn der Urlaub so beginnt«, sagte sie. »Die Familie hatte noch nicht einmal das Auto richtig ausgepackt.«

Nun waren die Teller dran. Ich kratzte die Speisereste in die Spüle und stellte den automatischen Abfallzerkleinerer an. Das laute Gerumpel schien von den Wänden widerzuhallen und die Sprachlosigkeit zwischen uns noch zu unterstreichen. Als es aufhörte, stellte ich die Teller in die Spülmaschine.

»Übrigens – ich habe im Garten ein bisschen Unkraut gejätet«, sagte ich.

»Ich dachte, das hättest du vor ein paar Tagen schon einmal getan.«

»Stimmt.«

Nun räumte ich das restliche Geschirr in die Maschine, wusch aber das Salatbesteck vorher ab. Ich drehte den Wasserhahn auf und zu, schob den Geschirrkorb vor und zurück.

»Hoffentlich hast du nicht zu viel Sonne abbekommen«, sagte Jane.

Diese Bemerkung bezog sich darauf, dass mein Vater an einem Herzinfarkt gestorben ist, als er gerade den Wagen wusch. Er war erst einundsechzig. In meiner Familie sind Herzleiden sehr verbreitet, und ich weiß, dass sich Jane deswegen Sorgen macht. Zwar sind wir inzwischen eher Freunde als ein Liebespaar, aber Jane würde mich bestimmt aufopferungsvoll pflegen, davon bin ich überzeugt. Für andere zu sorgen ist für sie das Normalste auf der Welt.

Ihre Geschwister sind ihr da ganz ähnlich. Ich glaube, das liegt an Noah und Allie. Bei Jane zu Hause wurde viel gelacht, und man nahm sich oft in den Arm. Natürlich haben sich alle auch gegenseitig geneckt und aufgezogen, aber immer liebevoll, nie gemein oder hinterhältig. Ich habe mich oft gefragt, was für ein Mensch ich geworden wäre, wenn ich in dieser Familie aufgewachsen wäre.

Jane unterbrach meine Grübeleien. »Morgen soll es wieder sehr heiß werden«, sagte sie.

»Ja, in den Nachrichten haben sie mindestens fünfunddreißig Grad angekündigt. Und sehr hohe Luftfeuchtigkeit.«

»Fünfunddreißig Grad?«

»Hieß es.«

»Das ist einfach zu heiß!«

Jane verstaute die Reste im Kühlschrank, während ich die Arbeitsflächen sauber wischte. Weil wir uns zuvor so intim unterhalten hatten, empfand ich diese inhaltslose Konversation jetzt als doppelt betrüblich. Ich konnte Jane ansehen, dass sie mindestens genauso enttäuscht war wie ich. Wie war es möglich, dass wir so schnell wieder in unser altes Muster verfielen? Sie strich ihr Kleid glatt, als suchte sie in den Taschen nach Worten. Dann seufzte sie leise, zwang sich zu einem Lächeln und sagte:

»Ich glaube, ich werde jetzt mal Leslie anrufen.«

Ich blieb allein in der Küche zurück und wünschte mir wieder einmal, ich wäre jemand anderes. War mein Traum von einem Neuanfang von vornherein zum Scheitern verurteilt?

In den zwei Wochen nach unserer ersten Verabredung trafen wir uns noch fünf Mal, dann fuhr Jane nach New Bern, um dort die Weihnachtsferien zu verbringen. Zweimal lernten wir zusammen, einmal schauten wir uns im Kino einen neuen Film an, und an zwei Nachmittagen gingen wir auf dem weitläufigen Campus der Duke University spazieren.

Der eine dieser Spaziergänge hat sich mir besonders deutlich eingeprägt. Es war ein trüber Tag, den ganzen Vormittag hatte es geregnet, graue Wolken hingen tief am Himmel. Man hatte das Gefühl, es wäre schon Abend. Es war ein Sonntag, zwei Tage nach der Rettung des Hundes. Jane und ich schlenderten die Wege zwischen den verschiedenen Kollegiengebäuden entlang.

»Wie sind eigentlich deine Eltern?«, wollte sie wissen.

Ich ging schweigend ein paar Schritte. »Meine Eltern sind ganz in Ordnung«, sagte ich dann.

Sie wartete. Offenbar wollte sie noch mehr hören. Als ich abermals schwieg, schubste sie mich mit der Schulter an.

»Mehr hast du nicht zu sagen?«

Ich wusste, sie wollte mich dazu bringen, dass ich mich öffnete. Es war mir noch nie besonders leicht gefallen, mich anderen mitzuteilen, aber Jane ließ nicht locker – freundlich, aber bestimmt hakte sie immer wieder nach, bis ich schließlich etwas sagte. Sie besaß eine Klugheit, die nur wenige Menschen haben und die nichts mit akademischen Inhalten zu tun hat, sondern mit Menschenkenntnis.

»Ich weiß nicht, was ich sonst noch erzählen könnte«, entgegnete ich. »Ich habe ganz normale, durchschnittliche Eltern. Sie sind beide Juristen, arbeiten für die Regierung und wohnen seit zwanzig Jahren in einem Haus am Dupont Circle, also im Zentrum von Washington. Da bin ich aufgewachsen. Vor ein paar Jahren haben sie sich überlegt, ob sie vielleicht an den Stadtrand ins Grüne ziehen sollen, aber sie wollten beide keine lange Anfahrt zum Arbeitsplatz, deshalb sind wir in der Innenstadt geblieben.«

»Hattet ihr einen Garten?«

»Nein, aber einen Innenhof, und manchmal wächst zwischen den Steinplatten hübsches Unkraut.«

Jane musste lachen. »Wo haben deine Eltern sich kennen gelernt?«

»In Washington. Sie kommen beide von dort, und sie haben sich kennen gelernt, weil sie beide im Verkehrsministerium arbeiten. Ich glaube, eine Weile waren sie sogar in derselben Abteilung, aber viel mehr weiß ich nicht. Sie haben sonst keine Details erzählt.«

»Haben sie irgendwelche Hobbys?«

Ich überlegte und versuchte, mir meine Eltern vorzustellen. »Meine Mutter schreibt leidenschaftlich gern Leserbriefe an die *Washington Post*. Ich glaube, am liebsten würde sie die ganze Welt verändern. Sie stellt sich immer auf die Seite der Unterdrückten und Benachteiligten und hat natürlich dauernd tolle Ideen, wie man die Gesellschaft verbessern könnte. Ich glaube, sie schreibt einen Leserbrief pro Woche. Nicht alle werden gedruckt, aber wenn einer erscheint, schneidet sie ihn aus und klebt ihn in ein Notizbuch. Und mein Dad ... er ist eher ein stiller, zurückhaltender Typ. Er baut Buddelschiffe. Im Laufe der Jahre hat er ein paar Hundert Schiffe gebastelt, und als wir auf den Regalen keinen Platz mehr hatten, stiftete er die nächsten Modelle irgendwelchen Schulen, als Ausstellungsstücke für die Bibliotheken. Kinder lieben so was.«

»Kannst du das auch, solche Schiffe basteln?«

»Nein. Es ist Dads Art, sich von allem zurückzuziehen. Er hatte keine Lust, mir die ganze Technik beizubringen – er fand, ich solle mir ein eigenes Hobby suchen. Aber ich durfte ihm zusehen. Solang ich nichts anfasste.«

»Wie schade.«

»Mir hat das nichts ausgemacht«, erwiderte ich. »Ich kannte es ja nicht anders, und es war echt interessant.

Er redete nicht viel dabei, aber ich fand es schön, einfach mit ihm zusammen zu sein.«

»Hat er sonst mit dir gespielt? Fangen oder Versteck? Oder seid ihr zusammen Fahrrad gefahren?«

»Nein, nie. Er war nicht gern draußen im Freien. Er interessierte sich nur für seine Schiffe. Aber ich habe gelernt, was es heißt, Geduld zu haben.«

Jane senkte den Blick und studierte ihre Schuhe. Ich wusste, dass sie in Gedanken meine Erfahrungen mit ihren eigenen verglich.

»Heißt das, du bist ein Einzelkind?«

Ja, ich war Einzelkind, und das, was ich ihr jetzt sagte, hatte ich vorher noch niemandem anvertraut, aber Jane wollte ich gern erklären, warum meine Eltern nur mich hatten. Schon damals empfand ich den Wunsch, mich ihr zu offenbaren. Es schien mir wichtig, dass sie über mich Bescheid wusste. »Meine Mutter konnte keine Kinder mehr bekommen. Nach meiner Geburt hatte sie schwere Blutungen, und danach war es lebensgefährlich für sie, noch einmal schwanger zu werden.«

»Wie traurig.«

»Ja, ich glaube auch, dass es ihr viel ausgemacht hat.«

Inzwischen hatten wir die Zentralkapelle des Campusgeländes erreicht und blieben stehen, um die Architektur zu bewundern.

»So viel hast du mir noch nie über dich erzählt, jedenfalls nicht an einem Stück«, sagte Jane.

»So viel wie dir habe ich überhaupt noch nie einem Menschen erzählt.«

Aus dem Augenwinkel beobachtete ich, wie sie sich eine Haarsträhne hinters Ohr strich. »Ich glaube, jetzt verstehe ich dich ein bisschen besser«, murmelte sie.

»Und? Ist das gut?«

Statt zu antworten, schaute sie mich nur an, und mir wurde klar, dass ich die Antwort längst kannte.

Im Grunde sollte ich mich genau daran erinnern, was dann kam, aber ehrlich gesagt – die darauf folgenden Momente habe ich vergessen. Ich weiß nur noch, dass ich Janes Hand nahm und sie an mich zog. Sie schien etwas überrascht, aber als sie sah, dass sich mein Gesicht dem ihren näherte, schmiegte sie sich an mich und schloss erwartungsvoll die Augen. Und sobald ihre Lippen meinen Mund berührten, wusste ich, dass ich unseren ersten Kuss niemals vergessen würde.

Ich hörte, wie sie jetzt am Telefon mit Leslie redete. Sie klang noch immer wie das Mädchen, mit dem ich an jenem Sonntag über den Campus geschlendert war. So jung, so lebendig! Sie redete ununterbrochen, und zwischendurch lachte sie vergnügt. Man hätte denken können, Leslie säße neben ihr.

Ich setzte mich auf das Sofa am anderen Ende des Zimmers und horchte mit halbem Ohr. Früher hatten Jane und ich oft ausgedehnte Spaziergänge gemacht und dabei intensive Gespräche geführt, aber meinen Platz hatten längst andere eingenommen. Bei den Kindern hatte Jane offenbar nie Probleme, ein gemeinsames Thema zu finden. Und auch wenn sie ihren Vater besuchte, fehlte es den beiden nicht an Gesprächsstoff.

Sie hatte einen großen Freundeskreis und besuchte ihre Freundinnen gern und oft. Was würden all diese Leute denken, wenn sie uns heute Abend erlebt hätten?

Waren wir das einzige Paar, das mit solchen Schwierigkeiten zu kämpfen hatte? Oder gehörten diese Probleme zwangsläufig zu einer langen Ehe? Brachte die Zeit sie mit sich, ob man wollte oder nicht? Irgendwie klang das logisch, aber mich störte es trotzdem, dass ich wusste, Janes unbeschwerte Fröhlichkeit würde sich in Luft auflösen, sobald sie den Hörer auflegte. Statt lustig zu plaudern und zu lachen, würden wir nur Plattitüden austauschen, der Zauber würde verschwinden – und übers Wetter zu reden, hatte ich nicht die geringste Lust.

Aber was konnte man dagegen unternehmen? Diese Frage quälte mich seit Wochen. Innerhalb einer einzigen Stunde hatte ich die beiden Extreme unserer Ehe erlebt, und es gab keinen Zweifel, welche Version mir lieber war. Und welche uns entsprach.

Im Hintergrund hörte ich, wie Jane sich von Leslie verabschiedete. Jeder Mensch hat seine Eigenarten, ein Telefongespräch zu beenden, und ich weiß genau, wie ich es mache und wie Jane es macht. Gleich würde sie ihrer Tochter sagen, sie habe sie sehr lieb, dann würde sie einen Moment schweigen, während Leslie diese Liebeserklärung erwiderte, und danach würde sie »Also, dann – bis bald« sagen und auflegen. Ich wusste, im nächsten Augenblick war es so weit – und plötzlich stand ich auf, um zu ihr zu gehen. Ich musste es einfach wagen.

Ich wollte zu ihr gehen und ihre Hand nehmen, so wie damals vor der Kapelle auf dem Campus. Sie würde sich fragen, was los sei – genau wie an jenem Tag. Und dann würde ich sie an mich ziehen, ihr Gesicht streicheln, ich würde die Augen schließen, und sobald meine Lippen die ihren berührten, würde sie es wissen – dieser Kuss war anders als alle, die wir bisher ausgetauscht hatten. Etwas völlig Neues, aber doch vertraut, zärtlich und gleichzeitig voller Begehren, eine Inspiration, die in ihr dieselben Gefühle wecken würde. Es sollte ein neuer Anfang sein, ein Wendepunkt in unserem Leben, genau wie unser erster Kuss vor so vielen Jahren.

Ich sah die Szene genau vor mir. Schon hörte ich Jane die Abschiedsworte sagen. Sie legte auf.

Jetzt war der richtige Augenblick gekommen. Ich nahm meinen ganzen Mut zusammen und trat langsam näher.

Jane wandte mir den Rücken zu. Ihre Hand lag noch auf dem Hörer. Sie hielt einen Moment inne, starrte reglos aus dem Wohnzimmerfenster, hinaus in den wolkenverhangenen Himmel, der sich langsam verdunkelte. Da saß sie, meine Jane – der wunderbarste Mensch, den ich kannte! Genau das wollte ich ihr sagen. Aber erst nach dem Kuss.

Ich roch den vertrauten Duft ihres Parfums. Mein Puls beschleunigte sich. Jetzt gleich, jetzt – aber als ich gerade ihre Hand berühren wollte, griff sie wieder zum Telefon. Mit raschen Bewegungen drückte sie zwei Tasten. Die Nummer war eingespeichert.

Als sich kurz darauf Joseph am anderen Ende der Leitung meldete, hatte ich den Mut wieder verloren und zog mich enttäuscht auf mein Sofa zurück.

Während der nächsten Stunde saß ich unter der Lampe, Roosevelts Biografie auf dem Schoß.

Jane hatte mich zwar gebeten, die Gäste anzurufen, aber nachdem sie mit Joseph gesprochen hatte, meldete sie sich noch bei ein paar Leuten, die unserer Familie nahe stehen. Ich verstand ja, weshalb ihr das so wichtig war, aber es führte dazu, dass wir uns bis nach neun in getrennten Welten aufhielten. Vereitelte Hoffnungen, auch wenn sie noch so klein sind, schmerzen immer besonders tief.

Als Jane endgültig mit dem Telefonieren fertig war, versuchte ich, ihren Blick auf mich zu lenken, aber statt sich zu mir aufs Sofa zu setzen, holte sie eine Tüte, die auf dem Tischchen bei der Eingangstür lag und die ich noch gar nicht bemerkt hatte.

»Die habe ich auf dem Heimweg für Anna besorgt«, erklärte sie und hielt zwei Brautzeitschriften hoch. »Aber bevor ich sie ihr gebe, möchte ich sie selbst rasch durchblättern.«

Damit war der Rest des Abends gelaufen, so viel schien sicher. Mit einem gezwungenen Lächeln murmelte ich: »Gute Idee.«

Während wir beide stumm dasaßen – ich auf dem Sofa mit Roosevelt, Jane in dem bequemen Fernsehsessel –, wanderte mein Blick immer wieder verstohlen zu ihr. Ihre Augen eilten von einem Brautkleid zum nächsten, und bei manchen Seiten knickte sie die Ecke um. Sie ist auch schon ziemlich weitsichtig und kann nicht mehr gut ohne Brille lesen, weshalb sie oft den Kopf zurücklehnen und die Zeitschrift weiter weg halten musste. Hin und wieder flüsterte sie etwas, und ich wusste, dass sie sich ausmalte, wie das auf dieser Seite abgebildete Kleid Anna stehen würde.

Wie schön und ausdrucksvoll ihr Gesicht doch war! Ich dachte daran, dass es eine Zeit gegeben hatte, in der ich dieses Gesicht immer wieder küsste, jedes Fältchen, jede einzelne Pore. Ich habe nie jemanden so geliebt wie dich, wollte ich ihr sagen, aber mein gesunder Menschenverstand hielt mich zurück. Diesen Satz sollte ich lieber für eine bessere Gelegenheit aufsparen, wenn sie mir zuhörte und die Worte vielleicht sogar erwiderte.

Ich hätte sie den ganzen Abend betrachten können, aber dann wurde ich doch müde. Erfahrungsgemäß würde Jane noch mindestens eine Stunde aufbleiben. Die Seiten mit den umgeknickten Ecken würden ihr keine Ruhe lassen, sie musste sie bestimmt ein zweites Mal studieren, und außerdem hatte sie noch nicht einmal die erste Zeitschrift durch.

»Jane?«

»Hmmmm?«, antwortete sie automatisch.

»Ich habe eine Idee.«

»Und die wäre?« Sie schaute immer noch auf ein Brautkleid.

»Ich weiß, wo wir feiern könnten.«

Endlich war es mir gelungen, zu ihr durchzudringen. Sie musterte mich fragend.

»Es ist vielleicht nicht perfekt, aber wir hätten keine Probleme mit der Reservierung«, sagte ich. »Man kann raus ins Freie, und es gibt jede Menge Parkplätze. Und Blumen. Tausende von Blumen.«

»Wo?«

Ich zögerte.

»In Noahs Haus. In der Laube beim Rosengarten.«

Jane öffnete den Mund und schloss ihn wieder. Sie blinzelte ein paar Mal, als könne sie nicht richtig sehen. Doch dann, ganz, ganz langsam, erschien ein Lächeln auf ihrem Gesicht.

KAPITEL 6

Am nächsten Morgen bestellte ich die Smokings und begann, die Freunde und Nachbarn auf Annas Gästeliste anzurufen. Die meisten reagierten genauso, wie ich es erwartet hatte. Selbstverständlich kommen wir!, sagte ein Paar. Das würden wir uns nicht entgehen lassen, um nichts in der Welt!, sagte ein anderes. Alle waren ausgesprochen freundlich, aber ich beendete die Gespräche trotzdem immer sehr zügig und war schon vor zwölf fertig.

Jane und Anna wollten an jenem Vormittag Blumen für die verschiedenen Sträuße aussuchen. Für später am Tag hatten sie geplant, sich Noahs Haus anzusehen und zu entscheiden, ob die Feier dort stattfinden konnte. Wir hatten verabredet, uns vor dem Haus zu treffen. Da ich also noch ein paar Stunden zur freien Verfügung hatte, beschloss ich, nach Creekside zu fahren. Unterwegs besorgte ich wie immer im Supermarkt drei Packungen Wonderbread.

Die ganze Zeit über sah ich Noahs Haus von mir. Wie lange war es her, dass ich ihm den allerersten Besuch abgestattet hatte?

Jane und ich waren schon sechs Monate zusammen, als sie mich das erste Mal zu ihren Eltern mitnahm. Im Juni hatte sie ihren Abschluss am Meredith College gemacht, und nach der offiziellen Zeremonie fuhren wir in meinem Wagen hinter ihren Eltern her nach New Bern. Jane war die Älteste von vier Kindern, die in einem Zeitraum von nur sieben Jahren zur Welt gekommen waren. Als wir ausstiegen, konnte ich ihren Gesichtern ansehen, dass sie nicht recht wussten, wie sie mich einordnen sollten. Während der Abschlussfeier hatte ich bei Janes Familie gestanden, und als Allie sich zwischendurch ganz selbstverständlich bei mir unterhakte, war ich richtig verlegen geworden. Wie gern hätte ich gewusst, was für einen Eindruck ich auf die Familie machte!

Jane spürte meine Nervosität. Deshalb schlug sie vor, doch zuerst einen kleinen Spaziergang zu machen. Die betörende Schönheit der flachen, weiten Ebene wirkte beruhigend auf mich. Der Himmel war blitzblau, die Luft war weder so kühl wie im Frühling noch so heiß wie im Sommer. Noah hatte im Laufe der Jahre Tausende von Blumenzwiebeln gesetzt, und am Zaun entlang blühten büschelweise Lilien in den leuchtendsten Farben. Und dann diese wunderschönen alten Bäume, jeder in einem anderen Grün – und überall zwitscherten die Vögel! Was mich jedoch ganz besonders begeisterte, selbst aus der Ferne, war der Rosengarten: fünf konzentrische Herzen – die höchsten Büsche in der Mitte, die niedrigsten außen am Rand –, ein berauschendes Meer aus Rot, Pink,

Orangerot, Gelb und Weiß. Das farbliche Arrangement wirkte beliebig, schien aber gleichzeitig einer planvollen Ordnung zu gehorchen. Für mich sah es aus wie eine gelungene, gleichwertige Zusammenarbeit von Mensch und Natur, die in der wilden Schönheit der umgebenden Landschaft fast wie eine Provokation wirkte.

Wir landeten schließlich in der Laube beim Rosengarten. Ich hatte Jane damals schon sehr lieb gewonnen, war mir aber noch nicht sicher, ob wir eine gemeinsame Zukunft vor uns hatten. Wie gesagt, ich wollte unbedingt eine gut bezahlte Anstellung finden, ehe ich mich auf eine ernsthafte Beziehung einließ. Mein juristisches Staatsexamen stand erst in einem Jahr an, und irgendwie kam es mir unfair vor, Jane zu bitten, so lange auf mich zu warten. Ich ahnte damals natürlich noch nicht, dass ich eine Stelle in New Bern bekommen würde. Für die nächsten Monate hatte ich schon Bewerbungsgespräche in Atlanta und in Washington, D.C., in meinen Terminkalender eingetragen, wohingegen sich Jane entschlossen hatte, wieder nach Hause zu ziehen.

Jane machte es mir allerdings schwer, meine Pläne konsequent zu verfolgen. Sie war sehr gern mit mir zusammen, das spürte ich. Wenn ich ihr etwas erzählte, hörte sie immer interessiert zu, es machte ihr Spaß, mich zu necken, und wenn wir gemeinsam irgendwo hingingen, nahm sie stets meine Hand. Als sie es das erste Mal tat, fand ich es sofort sehr schön. Es klingt vielleicht albern, aber wenn sich ein Paar an der Hand hält, fühlt es sich entweder richtig an oder nicht. Ich glaube, das hat damit zu tun, wie die Finger ineinander greifen und ob der Daumen an der passenden Stelle liegt. Als ich Jane meine These darlegte, lachte sie und fragte mich, weshalb ich unbedingt eine Theorie des Händchenhaltens entwickeln müsse.

An jenem Tag nun, dem Tag nach ihrer Abschlussprüfung, nahm sie wieder meine Hand und erzählte mir zum ersten Mal die Geschichte von Allie und Noah. Die beiden hatten sich als Teenager kennen gelernt und sich gleich ineinander verliebt, doch dann zog Allie weg, und die nächsten vierzehn Jahre hatten sie keinen Kontakt. Sie verloren sich völlig aus den Augen. Noah arbeitete in New Jersey, wurde Soldat im Zweiten Weltkrieg und kehrte erst danach wieder nach New Bern zurück. Allie verlobte sich in der Zwischenzeit mit einem anderen Mann. Kurz vor ihrer Hochzeit traf sie jedoch noch einmal mit Noah zusammen und merkte, dass sie immer nur ihn geliebt hatte. Schließlich löste sie ihre Verlobung und blieb in New Bern.

Jane und ich hatten uns schon sehr viel gegenseitig erzählt, aber diese Geschichte kannte ich noch nicht. Damals hat sie mich allerdings bei weitem nicht so stark berührt wie heute, was wahrscheinlich mit meinem Alter zusammenhängt. Aber ich spürte, wie viel sie Jane bedeutete, und fand es wunderbar, dass ihre Eltern ihr so wichtig waren. Ihr kamen sogar die Tränen. Zuerst tupfte sie sich die Augen mit einem Taschentuch trocken, aber plötzlich schien es ihr gleichgültig zu sein, ob ich sie weinen sah oder nicht. Für mich war das ein enormer Vertrauensbeweis, den sie sicher nicht vielen Menschen zuteil werden ließ. Ich selbst weine leider so gut wie nie. Ich glaube, das wurde Jane klar, als sie mit ihrer Geschichte fertig war.

»Tut mir Leid, dass ich geweint habe«, sagte sie leise. »Aber ich wollte dir diese Geschichte schon die ganze Zeit erzählen. Ich habe nur den richtigen Moment am richtigen Ort abgewartet.«

Sie umklammerte meine Hand, als wolle sie mich nie mehr loslassen.

Ich blickte in die Ferne. Mir war schwer ums Herz, ein Gefühl, das ich so kaum kannte. Alles um mich herum nahm ich plötzlich mit überdeutlicher Klarheit wahr, jedes Blütenblatt, jeder Grashalm prägte sich mir ein. Die Sonnenstrahlen malten tanzende Bilder auf den Boden. Im Hintergrund sah ich, wie sich Janes Familie auf der Veranda versammelte.

»Vielen Dank, dass du es mir erzählt hast«, flüsterte ich, und als ich Jane wieder anschaute, wusste ich endlich, was es heißt, einen Menschen zu lieben.

Noah saß wie immer auf seiner Bank am Teich.

»Hallo, Noah.«

»Oh, hallo, Wilson.« Er schaute hinaus aufs Wasser. »Wie schön, dass du mich besuchen kommst.«

Ich stellte die Tüte mit dem Toastbrot auf den Boden. »Wie geht's denn so?«

»Könnte besser sein. Könnte aber auch wesentlich schlechter sein.«

Ich setzte mich neben ihn. Der Schwan schien sich nicht vor mir zu fürchten, er blieb ganz in unserer Nähe im flachen Wasser.

»Hast du Jane schon gesagt, dass wir die Hochzeit im Haus feiern können?«, wollte er wissen. Ich hatte Noah am Tag zuvor schon von dieser Idee erzählt.

»Ja, und ich glaube, sie hat sich gefragt, wieso sie nicht selbst auf diesen Gedanken gekommen ist.«

»Sie hat im Moment so viel anderes im Kopf.«

»Das stimmt. Gleich nach dem Frühstück ist sie wieder mit Anna losgezogen.«

»Nicht zu bremsen, was?«

»Das kannst du laut sagen. Sie hat ihre Tochter an der Hand genommen, und seither habe ich von den beiden nichts mehr gehört.«

»Bei Kates Hochzeit war Allie genauso.«

Kate war Janes jüngere Schwester. Ihre Hochzeit hatten wir ebenfalls in Noahs Haus gefeiert, und Jane war Brautführerin gewesen.

»Ich wette, Jane hat sich auch schon jede Menge Hochzeitskleider angeschaut.«

Ich musterte ihn erstaunt.

»Das hat Allie nämlich am meisten Spaß gemacht, glaube ich«, fuhr Noah fort. »Sie und Kate sind sogar nach Raleigh gefahren und haben zwei Tage lang nach dem perfekten Kleid gefahndet. Kate hat hunderte anprobiert, und als Allie nach Hause kam, hat sie mir jedes einzelne genau beschrieben. Spitzenbesatz hier, Puffärmel da, Seide und Taft, gefasste Taille ... Stundenlang hat sie über nichts anderes geredet, sie hat so geleuchtet vor Begeisterung, dass ich gar nicht richtig gehört habe, was sie sagt.«

»Ich glaube, Jane und Anna haben gar nicht genug Zeit für solche Extravaganzen.«

»Ja, da hast du Recht.« Er sah mich an. »Aber egal, was Anna trägt – sie wird sehr hübsch aussehen.«

Ich nickte.

Noahs Kinder teilen sich die Kosten für die Erhaltung des alten Hauses.

Es gehört uns allen gemeinsam. Noah und Allie haben das so geregelt, ehe sie nach Creekside zogen. Weil das Haus ihnen und auch den Kindern so viel bedeutet, brachten sie es nicht übers Herz, sich endgültig davon zu trennen. Sie wollten es auch nicht nur einem ihrer Kinder überlassen, denn schließlich verbindet jeder von uns unzählige glückliche Erinnerungen mit diesem Haus.

Wie ich schon sagte: Ich gehe öfter dort vorbei, und als ich jetzt nach meinem Besuch in Creekside das Gelände inspizierte, machte ich mir im Kopf schon Notizen, wie am kommenden Samstag alles aussehen sollte. Grundsätzlich kümmert sich ein Hausverwalter um den Rasen und hält den Zaun instand. Aber es blieb trotzdem noch genug zu tun, bevor man hier ein Fest mit vielen Gästen feiern konnte. Allein konnte ich das unmöglich bewältigen. Durch Wind und Wetter war die weiße Fassade grau geworden, aber dieses Problem war durch eine gründliche Reinigung mit Hochdruckwasserstrahlen ohne weiteres zu beheben.

Der Rosengarten und überhaupt das gesamte Grundstück waren allerdings trotz der Bemühungen des Hausverwalters nicht gut in Schuss. Überall wucherte Unkraut, die Hecken und Büsche mussten dringend gestutzt werden, von den früh blühenden Lilien ragten nur noch die vertrockneten Stängel in die Luft. Hibiscus, Hortensien und Geranien sorgten für Farbtupfer, mussten aber ebenfalls wieder in Form geschnitten werden.

Das konnte alles relativ schnell erledigt werden – aber der Rosengarten bereitete mir echten Kummer. Seit das Haus leer stand, verwilderte er. Die konzentrischen Herzen waren alle etwa gleich hoch gewachsen, und die einzelnen Sträucher überwucherten sich gegenseitig. Die Zweige wuchsen kreuz und quer in alle Richtungen, und die Blätter verdeckten viele der Blüten. Funktionierten die Scheinwerfer überhaupt noch? Für mich sah es so aus, als könne der Rosengarten unmöglich gerettet werden, es sei denn, man schnitt sämtliche Büsche radikal zurück und wartete ein Jahr, bis sie wieder Blüten trieben.

Aber vielleicht konnte ja mein Gärtner ein Wunder vollbringen. Wenn es jemanden gab, der das schaffte, dann war er es. Nathan Little war ein stiller, unauffälliger Mann mit einem leidenschaftlichen Hang zur Perfektion. Er hatte schon einige der berühmtesten Gärten in North Carolina bearbeitet – den Park der schlossähnlichen Biltmore Estates, die Anlage des Tyron Palace und den Botanischen Garten der Duke University in Durham. Ich war noch nie jemandem begegnet, der so viel von Pflanzen verstand wie Nathan.

Weil ich unseren eigenen Garten so hingebungsvoll pflegte – er ist nicht groß, aber dafür wunderschön –, hatten wir uns im Laufe der Jahre richtig angefreundet, und es kam vor, dass Nathan nach der Arbeit auch ohne Anlass bei uns vorbeischaute. Wir führten endlose Gespräche über sauren Boden und darüber, ob Schatten für Azaleen wichtig ist, über verschiedene Düngemittel, und wir diskutierten sogar über die Frage, wie oft man Stiefmütterchen gießen muss. Die Gartenarbeit war eine völlig andere Welt als mein Job in der Kanzlei, und gerade deswegen empfand ich sie als so entspannend.

Am Morgen hatte ich neben all den Verwandten und Bekannten auch Nathan angerufen, obwohl Sonntag war, und er hatte sofort versprochen, heute noch vorbeizukommen und sich alles anzusehen. Er verfügte über drei Arbeitstrupps, und ich wusste, dass diese Männer, die größtenteils Spanisch sprachen, im Laufe eines Tages Unglaubliches zustande brachten. Aber das hier war vielleicht eine Nummer zu groß. Bestand trotzdem Hoffnung, dass sie es rechtzeitig fertig bringen würden?

In dem Moment entdeckte ich Harvey Wellington, den Pastor. Er stand auf der vorderen Veranda seines Hauses, mit verschränkten Armen an einen Pfosten gelehnt. Er schien mich aus der Ferne zu mustern. Sah ich richtig – lächelte er mir zu? War das vielleicht eine Aufforderung, ihn endlich einmal zu besuchen? Ich schaute für einen Moment weg, und als ich wieder Blickkontakt mit ihm aufnehmen wollte, war er im Haus verschwunden. Wir hatten uns zwar schon öfter begrüßt und hin und wieder auch ein paar Worte gewechselt, aber mir wurde auf einmal bewusst, dass ich noch nie sein Haus betreten hatte.

Nach der Mittagspause kam Nathan zu einer Lagebesprechung. Wir verbrachten eine ganze Stunde miteinander. Er nickte immer wieder, während ich ihm meine Wünsche und Vorstellungen erläuterte, und stellte kaum Fragen. Als ich fertig war, legte er die Hand über die Augen und ließ seinen Blick über das Anwesen schweifen.

Im Grunde sei das alles kein Problem, sagte er schließlich. Bis auf den Rosengarten. Um diesen wieder in seinen ursprünglichen Zustand zu versetzen, müsse einiger Aufwand betrieben werden.

Ich fragte, ob es denn irgendwie im Rahmen des Möglichen sei.

Er ließ sich viel Zeit. Dann nickte er. Mittwoch und Donnerstag – in Ordnung? Er werde all seine Angestellten mitbringen, fügte er hinzu. Dreißig Leute.

In nur zwei Tagen der gesamte Garten? Ich konnte es kaum glauben. Nathan war ein Profi auf seinem Gebiet, genau wie ich auf meinem, aber diese Prognose erschien mir doch ziemlich gewagt.

Grinsend legte er mir die Hand auf die Schulter. »Keine Bange, mein Freund«, sagte er. »Es wird wunderschön.«

Je weiter der Nachmittag voranschritt, desto mehr nahm die Hitze zu. Die Luft flimmerte, es wurde immer schwüler, der Horizont schien zu verschwimmen. Mir trat der Schweiß auf die Stirn, und ich musste mir immer wieder mit einem Taschentuch das Gesicht abwischen, während ich auf der Veranda saß und auf Jane und Anna wartete.

Das Haus war fest verriegelt, aber nicht nur aus Sicherheitsgründen. Die Fenster waren durch Bretter geschützt, damit niemand die Scheiben einwarf und damit man nicht hineinschauen konnte. Noah hatte ein eigenes System entworfen, und seine Söhne hatten die Pläne umgesetzt – eine Art Fensterläden, mit Angeln und Haken, die von innen leicht geöffnet werden konnten. Zweimal im Jahr lüftete der Hausverwalter das ganze Haus gründlich durch und kontrollierte alles. Der Strom war abgestellt, doch es gab hinter dem Haus einen Generator, den er gelegentlich anstellte, um Steckdosen und Lichtschalter zu überprüfen. Wegen der Bewässerungsanlage im Garten war das Wasser nicht abgedreht, und der Hausverwalter hatte mir versichert, er lasse gelegentlich in der Küche und in den Badezimmern Wasser laufen, damit sich in den Rohren nicht allzu viel ablagern konnte.

Eines Tages wird wieder jemand in diesem Haus wohnen, davon bin ich fest überzeugt. Ich denke dabei nicht an Jane und mich, und ich glaube auch nicht, dass Janes Geschwister je dort einziehen werden, aber irgendwie kommt es mir nur logisch vor, dass es wieder bewohnt sein wird. Allerdings erst, wenn Noah nicht mehr unter uns ist.

Während ich solchen Gedanken nachhing, sah ich, dass sich Anna und Jane näherten. Der Wagen wirbelte eine riesige Staubwolke auf, als sie in die Zufahrt einbogen. Ich erwartete sie im Schatten einer gewaltigen Eiche.

Beide schauten sich neugierig um, weil sie ja länger nicht hier gewesen waren, und ich merkte, dass Jane beim Anblick des Hauses gleich wieder nervös wurde. Anna kaute lässig ihren Kaugummi.

»Hi, Daddy!«, rief sie grinsend.

»Hallo, Liebling. Wie ist es gelaufen?«

»Bestens. Mom ist zwar zwischendurch in Panik geraten, aber wir haben alles hinbekommen. Der Brautstrauß ist bestellt, die Anstecksträußchen ebenfalls.«

Jane schien ihr gar nicht zuzuhören. Ihr Blick wanderte beunruhigt über Haus und Grundstück. Ich konnte ihre Gedanken lesen: Es erschien ihr unvorstellbar, dass alles rechtzeitig auf Vordermann gebracht werden konnte. Sie hatte ja viel stärker als ich noch das Bild von früher im Kopf. Deswegen war ihr gar nicht bewusst gewesen, wie sehr sich alles verändert hatte.

Ich legte ihr die Hand auf die Schulter. »Keine Bange – es wird wunderschön«, zitierte ich Nathan Little.

Später gingen Jane und ich das Grundstück ab.

Anna hatte sich mit ihrem Handy zurückgezogen, weil sie noch mit Keith telefonieren wollte.

Ich erklärte Jane, was ich mit Nathan besprochen hatte, aber sie war innerlich mit irgendetwas anderem beschäftigt.

»Was ist los?«

Sie schüttelte verzweifelt den Kopf. »Es ist wegen Anna«, klagte sie. »Ihre Stimmung verändert sich von einer Minute zur andern. Mal ist sie Feuer und Flamme, und dann wieder habe ich das Gefühl, ihr ist alles vollkommen egal. Sie kann einfach keine selbstständigen Entscheidungen treffen. Nicht mal bei den Blumen! Sie hatte keine Ahnung, welche Farbkombination sie für den Brautstrauß haben will, ganz zu schweigen von der Blumensorte. Und sobald ich sage, mir gefällt dies oder jenes, plappert sie mir alles nach. Es macht mich noch wahnsinnig! Ich weiß, wir feiern die Hochzeit so, weil *ich* es mir wünsche, aber trotzdem könnte sie sich mehr engagieren – schließlich ist sie doch diejenige, die heiratet.«

»So war sie doch schon immer«, beruhigte ich Jane. »Weißt du noch, wie sie sich als Kind benommen hat? Wenn ihr gemeinsam Kleider für sie kaufen musstet, hast du mir anschließend ganz ähnliche Geschichten erzählt.«

»Ich weiß«, sagte sie. Aber an ihrem Tonfall merkte ich, dass noch mehr dahinter steckte.

»Was ist?«

»Ach, ich wollte, wir hätten mehr Zeit«, sagte Jane mit einem abgrundtiefen Seufzer. »Ein paar Dinge haben wir schon geregelt, klar, aber wenn nicht alles so schnell gehen müsste, könnte ich noch einen Empfang oder etwas Ähnliches organisieren. Es wird sicher eine schöne Trauung – aber was passiert anschließend? Immerhin ist es das einzige Mal in ihrem Leben, dass sie so was erlebt!«

Meine Frau, die hoffnungslose Romantikerin!

»Und warum machen wir dann keinen Empfang?«

»Wie meinst du das?«

»Wir könnten doch hier auch einen Empfang geben. Wir öffnen einfach das Haus.«

Sie schaute mich an, als hätte ich den Verstand verloren. »Wie das denn? Wir haben keinen Catering Service, wir haben keine Tische, wir haben keine Musik. So etwas kann man nicht aus dem Ärmel schütteln, dafür braucht man Zeit! Das klappt nicht automatisch, nur wenn man mal kurz mit dem Finger schnippt.«

»Das hast du bei dem Fotografen auch gesagt.«

»Ein Empfang ist etwas anderes«, sagte sie in einem Ton, der keinen Widerspruch duldete.

»Dann machen wir es eben anders.« Ich wollte mich nicht geschlagen geben. »Wir können zum Beispiel unsere Gäste bitten, etwas zu essen mitzubringen.«

Sie kniff die Augen zusammen. »Die Gäste sollen etwas mitbringen?« Diesen Vorschlag fand sie offenbar völlig abwegig. »Bei einem Hochzeitsempfang?«

Ich zuckte die Achseln. »War nur so eine Idee«, brummelte ich.

»Ist schon gut. Im Grunde ist der Empfang nicht so wichtig. Was zählt, ist die eigentliche Trauung.« Sie blickte gedankenverloren in die Ferne.

»Ich werde ein paar Leute anrufen. Vielleicht kann ich ja etwas arrangieren.«

»Aber wir haben doch nicht mehr genug Zeit!«, wandte sie wieder ein.

»Ich kenne Leute, die so etwas machen.«

Das stimmte. Als einer von nur drei Erbschaftsanwälten in der Stadt kannte ich sämtliche Geschäftsleute in New Bern und Umgebung.

»Ich weiß.« Das klang wie eine Entschuldigung. Fast unbewusst nahm ich ihre Hand. Ich war selbst ganz überrascht von dieser Geste.

»Verlass dich auf mich«, versicherte ich ihr.

Lag es an meinem ernsten Tonfall? Oder an meinem ehrlichen Blick? Jedenfalls drückte sie meine Hand, um mir zu zeigen, dass sie bereit war, mir zu vertrauen.

»Danke«, sagte sie. Auf einmal hatte ich das Gefühl, als wäre die Zeit zurückgedreht worden. Ich sah Jane unter der Laube stehen, nachdem sie mir die Geschichte ihrer Eltern erzählt hatte, wir waren wieder jung, die Zukunft lag hell und viel versprechend vor uns. Und genau wie damals erschien mir auch jetzt alles neu und hoffnungsvoll.

Wenig später fuhr Jane mit Anna wieder los. Als ich dem Wagen nachschaute, hatte ich das beglückende Gefühl, dass diese Hochzeitsfeier das Wunderbarste werden würde, was uns seit Jahren widerfahren war.

KAPITEL 7

Das Abendessen war beinahe fertig, als Jane nach Hause kam.

Ich drehte die Ofentemperatur herunter – es gab Chicken Cordon Bleu –, wischte mir die Hände ab und ging ihr entgegen, um sie zu begrüßen.

»Hallo!«, sagte ich.

»Hallo, guten Abend«, erwiderte sie und stellte ihre Handtasche auf das Tischchen im Flur. »Was haben eigentlich deine Anrufe ergeben? Ich habe heute Nachmittag ganz vergessen, dich danach zu fragen.«

»Bisher lief es blendend«, antwortete ich. »Alle Leute auf der Liste haben zugesagt. Das heißt, alle, die ich erreichen konnte.«

»Alle? Das ist ja sagenhaft! Normalerweise sind die meisten Leute um diese Zeit in Urlaub.«

»So wie wir?«

Sie lachte, und ich freute mich, dass sie offensichtlich besserer Laune war als noch am Nachmittag. »Ja, klar«, sagte sie mit einer lässigen Handbewegung. »Wir sitzen doch die ganze Zeit nur herum und entspannen uns, stimmt's?«

»Na ja, so schlimm ist es auch wieder nicht.«

Sie schnupperte – offensichtlich war ihr der Duft aus der Küche in die Nase gestiegen. Verwundert schaute sie mich an. »Machst du schon wieder Abendessen?«

»Ich habe mir gedacht, dass du heute sicher keine große Lust zu kochen hast.«

»Wie nett von dir!« Jane lächelte. Ihr Blick begegnete meinem, und es kam mir vor, als würde sie mich etwas länger ansehen als sonst. »Hättest du etwas dagegen, wenn ich vor dem Essen schnell noch dusche? Ich bin so verschwitzt. Wir waren den ganzen Tag unterwegs.«

»Lass dir ruhig Zeit, es eilt nicht.«

Gleich darauf hörte ich das Wasser rauschen. Ich dünstete das Gemüse, wärmte das Brot vom Abend zuvor auf. Als Jane in die Küche kam, war ich gerade dabei, den Tisch zu decken.

Ich hatte auch geduscht, als ich von Noahs Haus zurückgekommen war. Danach hatte ich eine neue Chino-Hose angezogen, die Jane für mich gekauft hatte, da mir fast all meine Hosen inzwischen zu weit waren.

»Ist das die neue Hose?«, fragte Jane. Sie war im Türrahmen stehen geblieben.

»Ja. Wie findest du sie?«

Sie musterte mich kritisch.

»Sie sitzt sehr gut«, stellte sie fest. »Man sieht, dass du abgenommen hast.«

»Hervorragend«, sagte ich. »Es wäre schrecklich, wenn ich das letzte Jahr umsonst gelitten hätte.«

»Du hast doch nicht gelitten! Du bist gelaufen, aber gelitten hast du nicht.«

»Versuch du mal, morgens aufzustehen und rauszugehen, solange es noch dunkel ist – vor allem bei Regen.«

»Ach, du armes Herzchen«, neckte sie mich. »Ich bedaure dich so.«

»Du hast keine Ahnung!«

Sie kicherte. Sie hatte ebenfalls eine bequeme Hose angezogen, und unter dem Saum lugten ihre lackierten Zehennägel hervor. Ihre Haare waren noch nass, auf der Bluse befanden sich ein paar Wasserflecken. Selbst wenn sie es nicht darauf anlegte – Jane war zweifellos eine der sinnlichsten und attraktivsten Frauen, die mir je begegnet waren.

»Soll ich dir etwas verraten?«, sagte sie. »Anna sagt, Keith sei entzückt von unseren Plänen. Ich glaube, er freut sich mehr als Anna.«

»Anna freut sich auch. Sie ist nur nervös, weil sie nicht weiß, ob alles klappt.«

»Das stimmt doch nicht. Anna wird nie nervös. Da ist sie genau wie du.«

»Aber ich werde nervös!«, protestierte ich.

»Nein, nie.«

»Doch, natürlich!«

»Dann nenn mir ein Beispiel.«

Ich überlegte. »Also, ich war zum Beispiel sehr nervös, als ich mich auf das Juraexamen vorbereitet habe.«

Jane überlegte für einen Moment, dann schüttelte sie den Kopf. »Nein, da warst du nicht nervös. Du warst der Star. Du hast ja zu der Zeit schon für die *Law Review* geschrieben.«

»Ich war ja auch nicht nervös wegen des Examens, sondern weil ich Angst hatte, ich könnte dich verlieren. Du hast damals angefangen, in New Bern zu unterrichten, erinnerst du dich? Ich war fest davon überzeugt, irgendein charmanter junger Schnösel würde auftauchen und dich mir wegschnappen. Das hätte mir das Herz gebrochen.«

Sie betrachtete mich erstaunt, als hätte sie nicht ganz verstanden, was ich gerade gesagt hatte. Aber statt zu antworten, stützte sie die Hände in die Hüften, legte den Kopf schief und sagte: »Weißt du, was? Ich glaube, du lässt dich auch schon anstecken.«

»Wovon?«

»Vom Hochzeitsfieber. Ich meine – du kochst zwei Mal nacheinander das Abendessen, du hilfst mir ohne zu murren bei der Organisation, und du lässt dich zu nostalgischen Bemerkungen hinreißen, so wie jetzt gerade. Wahrscheinlich kannst du dich dem Sog nicht entziehen.«

Es klingelte – die Küchenuhr war abgelaufen.

»Ich glaube fast, du hast Recht«, murmelte ich.

Ich hatte nicht gelogen. Als ich an die Duke University zurückging, um den Endspurt für das Juraexamen anzutreten, hatte ich tatsächlich große Angst, Jane zu verlieren. Und ich gebe zu, dass ich mit dieser verzwickten Situation nicht so locker fertig wurde, wie ich gehofft hatte. Als das letzte Studienjahr begann, wusste ich, dass die Beziehung zu Jane unmöglich so weiterlaufen konnte wie in den letzten neun Monaten. Im Verlauf des Sommers sprachen wir immer wieder über dieses Thema, aber Jane schien sich, im Gegensatz zu mir, keine Sorgen zu machen. Sie war ganz selbstverständlich davon überzeugt, dass wir es irgendwie schaffen würden. Ich hätte das ja als ein beruhigendes Zeichen deuten können, aber manchmal überfiel mich stattdessen der furchtbare Gedanke, sie könne mir womöglich wichtiger sein als ich ihr.

Klar, ich wusste, dass ich viele gute Eigenschaften besaß, aber diese guten Eigenschaften betrachte ich noch heute als nichts Besonderes. Meine schlechten Seiten sind allerdings auch nicht spektakulär. Ich finde mich in den meisten Dingen ziemlich durchschnittlich – und schon vor dreißig Jahren wusste ich genau, dass ich weder für den großen Ruhm noch für ein unbedeutendes Schattendasein geschaffen war.

Jane hingegen hätte alles werden können. Ich bin schon vor langer Zeit zu dem Schluss gekommen, dass sie sich in jeder beliebigen Situation zurechtfinden würde – ob arm oder reich, Stadt oder Land, sie würde sich überall zu Hause fühlen. Ihre Anpassungsfähigkeit hat mich von Anfang an tief beeindruckt. Aber auch sonst war Jane ein Phänomen, sie war intelligent, einfühlsam, emotional, freundlich, charmant – für mich stand völlig außer Frage, dass jeder Mann in ihr die ideale Ehefrau sehen musste.

Aber wieso hatte sie sich ausgerechnet für mich entschieden?

Diese Frage stellte ich mir am Anfang unserer Beziehung immer und immer wieder und fand keine plausible Erklärung. Ich hatte Angst, Jane könne eines Morgens aufwachen, merken, dass ich nichts Besonderes an mir hatte, und sich auf der Stelle einen neuen, charismatischeren Freund suchen. Weil ich mich so unsicher fühlte, brachte ich es nicht fertig, ihr zu sagen, was ich für sie empfand. Wie oft nahm ich mir vor, mich ihr zu offenbaren! Die Worte lagen mir auf der Zunge – aber dann war der magische Augenblick vorüber, und ich hatte wieder nicht genug Mut aufgebracht.

Das soll nicht heißen, dass ich unsere Beziehung verheimlichte. Als ich während des Sommers an der Kanzlei ein Praktikum machte, kam beim Mittagessen mit den anderen Praktikanten meine Beziehung zu Jane recht häufig zur Sprache, und ich schilderte sie als geradezu ideal. Ich plauderte nie etwas aus, was ich später bedauert hätte, aber manchmal hatte ich den Eindruck, dass ein paar meiner Kollegen neidisch waren, weil ich nicht nur beruflich, sondern auch in meinem Privatleben so zielstrebig war. Einer von ihnen, ein gewisser Harold Larson – der genau wie ich an der Duke University für die *Law Review* arbeitete – horchte immer auf, wenn Janes Name fiel. Ich schob es darauf, dass er ebenfalls eine Freundin hatte, mit der er seit über einem Jahr ausging. Genau wie Jane und ich wohnten Gail und er auch nicht mehr in derselben Stadt. Gail war nach Fredericksburg, Virginia, gezogen, in die Nähe ihrer Eltern.

Harold redete immer ganz selbstverständlich davon, dass er sie heiraten werde, sobald er seinen Universitätsabschluss habe.

Als das Praktikum zu Ende ging, gab die Firma zu unseren Ehren eine Cocktailparty. Wir unterhielten uns darüber, ob wir unsere Freundinnen mitbringen sollten. Harold wirkte plötzlich seltsam verschlossen. Als jemand ihn darauf ansprach, antwortete er zur allgemeinen Überraschung: »Gail und ich haben uns letzte Woche getrennt.«

Zwar fiel es ihm sichtlich schwer, darüber zu sprechen, aber er wollte uns doch die Hintergründe erklären. »Ich habe immer gedacht, zwischen uns wäre alles in Ordnung, obwohl ich sie in letzter Zeit nicht regelmäßig gesehen habe. Inzwischen glaube ich, die Entfernung war einfach zu groß. Sie wollte nicht warten, bis ich mit der Universität fertig bin, und hat einen anderen kennen gelernt.«

Der Gedanke an diese Unterhaltung beeinflusste auch den letzten Nachmittag in jenem Sommer, den Jane und ich gemeinsam verbrachten. Es war ein Sonntag, zwei Tage, nachdem ich Jane mit zu der Cocktailparty genommen hatte. Wir saßen in den Schaukelstühlen auf Noahs Veranda. Ich musste am selben Abend zurück nach Durham fahren, und ich weiß noch genau, dass ich auf den Fluss starrte und mich wieder einmal fragte, ob es uns wohl gelingen würde, unsere Beziehung über die Zeit des Getrenntlebens zu retten, oder ob Jane, genau wie Gail, einen Ersatz für mich suchen würde.

»Hallo, junger Mann!«, sagte sie nach einer Weile. »Warum so schweigsam?«

»Ich überlege, wie es sein wird, wenn ich wieder an der Uni bin.«

Jane lächelte. »Hast du Angst, oder freust du dich?«

»Beides, glaube ich.«

»Vielleicht kannst du es so sehen: Es sind nur neun Monate bis zu deinem Examen, und dann bist du fertig.«

Ich nickte stumm.

»Bist du sicher, dass dich nicht noch etwas anderes umtreibt?« Sie musterte mich eingehend. »Du wirkst schon den ganzen Tag bedrückt.«

Ich setzte mich anders hin. »Erinnerst du dich an Harold Larson? Ich habe dich auf der Cocktailparty mit ihm bekannt gemacht.«

Jane überlegte. »War Harold derjenige, der auch bei der *Law Review* arbeitet? Ziemlich groß, braune Haare?«

Ich nickte abermals.

»Was ist mit ihm?«

»Ist dir aufgefallen, dass er allein war?«

»Nein, könnte ich nicht behaupten. Wieso?«

»Seine Freundin hat mit ihm Schluss gemacht.«

»Ach, der Arme.« Offenbar konnte sie sich nicht erklären, was das mit ihr zu tun hatte und weshalb ich es überhaupt erzählte. Ich musste also etwas weiter ausholen, um mich verständlich zu machen.

»Es wird bestimmt ein schwieriges Jahr«, begann ich. »Ich nehme an, ich werde sozusagen in der Bibliothek leben.«

Jane legte mir tröstend die Hand aufs Knie. »Das hast du doch in den letzten Jahren sehr gut hinbekommen. Ich wette, du genießt es sogar irgendwie.«

»Das hoffe ich auch«, fuhr ich fort, »es ist nur so – ich bin dauernd eingespannt und kann deshalb nicht jedes Wochenende hierher kommen, um dich zu besuchen, wie jetzt während des Sommers.«

»Das ist mir klar. Aber wir werden uns doch trotzdem sehen! Ein bisschen Freizeit bleibt dir sicher, und ich kann doch auch mal zu dir nach Durham fahren, das darfst du nicht vergessen.«

Ich sah, wie in der Ferne ein Schwarm Spatzen von einem Baum aufflog. »Aber es wäre gut, wenn du mir vorher Bescheid sagen würdest. Damit du weißt, ob ich auch wirklich Zeit habe. Das letzte Jahr vor dem Examen ist sehr arbeitsintensiv.«

Wieder musterte sie mich prüfend. Ich glaube, sie wollte herausfinden, was ich ihr in Wahrheit zu sagen beabsichtigte. »Was ist los, Wilson?«

»Wieso fragst du?«

»Es hört sich an, als würdest du dir jetzt schon überlegen, mit welchen Ausreden du mich am besten abwimmeln kannst.«

»Aber das sind doch keine Ausreden! Ich will nur, dass du verstehst, wie viel ich arbeiten muss.«

Jane lehnte sich zurück. Ihr zusammengekniffener Mund bildete eine schmale Linie. »Und weiter?«

»Was ›und weiter‹?«

»Willst du damit sagen, dass du mich nicht mehr sehen möchtest?«

»Nein, nein auf keinen Fall!«, protestierte ich. »Aber es ist eine Tatsache, dass du hier bist und ich dort. Du weißt doch, wie schwierig eine Beziehung auf diese Entfernung sein kann.«

Sie verschränkte die Arme. »Und was folgt daraus?«

»Na ja – da kann so vieles schief laufen, und ich will auf keinen Fall, dass einer von uns leidet, verstehst du das nicht?«

»Dass einer von uns leidet?«

»So war es bei Harold und Gail«, erklärte ich. »Die beiden haben sich nicht mehr so oft gesehen, weil er viel zu tun hatte, und deswegen hat sie sich von ihm getrennt.«

»Und du denkst jetzt, bei uns könnte es genauso laufen.«

»Du musst zugeben, dass, statistisch gesehen, unsere Chancen nicht allzu gut stehen.«

»Statistisch gesehen? Du willst das, was zwischen uns ist, statistisch bewerten?«

»Ich will nur ehrlich sein!«

»Was heißt hier ehrlich? Statistisch gesehen? Was geht uns beide die Statistik an? Und was haben wir mit diesem Harold zu tun?«

»Jane, ich ...«

Sie wandte sich ab. Wollte sie meinem Blick ausweichen? Als sie zu reden begann, war ihre Stimme so leise, dass ich sie kaum hören konnte. »Wenn du mich nicht mehr sehen möchtest, brauchst du es nur zu sagen. Aber schiebe nicht die viele Arbeit vor. Sag mir einfach, was Sache ist. Ich bin erwachsen. Ich kann die Wahrheit ertragen.«

»Aber ich sage die Wahrheit!«, erwiderte ich schnell. »Ich möchte dich sehen. Ich habe mich nur irgendwie ungeschickt ausgedrückt.« Ich schluckte. »Ich wollte dir eigentlich sagen – also – ich wollte dir sagen, dass du für mich ein ganz besonderer Mensch bist und mir sehr viel bedeutest.«

Wir schwiegen beide, und zu meiner Verwunderung sah ich, dass ihr eine Träne über die Wange lief. Sie wischte sie mit dem Handrücken weg und verschränkte wieder die Arme vor der Brust, den Blick auf die Bäume beim Fluss gerichtet.

»Warum tust du das immer wieder?« Jetzt klang sie ganz heiser.

»Was meinst du?«

»Ich meine ... das, was du jetzt tust. Du redest zum Beispiel über Statistiken, als könne man alles mit Zahlen erfassen. Als könne man *uns* mit Zahlen erfassen. Aber so ist es nicht immer im Leben. Bei Menschen funktioniert das nicht. Und außerdem sind wir nicht Harold und Gail.«

»Das weiß ich, aber ...«

Zum ersten Mal sah ich Enttäuschung und Schmerz in ihrem Gesicht. Und daran war ich schuld!

»Warum hast du es dann gesagt?«, fragte sie. »Ich weiß, dass es nicht leicht wird. Und wenn schon! Meine Mum und mein Dad haben sich vierzehn Jahre lang nicht gesehen, und sie haben trotzdem geheiratet. Und du redest von neun Monaten, als wären sie eine Ewigkeit! Wir können telefonieren, wir können uns schreiben ...« Sie schüttelte fassungslos den Kopf.

»Tut mir Leid – bitte, nimm es mir nicht übel«, sagte ich. »Wahrscheinlich habe ich einfach Angst davor, dich zu verlieren. Ich wollte dich nicht ärgern ...«

»Warum? Weil ich ein besonderer Mensch bin? Weil ich dir viel bedeute?«

»Ja, genauso ist es.«

Sie schnaubte empört. »Ich freue mich auch sehr, dich kennen gelernt zu haben!«

Endlich dämmerte mir, was los war. Ich hatte das, was ich gesagt hatte, als Kompliment gemeint, aber bei Jane war es völlig anders angekommen. Ich hatte sie verletzt, ohne es zu wollen. Mein Mund war plötzlich ganz trocken.

»Entschuldige bitte«, murmelte ich. »Ich wollte nicht, dass das alles so komisch herauskommt. Du bist wirklich etwas ganz Besonderes für mich, aber – du musst verstehen, die Sache ist die ...«

Ich hatte einen Knoten in der Zunge, ich konnte nur noch stottern und brachte keinen vollständigen Satz mehr heraus. Jane stieß einen tiefen Seufzer aus. Da wusste ich, dass mir nicht mehr viel Zeit blieb, also räusperte ich mich und sagte endlich das, was ich eigentlich sagen wollte:

»Eigentlich wollte ich dir sagen – ich glaube, ich liebe dich.«

Jane schwieg. Hatte sie mich überhaupt gehört? Während ich noch zweifelte, verzog sich ihr Mund zu einem Lächeln.

»Heißt das, du glaubst es nur oder du tust es tatsächlich?«

Ich schluckte. »Es heißt: ja, ich tue es«, sagte ich. Und um endgültig Klarheit zu schaffen, fügte ich hinzu: »Ich liebe dich, wollte ich sagen.«

Zum ersten Mal während dieses Gesprächs lachte sie richtig. Ich glaube, sie fand es lustig, dass ich mir das Leben so schwer machte. Dann zog sie amüsiert die Augenbrauen hoch und sagte mit übertriebenem Südstaatenakzent: »Ich muss schon sagen, Wilson, so was Nettes hast du noch nie zu mir gesagt – glaube ich.«

Sie stand auf, setzte sich auf meinen Schoß, schlang die Arme um meinen Hals und küsste mich. Darauf war ich nicht gefasst gewesen. Der Rest der Welt verschwamm, und im milden Licht der Dämmerung hörte ich, wie sie meine Worte erwiderte:

»Ich dich auch«, sagte sie. »Ich liebe dich auch, wollte ich sagen.«

An diese Geschichte dachte ich, als Janes Stimme mich aus meinen Grübeleien holte.

»Wieso lächelst du?«, wollte sie wissen.

Das Essen war an jenem Abend eher formlos, wir nahmen uns beide in der Küche etwas auf unseren Teller, und ich hatte mir diesmal nicht die Mühe gemacht, eine Kerze anzuzünden.

»Denkst du noch manchmal an den Abend, als du mich in Durham besucht hast?«, fragte ich. »Als wir es endlich geschafft hatten, bei Harper's zu essen?«

»Das war, nachdem du den Job in New Bern angenommen hattest, stimmt's? Und du hast gesagt, das müssten wir feiern.«

Ich nickte. »Du hattest ein schulterfreies schwarzes Kleid an.«

»Das weißt du noch?«

»Das weiß ich noch, als wäre es gestern gewesen! Wir hatten uns einen ganzen Monat nicht gesehen, und ich stand am Fenster, als du aus dem Auto gestiegen bist.«

Jane schien meine Schilderung zu genießen.

»Ich weiß sogar noch, was ich in dem Moment gedacht habe«, fügte ich hinzu.

»Ehrlich?«

»Ich habe gedacht: Das Jahr, seit wir zusammen sind, ist das schönste meines Lebens.«

Sie senkte den Blick und starrte für eine Weile stumm auf ihren Teller. Als sie mich wieder anschaute, wirkte sie auf einmal fast schüchtern. Beflügelt von der Erinnerung, redete ich weiter.

»Und weißt du auch noch, was ich dir damals zu Weihnachten geschenkt habe?«

Es dauerte einen kurzen Moment, ehe sie antwortete. »Ohrringe«, sagte sie und fasste sich nachdenklich an die Ohrläppchen. »Du hast mir Diamantohrringe gekauft. Ich wusste, sie waren sehr teuer, und war ganz schön schockiert, dass du so viel Geld für mich ausgibst.«

»Woher weißt du, dass sie teuer waren?«

»Du hast es mir damals gesagt.«

»Stimmt das?« Daran konnte ich mich beim besten Willen nicht erinnern.

»Ein paar Mal sogar«, sagte sie und grinste.

»Es kommt mir gar nicht so vor, als wären seither dreißig Jahre vergangen. Geht es dir auch so?«, sagte ich.

Der wohl bekannte traurige Schatten huschte über ihr Gesicht.

»Ja, das stimmt«, sagte sie, »ich kann es nicht fassen, dass Anna schon alt genug ist, um zu heiraten. Wo ist nur die Zeit geblieben?«

»Was würdest du anders machen, wenn du es könntest?«

»In meinem Leben, meinst du?« Jane wandte den Blick ab. »Ich weiß nicht recht. Wahrscheinlich würde ich versuchen, alles mehr zu genießen.«

»So ähnlich geht es mir auch.«

»Tatsächlich?« Jane schien ehrlich überrascht.

Ich nickte. »Ja, natürlich.«

»Das wundert mich. Bitte, versteh mich nicht falsch, Wilson, aber du denkst normalerweise nicht so viel über die Vergangenheit nach – du bist doch eher pragmatisch. Ich stelle mir eher vor, du bedauerst eigentlich gar nichts.« Sie sprach nicht weiter.

»Aber du – du bedauerst etwas?«, fragte ich tonlos.

Sie senkte den Blick auf ihre Hände. »Nein, eigentlich nicht.«

Ich wollte schon ihre Hand nehmen, aber sie wechselte abrupt das Thema. »Wir haben heute Noah besucht. Nachdem wir beim Haus waren.«

»Und?«

»Er hat gesagt, du seist auch schon da gewesen.«

»Stimmt. Ich wollte mich rückversichern, dass er keine Einwände dagegen hat, wenn wir in seinem Haus feiern.«

»Das hat er gesagt.« Jane schob ein Brokkoliröschen auf dem Teller hin und her. »Er und Anna sahen so nett aus, wie sie da nebeneinander auf der Bank saßen! Sie hielt die ganze Zeit seine Hand, während sie ihm von der Hochzeit erzählte. Du hättest sie sehen sollen! Beinah so wie Mum und Dad früher immer.« Jane hing verträumt ihren Gedanken nach. Dann schaute sie mich an. »Ich wollte, Mom wäre noch da«, sagte sie. »Sie liebte Hochzeiten.«

»Das liegt anscheinend in der Familie«, murmelte ich.

Jane lächelte wehmütig. »Da hast du vermutlich Recht. Du kannst dir nicht vorstellen, wie viel Spaß das alles macht, obwohl wir jetzt nur so wenig Zeit für die Vorbereitungen haben. Ich kann es kaum erwarten, bis Leslie heiratet und wir in aller Ruhe planen können.«

»Sie hat nicht mal einen festen Freund, geschweige denn einen, der ihr einen Heiratsantrag machen könnte!«

»Ach, das ist nicht so wichtig«, sagte Jane und warf den Kopf zurück. »Wir dürfen doch trotzdem schon mal anfangen, oder?«

Wie hätte ich ihr da widersprechen können? »Na ja, wenn es so weit ist, wird der junge Mann hoffentlich bei mir um ihre Hand anhalten.«

»Hat Keith das getan?«

»Nein, aber bei dieser Hochzeit geschieht doch alles unter Zeitdruck. Deshalb kann ich das nicht von ihm erwarten. Aber eigentlich ist es eine der prägenden Erfahrungen, die jeder junge Mann machen muss.«

»So wie du, als du bei Daddy vorgesprochen hast?«

»Ja, das war wirklich ein einschneidendes Erlebnis.«

»Ach, ja?«

»Ich habe mich nicht ganz wie ein Elefant im Porzellanladen benommen, aber fast.«

»Das hat Daddy nie erwähnt.«

»Wahrscheinlich, weil er Mitleid mit mir hatte. Auf jeden Fall war es keine Sternstunde der Menschheit.«

»Und warum hast *du* mir noch nie davon erzählt?«

»Weil ich nicht wollte, dass du es erfährst.«

»Aber jetzt kannst du keinen Rückzieher mehr machen.«

Hilfe suchend griff ich zu meinen Weinglas. Nun musste ich heraus mit der Sprache, ob ich wollte oder nicht.

»Also gut. Es war so: Ich bin nach der Arbeit bei deinen Eltern vorbeigefahren, aber weil für denselben Abend noch ein Termin mit den Partnern aus der Kanzlei angesetzt war, hatte ich nicht viel Zeit. Es war ein paar Tage, bevor wir alle an den Strand gefahren sind. Noah war in seiner Werkstatt. Er baute ein Vogelhäuschen für die Kardinalvögel, die auf der Veranda genistet hatten. Als ich kam, nagelte er gerade das Dach fest, und er wollte unbedingt vor dem Wochenende mit allem fertig werden. Ich habe krampfhaft versucht, das Gespräch auf mein Anliegen zu lenken. Aber es ergab sich einfach keine Möglichkeit. Schließlich bin ich einfach mit der Tür ins Haus gefallen. Noah hat mich gebeten, ihm einen Nagel zu reichen, und ich habe gesagt: ›Hier, bitte. Ach, übrigens – hätten Sie etwas dagegen, wenn ich Jane heirate?‹«

Sie kicherte. »Du warst schon immer ein erstklassiger Diplomat«, sagte sie. »Ich dürfte mich eigentlich nicht wundern – vor allem, wenn man bedenkt, wie du später mir den Antrag gemacht hast. Das war auch absolut ...«

»Unvergesslich?«

»Malcolm und Linda können die Geschichte nicht oft genug hören.« Mit den beiden waren wir seit vielen Jahren befreundet. »Vor allem Linda. Jedes Mal, wenn wir irgendwie mit neuen Leuten zusammen sind, muss ich von deinem Heiratsantrag erzählen.«

»Wozu du selbstverständlich gern bereit bist.«

Jane hob unschuldig die Hände. »Wenn meine Freunde meine Geschichten gut finden, freue ich mich natürlich und will sie ihnen nicht vorenthalten.«

So ging es während des ganzen Essens munter zwischen uns hin und her, und ich betrachtete meine Frau voller Entzücken. Alles an ihr erschien mir bezaubernd: wie sie ihr Huhn in mundgerechte Bissen zerkleinerte, wie sich das Licht in ihren Haaren verfing, der Duft des Jasminwassers, das sie vorher aufgetragen hatte. Warum konnten wir jetzt so liebevoll miteinander umgehen, warum war es so lange nicht mehr möglich gewesen war? Ich versuchte lieber erst gar nicht, es zu analysieren. Ich war mir nicht einmal sicher, ob Jane es auch so empfand. Jedenfalls ließ sie sich nichts anmerken. Wir blieben noch lange am Tisch sitzen, bis auch die Reste ganz kalt waren.

Die Geschichte meines Heiratsantrags ist tatsächlich einmalig und löst in der Regel schallendes Gelächter aus.

Wir erzählen uns oft Anekdoten »von früher«, wenn wir uns mit Freunden treffen. Meine Frau und ich hören in solchen Situationen auf, Individuen zu sein: Wir sind dann ein Paar, ein eingespieltes Team, und mir macht diese Teamarbeit immer großen Spaß. Wir können mitten in einer Geschichte, die der andere begonnen hat, einspringen und ohne Schwierigkeiten den Gedankengang des anderen fortführen. Jane fängt beispielsweise die Geschichte von Leslie und dem Footballspiel an. Leslie trat als Cheerleader auf – plötzlich rutschte einer der Spieler an der Seitenlinie aus und kam auf sie zugeschlittert. Sobald Jane verstummt, weiß ich, das ist sozusagen mein Stichwort, jetzt bin ich dran, und ich erzähle, wie erschrocken wir waren und dass Jane sofort von ihrem Sitz aufsprang, um Leslie irgendwie zu helfen, wohingegen ich wie gelähmt sitzen blieb. Aber als der Schock nachließ und ich mich wieder bewegen konnte, quetschte ich mich durch die Menge, schubste jeden beiseite, der mir in die Quere kam, genau wie ein Footballspieler. Und wenn ich dann Luft hole, übernimmt Jane wieder. Ich bin erstaunt, dass wir das beide gar nicht ungewöhnlich oder schwierig finden. Dass wir uns die Bälle zuspielen, erscheint uns beiden selbstverständlich. Leslie, das will ich der Vollständigkeit halber noch hinzufügen, ist nichts passiert. Als wir sie erreichten, war sie schon wieder dabei, ihre Pompons einzusammeln.

Aber wenn Jane die Geschichte von meinem Heiratsantrag erzählt, beteilige ich mich nicht, sondern sitze immer schweigend dabei. Für Jane war dieses Erlebnis wesentlich lustiger als für mich. Ich hatte nicht die Absicht gehabt, einen Witz daraus zu machen. Im Gegenteil, ich wollte erreichen, dass wir beide immer gern an diesen Tag zurückdenken würden, und hatte insgeheim gehofft, dass Jane mich sehr romantisch finden würde.

Irgendwie hatten wir es geschafft, die Monate der geographischen Distanz unbeschadet zu überstehen. Als das Frühjahr zu Ende ging, sprachen wir darüber, dass wir uns verloben wollten, aber wann wir es offiziell machen würden, stand noch nicht fest. Ich wusste, dass Jane etwas Besonderes wollte – die Liebesgeschichte ihrer Eltern hatte hohe Maßstäbe gesetzt. Bei Noah und Allie schien alles perfekt zu passen. Wenn es im Urlaub regnete – worüber sich eigentlich niemand freut –, nahmen Allie und Noah das als Anlass, ein Feuer im Kamin zu machen, sich aneinander zu kuscheln und sich neu ineinander zu verlieben. Wenn Allie ein Gedicht hören wollte, konnte Noah aus dem Gedächtnis viele, viele Strophen rezitieren. Da Noah das Vorbild war, wollte ich seinem Beispiel folgen und hatte mir vorgenommen, Jane am Strand von Ocracoke, wo ihre Familie im Juli auf Urlaub war, einen ungewöhnlichen Antrag zu machen.

Ich fand meinen Plan einfach genial. Ich wollte den Verlobungsring, den ich sorgfältig ausgewählt hatte, in einer Muschel verstecken, die ich im Jahr zuvor gefunden hatte. Diese Muschel sollte Jane »zufällig« finden, wenn wir, wie so oft, den Strand nach Sanddollars absuchten, diesen kleinen, flachschaligen Seeigeln, die sich in den Sand eingraben und dadurch fast nicht sichtbar sind. Sobald Jane die Muschel gefunden hatte, wollte ich vor ihr auf die Knie fallen und ihr sagen, dass sie mich zum glücklichsten Mann auf der ganzen Welt machte, wenn sie sich bereit erklären würde, meine Frau zu werden.

Bedauerlicherweise lief nicht alles wie geplant. Am Wochenende kam ein schweres Unwetter, es regnete heftig, und ein Sturm fegte durch die Bäume, dass sie aussahen, als würden sie horizontal wachsen. Den ganzen Samstag über wartete ich darauf, dass das Unwetter nachließ, doch die Natur hatte sich offenbar gegen mich verschworen. Erst am Sonntag um die Mittagszeit klarte der Himmel wieder auf.

Ich war viel aufgeregter als erwartet. Im Kopf übte ich immer wieder ein, was ich sagen wollte. Diese Art der mentalen Vorbereitung hatte mir beim Jurastudium immer fantastische Dienste geleistet, aber vor lauter Konzentration vergaß ich, mich auf dem Weg den Strand entlang mit Jane zu unterhalten. Ich weiß nicht, wie lange wir stumm nebeneinander her gingen – jedenfalls zuckte ich richtig zusammen, als Jane endlich etwas sagte.

»Die Flut kommt heute ziemlich schnell, findest du nicht?«

Ich hatte nicht gewusst, dass die Flut von dem Unwetter noch beeinflusst wurde, selbst nachdem es schon weitergezogen war. Obwohl ich mir ziemlich sicher war, dass die Muschel an einer ungefährdeten Stelle lag, wollte ich lieber kein Risiko eingehen. Besorgt beschleunigte ich meinen Schritt, war aber gleichzeitig darauf bedacht, bei Jane keinen Verdacht zu wecken.

»Warum läufst du so schnell?«, fragte sie.

»Findest du, ich laufe schnell?«

Diese Antwort schien sie nicht zu überzeugen, und nach einer Weile ging sie einfach langsamer. Ich war ihr immer ein paar Meter voraus – bis ich die Muschel entdeckte. Das Wasser war noch weit genug weg. Viel Spielraum blieb nicht mehr, aber ich konnte mich ein wenig entspannen.

Ich drehte mich um, weil ich etwas zu Jane sagen wollte. Sie war, was ich gar nicht gemerkt hatte, ein ganzes Stück weiter hinten stehen geblieben. In gebückter Haltung suchte sie irgendetwas im Sand. Ich wusste genau, was sie machte. Sie fahndete nach möglichst winzigen Sanddollars. Am besten gefielen ihr die hauchdünnen, durchsichtigen, die nicht größer waren als ein Fingernagel, und die nahm sie dann mit nach Hause.

»Komm schnell!«, rief sie, ohne hochzublicken. »Hier sind ganz viele!«

Die Muschel mit dem Ring befand sich etwa zehn Meter vor mir, Jane zehn Meter hinter mir. Ich hatte ein schlechtes Gewissen, weil wir ja die ganze Zeit, seit wir am Strand waren, kaum drei Worte miteinander gewechselt hatten. Also entschied ich mich für Jane. Sie zeigte mir einen Minisanddollar, den sie wie eine Kontaktlinse auf der Fingerkuppe balancierte.

»Sieh doch nur!«

Es war der kleinste Sanddollar, den wir je gefunden hatten. Sie überreichte ihn mir und begann dann wieder im Sand zu wühlen.

Ich beteiligte mich an der Suche, weil ich hoffte, sie dadurch unauffällig in Richtung Muschel dirigieren zu können. Aber Jane blieb unbeirrt an derselben Stelle hocken und rührte sich nicht vom Fleck, gleichgültig, wie weit ich mich von ihr entfernte. Alle paar Sekunden schaute ich zu meiner Muschel, um mich zu überzeugen, dass sie noch nicht weggeschwemmt wurde.

Aber die Flut stieg und stieg, und allmählich wurde mir doch mulmig. Jane hatte zwei Sanddollars gefunden, die sogar noch kleiner waren als der erste, und schien nicht die geringste Absicht zu haben, sich in Bewegung zu setzen. Schließlich wusste ich mir nicht mehr zu helfen. Ich tat so, als hätte ich gerade diese wunderschöne Muschel entdeckt.

»Ist das da hinten nicht eine Muschel?«

Jane blickte hoch.

»Willst du sie holen? Sie sieht sehr hübsch aus«, sagte sie ohne allzu große Begeisterung.

Was tun? Schließlich war doch der Witz der Sache, dass *Jane* die Muschel aufhob! Aber inzwischen waren die Wellen bedrohlich nahe.

»Ich glaube, das ist ein ziemlich seltenes Exemplar«, sagte ich.

»Holst du sie?«

»Nein.«

»Wieso nicht?«

»Ich finde, du solltest sie holen.«

»Ich?« Sie schaute mich erstaunt an.

»Natürlich nur, wenn du Lust hast.«

Jane überlegte, dann schüttelte sie den Kopf. »Ach, wir haben doch schon genug Muscheln zu Hause. Lass sie ruhig liegen.«

Das lief nicht gut. Während ich noch überlegte, wie ich vorgehen könnte, merkte ich plötzlich, dass eine große Welle angeschwappt kam. In Panik – und ohne etwas zu Jane zu sagen – stürzte ich los, um die Muschel zu retten.

Ich war noch nie für meine Schnelligkeit bekannt, doch an jenem Tag legte ich ungeahnte sportliche Fähigkeiten an den Tag. Ich sprintete los, warf mich auf die Muschel wie ein Baseballspieler, der sich auf den Ball stürzt – gerade noch rechtzeitig, ehe die Welle über die Muschel hinwegspülte. Mit einem dumpfen *Umpfff* entwich die Luft aus meinen Lungen. Mühsam rappelte ich mich wieder hoch und tat mein Bestes, um einigermaßen würdevoll auszusehen, während ich den Sand aus meinen durchnässten Kleidern schüttelte. Jane verfolgte den ganzen Vorgang mit staunenden Augen.

»Hier«, sagte ich außer Atem und hielt ihr die Muschel hin.

Sie musterte mich etwas irritiert. »Vielen Dank«, murmelte sie.

Ich hatte mir ausgemalt, sie würde die Muschel hin- und herdrehen, sodass man den Ring im Innern klappern hörte, aber auf den Gedanken kam sie gar nicht. Stattdessen starrten wir uns nur an.

»Du wolltest diese Muschel unbedingt haben, stimmt's?«, fragte sie schließlich.

»Ja.«

»Sie ist hübsch.«

»Ja.«

»Noch mal vielen Dank.«

»Bitte, gern geschehen.«

Jane stand weiterhin wie angewurzelt da. Ich wurde immer nervöser. »Schüttel sie doch mal!«, schlug ich vor.

Jetzt verstand sie gar nichts mehr.

»Ich soll sie schütteln?«, wiederholte sie.

»Ja.«

»Stimmt irgendwas nicht, Wilson?«

»Nein, nein, alles in Ordnung.« Mit einer Kopfbewegung deutete ich auf die Muschel. »Schüttel sie mal.«

»Okay.«

Als sie die Muschel schüttelte, plumpste der Ring in den Sand. Ich fiel hektisch auf die Knie, um ihn aufzuheben. Alle meine großartigen Pläne waren wie weggepustet, und ich steuerte ungebremst auf mein eigentliches Ziel zu, besaß dabei aber nicht einmal die Geistesgegenwart, Jane in die Augen zu sehen.

»Willst du mich heiraten?«

Nachdem wir in der Küche Ordnung gemacht hatten, trat Jane hinaus auf das Deck. Sie ließ die Tür einen Spaltbreit offen, woraus ich schloss, dass sie mich bei sich haben wollte. Wieder stand sie über das Geländer gebeugt, genau wie an dem Abend, als Anna uns ihre Hochzeitspläne eröffnet hatte.

Die Sonne war schon untergegangen. Ein orangegelber Mond stieg über den Bäumen auf – er sah aus wie eine riesige Papierlaterne. Die Hitze war verflogen, und es wehte eine frische Brise.

»Glaubst du wirklich, du findest so kurzfristig einen Catering Service?«, fragte sie.

Ich trat neben sie. »Ich werde mein Bestes tun.«

»Ach, dabei fällt mir ein – erinnere mich bitte daran, dass ich morgen die Flugreservierungen für Joseph erledigen muss. Bis Raleigh bekommt er garantiert eine Maschine, aber vielleicht gibt es sogar eine direkte Verbindung nach New Bern.«

»Ich kann das übernehmen«, bot ich an. »Schließlich muss ich sowieso noch verschiedene Anrufe tätigen.«

»Meinst du das ernst?«

»Na klar«, sagte ich. Auf dem Fluss fuhr ein Boot vorbei, ein dunkler Schatten mit einem hellen Licht am Bug.

»Was müsst ihr denn noch erledigen, du und Anna?«, erkundigte ich mich.

»Mehr, als du dir vorstellen kannst.«

»Immer noch?«

»Na ja, ein zentraler Punkt ist das Kleid. Leslie möchte auch mitkommen. Wir brauchen bestimmt zwei Tage.«

»Zwei Tage? Für ein Kleid?«

»Sie will natürlich genau das richtige finden, und dann müssen wir es sicher ändern lassen, weil Anna so schmal ist. Heute Morgen haben wir mit einer Schneiderin gesprochen, und sie sagt, sie könnte den Auftrag dazwischenschieben, wenn wir das Kleid bis spätestens Donnerstag vorbeibringen. Und dann ist da natürlich noch der Empfang. Falls wir überhaupt einen Empfang geben, heißt das. Ein Caterer ist eine Sache, aber selbst wenn du das hinkriegst, brauchen wir noch Musik. Und wir müssen die Räume ausstatten, das heißt, du müsstest auch die Firma anrufen, wo man Tische und dergleichen ausleihen kann ...«

Ich seufzte leise. Nun, ich brauchte mich nicht zu wundern, aber trotzdem ...

»Während ich dann morgen die Anrufe erledige, macht ihr euch auf die Suche nach dem Hochzeitskleid, verstehe ich das richtig?«

»Ich kann es kaum erwarten!« Jane fröstelte. »Wenn ich mir vorstelle, wie sie die Kleider anprobiert – und für welches sie sich dann entscheidet ... Wie lange habe ich mich schon auf diesen Augenblick gefreut – eigentlich seit sie ein kleines Mädchen war. Es ist einfach himmlisch.«

»Finde ich auch.«

Sie hielt die rechte Hand hoch, Daumen und Zeigefinger dicht aneinander gepresst. »Und wenn ich es mir dann vorstelle ... Um Haaresbreite hätte Anna mir dieses Erlebnis vorenthalten!«

»Kinder sind oft erstaunlich undankbar, findest du nicht?«

Jane lachte und blickte wieder hinaus aufs Wasser. Im Hintergrund hörte ich die Grillen zirpen, und die Frösche begannen ihr abendliches Quakkonzert, das in seiner Eintönigkeit ungeheuer beruhigend wirkte.

»Hättest du Lust auf einen kleinen Spaziergang?«, fragte ich unvermittelt.

Sie stutzte. »Jetzt gleich?«

»Wieso nicht?«

»Wohin möchtest du gehen?«

»Ist das wichtig?«

Sie war auf diesen Vorschlag nicht gefasst gewesen, sagte dann aber: »Ach, eigentlich eine gute Idee.«

Schon ein paar Minuten später schlenderten wir gemeinsam durch unser Viertel. Die Straßen waren menschenleer. In den Häusern auf beiden Straßenseiten waren die Fenster erhellt, und hinter den Vorhängen bewegten sich schattenhafte Gestalten. Wir gingen auf dem Randstreifen, da es keine Gehwege gab. Der Kies knirschte unter unseren Füßen. Die Stratuswolken über uns bildeten einen geheimnisvollen Silberstreifen.

»Ist es hier auch so still, wenn du morgens joggen gehst?«, fragte Jane.

Ich verlasse meistens vor sechs das Haus, wenn sie noch schläft.

»Manchmal. In der Regel sind aber schon ein paar andere Jogger unterwegs. Und die Hunde. Sie schleichen sich von hinten an und bellen ganz plötzlich los.«

»Gut für Herz und Kreislauf, was?«

»Ja, fast wie zusätzliches Training«, stimmte ich ihr zu. »Aber es hält wach.«

»Ich sollte auch wieder anfangen, etwas für meine Fitness zu machen. Ich walke so gern.«

»Wenn du möchtest, kannst du ja mal zum Joggen mitkommen.«

»Morgens um halb sechs? Nein, danke.«

Früher war meine Frau eine Frühaufsteherin, aber seit Leslie ausgezogen ist, schläft sie gern ein bisschen länger.

»Das war wirklich eine gute Idee«, sagte sie. »Was für ein herrlicher Abend!«

»Finde ich auch.« Wir gingen schweigend weiter, bis Janes Blick auf das weiße Haus an der Ecke fiel.

»Weißt du, dass Glenda einen Schlaganfall hatte?«

Glenda und ihr Mann gehörten zu unseren Nachbarn, und obwohl wir uns nicht unbedingt in denselben Kreisen bewegten, waren wir doch gut befreundet. In New Bern weiß jeder über jeden Bescheid.

»Ja, das ist wirklich schlimm.«

»Sie ist nicht viel älter als ich.«

»Ich weiß«, sagte ich. »Aber ich habe gehört, es geht ihr schon wieder besser.«

Wieder schwiegen wir für eine Weile. Auch jetzt war es Jane, die das Schweigen brach. »Denkst du eigentlich manchmal an deine Mutter?«, fragte sie ohne ersichtlichen Zusammenhang.

Ich wusste nicht, wie ich reagieren sollte. Meine Mutter war bei einem Autounfall ums Leben gekommen, als Jane und ich noch keine zwei Jahre verheiratet waren. Ich hatte zwar kein derart enges Verhältnis zu meinen Eltern gehabt wie Jane, aber der Tod meiner Mutter hatte mich doch tief getroffen. Bis zum heutigen Tag habe ich es nicht geschafft, die sechsstündige Autofahrt auf mich zu nehmen, um meinen Vater zu besuchen.

»Gelegentlich.«

»Woran erinnerst du dich besonders?«

»Weißt du noch, wie wir das letzte Mal meine Eltern besucht haben?«, sagte ich. »Meine Mom ist uns aus der Küche entgegengekommen, sie trug eine violett geblümte Bluse – und sie hat sich so über unseren Besuch gefreut! Sie hat die Arme ausgebreitet und uns beide ans Herz gedrückt. So werde ich sie immer in Erinnerung behalten. Es ist ein Bild, das sich nicht verändert, fast wie eine Fotografie. Sie sieht immer gleich aus.«

Jane nickte. »Ich sehe meine Mutter immer in ihrem Atelier, mit Ölfarbe an den Fingern. Sie hat ein Familienporträt gemalt – das war etwas ganz Neues für sie, und ich weiß noch, wie aufgeregt sie war, weil sie Dad das Bild zum Geburtstag schenken wollte.« Sie schwieg. »Ich weiß gar nicht mehr richtig, wie sie aussah, als sie krank wurde. Mom war immer so expressiv, so lebendig! Beim Reden hat sie mit den Händen gestikuliert, und wenn sie eine Geschichte erzählte,

spiegelten sich in ihrem Gesicht alle Gefühle wider ...
Aber durch die Krankheit hat sie sich völlig verändert.«
Jane schaute mich von der Seite an. »Nichts war mehr
wie früher.«

»Das stimmt.«

»Manchmal habe ich Angst deswegen«, fügte sie
mit fast unhörbarer Stimme hinzu. »Dass ich auch Alzheimer bekommen könnte, meine ich.«

Der Gedanke war mir nicht fremd, dennoch schwieg
ich.

»Ich kann mir gar nicht vorstellen, wie sich das innerlich anfühlt«, fuhr Jane fort. »Stell dir das nur vor – ich
würde Anna und Joseph und Leslie nicht mehr erkennen! Ich müsste sie fragen, wie sie heißen, wenn sie
mich besuchen. So wie Mom mich immer gefragt hat.
Es bricht mir das Herz, wenn ich daran denke.«

Im matten Licht der Straßenlaternen sah ihr Gesicht unendlich traurig aus.

»Meinst du, Mom hat geahnt, wie grauenvoll es werden würde?«, fragte sie gedankenvoll. »Als es ihr noch
besser ging, hat sie manchmal gesagt, sie wüsste, was
ihr bevorsteht – aber hat sie wirklich gespürt, tief in
ihrem Inneren, dass sie ihre Kinder nicht mehr erkennen wird? Und später nicht einmal Daddy.«

»Ich glaube, sie hat es gewusst«, sagte ich. »Deshalb
sind deine Eltern nach Creekside gezogen.«

Jane schloss die Augen. Als sie weitersprach, klang
sie richtig empört. »Ich finde es schrecklich, dass
Daddy nach Moms Tod nicht zu uns ziehen wollte.
Wir haben doch so viel Platz!«

Ich sagte nichts. Natürlich, ich hätte Noahs Gründe für diese Entscheidung aufzählen können, aber ich wusste, dass Jane sie gar nicht hören wollte. Sie kannte seine Überlegungen genauso gut wie ich, war aber im Gegensatz zu mir nicht bereit, sie zu akzeptieren. Wenn ich versucht hätte, Noah zu verteidigen, hätten wir nur angefangen, uns zu steiten.

»Und außerdem kann ich diesen Schwan nicht ausstehen«, fügte sie trotzig hinzu.

Mit dem Schwan verband sich eine Geschichte, zu der ich mich auch nicht äußern wollte.

Wir wanderten weiter durch die nächtlichen Straßen. Manche unserer Nachbarn hatten die Lichter schon gelöscht, aber Jane und ich drehten noch nicht um. Als wir schließlich doch wieder auf unser Haus zusteuerten und sich unser Spaziergang dem Ende entgegenneigte, blieb ich stehen und blickte hinauf zum Sternenhimmel.

»Was ist?«, fragte Jane und folgte meinem Blick.

Statt zu antworten, fragte ich sie: «Bist du glücklich?«

»Wieso stellst du mir diese Frage?«

»Ich möchte es nur wissen.«

Ahnte sie, was hinter meiner Frage steckte? Mich interessierte ja eigentlich nicht ihr Allgemeinzustand, sondern ob sie mit *mir* glücklich war.

Sie studierte mein Gesicht, als versuche sie, meine Gedanken zu lesen.

»Na ja, da ist *eine* Sache ...«

»Und die wäre?«

»Sie ist relativ wichtig.«

Ich wartete. Jane holte tief Luft.

»Es würde mich sehr glücklich machen, wenn du einen Catering Service finden könntest.«

Ich war so verblüfft, dass ich lachen musste.

Ich bot mich an, eine Kanne koffeinfreien Kaffee zu kochen, aber Jane schüttelte den Kopf. Sie hatte zwei anstrengende Tage hinter sich, und nachdem sie das dritte Mal ausführlich gegähnt hatte, verkündete sie, sie werde ins Bett gehen.

Ich hätte mich ihr anschließen können, tat es aber nicht. Stattdessen schaute ich ihr nach, als sie die Treppe hinaufstieg. Dann ging ich in Gedanken den Verlauf unseres gemeinsamen Abends noch einmal durch.

Als ich schließlich doch ins Bett schlüpfte, betrachtete ich meine schlafende Ehefrau. Sie atmete tief und gleichmäßig, aber ich sah, wie sich ihre Pupillen unter den Lidern bewegten – offensichtlich träumte sie. Wovon? Ihr Gesicht wirkte sehr friedlich, wie bei einem Kind. Am liebsten hätte ich sie geweckt, aber gleichzeitig wollte ich sie auch schlafen lassen. In diesem Augenblick liebte ich sie mehr als mein eigenes Leben. Vorsichtig strich ich ihr eine Locke aus der Stirn. Wie zart ihre Haut war, weich wie Seide, zeitlos in ihrer Schönheit. Ich war so ergriffen, dass mir Tränen in die Augen traten.

KAPITEL 8

Vor Staunen blieb Jane der Mund offen stehen. Sie war gerade nach Hause gekommen, die Handtasche baumelte noch an ihrem Arm.

»Du hast es tatsächlich geschafft?«

»Sieht so aus«, sagte ich betont beiläufig. Ich wollte den Eindruck erwecken, dass es ein Kinderspiel gewesen sei, einen Catering Service zu finden. Dabei war ich vor lauter Vorfreude die ganze letzte Stunde aufgeregt im Wohnzimmer hin- und hergerannt, weil ich es gar nicht erwarten konnte, dass sie endlich nach Hause kam und ich ihr von meinem Erfolg berichten durfte.

»Wen hast du bekommen?«

»Das Chelsea.« Das Restaurant lag im Zentrum von New Bern, gegenüber von meinem Büro. Früher hatte das Gebäude Caleb Bradham gehört, der die Formel für ein Getränk erfand, das später unter dem Namen Pepsi-Cola weltberühmt werden sollte. Vor zehn Jahren war das Chelsea in ein Restaurant umfunktioniert worden und gehörte inzwischen zu den Lokalitäten, in denen Jane am liebsten aß. Die Speisekarte war sehr umfangreich, und der Koch hatte sich auf hausgemachte exotische Saucen und Marinaden spezialisiert, als Ergänzung zu seiner edlen Südstaatenküche. Freitags und samstags bekam man abends ohne Reservierung keinen Tisch, und die Gäste machten sich einen Spaß daraus, die Zutaten zu erraten, mit denen die einzigartigen Geschmacksvariationen erzielt wurden.

Das Chelsea war zudem für sein Unterhaltungsprogramm berühmt. In der Ecke des Speisesaals stand ein Flügel, und John Peterson – bei dem Anna jahrelang Klavierunterricht gehabt hatte – spielte und sang gelegentlich für die Gäste. Er hatte ein gutes Ohr für populäre zeitgenössische Musik, seine Stimme erinnerte an Nat King Cole, und er konnte jedes gewünschte Lied spielen. Wir wussten, dass er auch in weit entfernten Restaurants auftrat – in Atlanta, Charlotte oder Washington, D.C. Jane sagte oft, sie könne ihm stundenlang zuhören, und Peterson war durch ihren fast mütterlichen Stolz auf ihn gerührt. Schließlich war Jane als Erste das Risiko eingegangen, ihn als Klavierlehrer zu engagieren.

Als sie den Namen »Chelsea« hörte, war sie schlicht und ergreifend sprachlos. Man konnte die Wanduhr ticken hören, während sie offenbar überlegte, ob sie mich richtig verstanden hatte. Sie blinzelte. »Aber – wie?«

»Ich habe mit Henry gesprochen und ihm die Situation geschildert. Und er hat versprochen, sich darum zu kümmern.«

»Das begreife ich nicht. Wie kann Henry solch einen Auftrag in letzter Minute annehmen? Ist er nicht seit Monaten ausgebucht?«

»Keine Ahnung.«

»Du hast ihn einfach angerufen, ihm unsere Wünsche dargelegt, und schon hat er zugesagt?«

»Na ja, ganz so leicht war es nicht, aber ich habe erreicht, was ich wollte.«

»Und was ist mit dem Menü? Muss er nicht wissen, wie viele Personen kommen?«

»Ich habe gesagt, wir rechnen mit insgesamt hundert Gästen. Die Zahl erschien mir in etwa richtig, meinst du nicht auch? Und was die Speisen betrifft – darüber haben wir natürlich auch gesprochen, und er hat gesagt, er lässt sich etwas Besonderes einfallen. Aber ich kann ihn gern noch mal anrufen und eine genaue Bestellung aufgeben.«

»Nein, nein, so ist es wunderbar!«, rief Jane schnell. Sie hatte sich wieder gefangen. »Du weißt doch, ich mag alles, was es dort gibt. Ich kann es nur einfach nicht fassen! Du hast es tatsächlich geschafft!«

»Stimmt.«

Sie strahlte über das ganze Gesicht. Plötzlich fiel ihr Blick aufs Telefon. »Ich muss unbedingt Anna anrufen!«, rief sie. »Sie wird es nicht glauben.«

Henry MacDonald, der Besitzer des Restaurants, ist ein alter Freund von mir. New Bern ist zwar eine Stadt, in der es fast unmöglich ist, seine Privatsphäre zu wahren, aber das hat auch seine Vorteile. Man begegnet immer wieder denselben Leuten – beim Einkaufen, auf der Straße, in der Kirche, bei Dinnerpartys. Deshalb herrscht hier eine Art Grundhöflichkeit, und oft bringt man Dinge zustande, die anderswo unmöglich erscheinen. Die Leute sind bereit, ihren Mitmenschen einen Gefallen zu tun, weil sie wissen, sie brauchen vielleicht selbst einmal Hilfe. In dieser Hinsicht unterscheidet sich New Bern ganz grundsätzlich von anderen Städten.

Das soll nicht heißen, dass ich nicht mit mir zufrieden war. Als ich in die Küche ging, hörte ich, wie Jane am Telefon sagte: »Dein Dad hat es geschafft! Ich habe nicht die geringste Ahnung, wie er's gemacht hat, aber er hat es tatsächlich geschafft!« Sie klang so stolz, dass mein Herz vor Freude einen kleinen Sprung machte.

Ich setzte mich an den Küchentisch, um die Post zu sortieren, die ich zuvor dort abgelegt hatte. Rechnungen, Werbung, das *Time Magazine*. Weil Jane immer noch mit Anna sprach, begann ich die Zeitschrift durchzublättern – bestimmt würde ich noch eine ganze Weile auf sie warten müssen. Doch zu meiner Verwunderung legte sie auf, bevor ich angefangen hatte, den ersten Artikel zu lesen.

»Warte!«, rief sie. »Ehe du dich in deine Lektüre vertiefst, möchte ich die Details erfahren. Also – habe ich dich richtig verstanden, dass Henry persönlich anwesend sein wird und dass er das Essen für sämtliche Gänge bereitstellt? Und er bringt ein paar Leute mit, die ihm assistieren, stimmt's?«

»Ja, vermutlich schon – er kann ja nicht alles selbst servieren.«

»Wird es ein Büfett?«

»Ich dachte, das ist am praktischsten – wenn man bedenkt, wie groß Noahs Küche ist.«

»Das denke ich auch. Und wie ist es mit Tischen? Mit Tischdecken? Bringt er das alles mit?«

»Davon gehe ich aus. Ich habe ihn nicht extra danach gefragt, ehrlich gesagt, aber ich kann mir nicht vorstellen, dass es ein großes Problem wäre, selbst wenn er nichts mitbringt. Bestimmt können wir notfalls alles, was wir brauchen, irgendwo ausleihen.«

Jane nickte. Garantiert überlegte sie schon, welche Punkte sie von ihrer Liste streichen konnte. »Okay, wie ...«, begann sie, aber ehe sie weiterreden konnte, hob ich die Hände.

»Keine Sorge. Ich rufe ihn gleich morgen früh an, um mich zu versichern, dass alles genauso ist, wie es sein soll.« Ich zwinkerte ihr zu. »Verlass dich auf mich.«

Sie merkte, dass ich mich selbst zitierte, denn ich hatte das Gleiche schon gestern bei Noahs Haus gesagt. Mit einem fast schüchternen Lächeln nickte sie. Ich erwartete, dass dieser Moment der Nähe gleich wieder vorüber sein würde, aber dem war nicht so. Wir schauten uns in die Augen, bis sie sich, fast zögernd, zu mir beugte und mich auf die Wange küsste.

»Danke, dass du dich so wunderbar um alles gekümmert hast«, flüsterte sie.

Ich schluckte.

»Gern geschehen.«

Vier Wochen nach dem Heiratsantrag heirateten wir, fünf Tage nach der Hochzeit erwartete mich Jane im Wohnzimmer unserer kleinen Mietwohnung, als ich von der Arbeit nach Hause kam. Sie deutete auf das Sofa und erklärte:

»Wir müssen reden.«

Ich stellte meine Aktentasche weg und setzte mich zu ihr. Sie nahm meine Hand.

»Ist alles in Ordnung?«, fragte ich.

»Ja, klar.«

»Sag schon – was ist los?«

»Liebst du mich?«

»Ja, selbstverständlich liebe ich dich.«

»Würdest du mir einen Gefallen tun?«

»Wenn ich kann? Du weißt doch, ich würde alles für dich tun.«

»Selbst wenn es schwierig ist? Selbst wenn du es eigentlich nicht möchtest?«

»Ja, selbstverständlich«, wiederholte ich. Aber nun wollte ich endlich Klarheit. »Heraus mit der Sprache, Jane – was ist los?«

Sie holte tief Luft und sagte: »Ich möchte, dass du am Sonntag mit mir in die Kirche gehst.«

Auf diese Bitte war ich beim besten Willen nicht vorbereitet gewesen, aber bevor ich etwas entgegnen konnte, fuhr sie fort: »Ich weiß, du hast gesagt, dass du keine Lust zu so etwas hast, weil du als Atheist aufgewachsen bist, aber ich möchte, dass du es mir zuliebe versuchst. Es ist mir sehr, sehr wichtig. Auch wenn du das Gefühl hast, du gehörst dort nicht hin.«

»Jane, ich ...«

»Ich brauche dich.«

»Aber wir haben das doch schon alles besprochen! Ich ...«, protestierte ich, aber wieder unterbrach mich Jane.

»Das weiß ich. Und ich verstehe auch, dass du anders erzogen wurdest. Aber es gibt nichts auf der Welt, was mir mehr am Herzen liegt, als diese einfache Geste.«

»Obwohl ich nicht gläubig bin?«

»Obwohl du nicht gläubig bist.«

»Aber ...«

»Da gibt es kein Aber«, sagte sie. »Nicht in dieser Angelegenheit. Ich liebe dich, Wilson, und ich weiß, dass du mich liebst. Wenn wir wollen, dass unsere Ehe funktioniert, müssen wir uns beide bewegen und einen Schritt aufeinander zugehen. Ich bitte dich nicht, meinen Glauben anzunehmen. Ich bitte dich nur, mit mir in die Kirche zu gehen. Eine Ehe besteht aus Kompromissen – man muss etwas für den anderen tun, auch wenn man es manchmal einfach nicht will. So wie ich es bei unserer Hochzeit gemacht habe.«

Ich presste betroffen die Lippen aufeinander. Inzwischen wusste ich längst, was es für sie bedeutete, dass wir nur standesamtlich geheiratet hatten.

»Gut, einverstanden. Ich komme mit.«

Da küsste sie mich, und dieser Kuss war so himmlisch wie das Paradies.

Als Jane mich jetzt in der Küche küsste, kamen die Erinnerungen an den Kuss von damals zurück. Ich musste auch an die zärtlichen Wiederannäherungsversuche denken, mit denen wir früher unsere Differenzen beigelegt hatten. Selbst wenn es keine glühende Leidenschaft gewesen sein mochte, so war uns doch immerhin ein Waffenstillstand gelungen – und das Versprechen, die Probleme gemeinsam zu lösen.

Ich glaube, dieses Versprechen und überhaupt unsere wechselseitige Loyalität sind der Grund, weshalb unsere Ehe schon so lange hält. Und genau um dieses Element in unserer Beziehung habe ich mir im vergangenen Jahr immer wieder solche Sorgen gemacht. Ich habe mich nicht nur gefragt, ob Jane mich noch liebt, sondern auch, ob sie mich überhaupt noch lieben will.

Bestimmt hat es für sie unzählige Enttäuschungen gegeben – all die Jahre, in denen ich von der Arbeit nach Hause kam und die Kinder schon im Bett lagen. Die Abende, an denen ich über nichts anderes sprechen konnte als über die Arbeit. Die Sportwettkämpfe, die Geburtstagspartys und Familienurlaube, die ich verpasst habe. Die Wochenenden, die ich mit Kollegen und Klienten auf dem Golfplatz verbrachte. Wenn ich es mir richtig überlege, komme ich zu dem Schluss, dass ich oft ein abwesender Ehemann war, nur ein

Schatten des eifrigen jungen Mannes, den Jane geheiratet hatte. Und doch schien dieser Kuss zu sagen: Ich bin willens, es noch einmal zu versuchen, wenn du es auch möchtest.

»Wilson? Ist irgendetwas?«

Ich zwang mich zu einem Lächeln. »Nein, nein, alles bestens.« Ich atmete tief durch. Ein Themawechsel war das, was ich jetzt dringend brauchte. »Wie ist es denn heute bei euren Unternehmungen gelaufen? Habt ihr ein Kleid für Anna gefunden?«

»Leider nicht. Wir waren in verschiedenen Geschäften, aber in ihrer Größe hat Anna nichts gefunden, was ihr gefiel. Ich hatte ja schon befürchtet, dass es lange dauern würde – ich meine, Anna ist so schmal, dass alles gesteckt werden muss, damit man überhaupt sehen kann, wie das Kleid ihr stehen würde. Wir wollen morgen noch einige Läden abklappern, dann wissen wir mehr. Es gibt aber auch eine gute Nachricht – Keith hat die gesamte Organisation auf der Seite seiner Familie übernommen, damit wir uns da um nichts kümmern müssen. Dabei fällt mir ein – hast du daran gedacht, einen Flug für Joseph zu buchen?«

»Ja. Er kommt am Freitagabend.«

»Nach New Bern oder nach Raleigh?«

»Nach New Bern. Wenn alles plangemäß läuft, kommt er um halb neun an. Hat Leslie euch eigentlich begleitet?«

»Nein, sie konnte leider nicht. Sie rief an, als wir schon unterwegs waren. Sie musste für ihr Laborprojekt noch zusätzliche Recherchen erledigen, aber morgen hat sie Zeit. Und sie hat auch gleich einen guten Vorschlag gemacht – in Greensboro gibt es auch einige erstklassige Boutiquen, die wir zur Not noch aufs Programm setzen könnten.«

»Habt ihr das vor?«

Jane ächzte leise. »Ach, du weißt doch – das sind dreieinhalb Stunden mit dem Auto! Wir wären insgesamt sieben Stunden unterwegs, reine Fahrzeit.«

»Ihr könntet dort übernachten«, schlug ich vor. »Dann müsst ihr nicht abends zurückfahren.«

Wieder seufzte sie. »Das hat Anna auch gesagt. Wir könnten erst die restlichen Geschäfte in Raleigh ins Visier nehmen und dann am Mittwoch die in Greensboro. Aber ich will dich nicht allein lassen. Hier gibt es doch auch noch so viel zu tun.«

»Keine Bange«, beruhigte ich sie. »Wir haben ja jetzt einen Caterer, dadurch hat sich vieles erledigt. Den Rest schaffe ich schon. Schließlich können wir nicht Hochzeit feiern, wenn Anna kein Kleid hat.«

Jane musterte mich skeptisch. »Meinst du das wirklich ernst?«

»Natürlich. Ich ziehe sogar in Erwägung, noch ein paar Runden Golf zu spielen.«

»Na, das klappt doch nie!«

»Aber wenn ich es nicht tue, was soll dann aus meinem Handicap werden?«, protestierte ich lachend.

»Ich würde sagen, wenn es sich in dreißig Jahren noch nicht entscheidend verbessert hat, wird wahrscheinlich nicht mehr viel daraus.«

»Soll das eine Beleidigung sein?«

»Aber nein. Nur eine nüchterne Feststellung. Ich habe dich ja schon spielen sehen – hast du das vergessen?«

Ich nickte. Sie hatte selbstverständlich Recht. Obwohl ich schon viele Jahre an meinem Schlag arbeite, bin ich immer noch ein sehr mittelmäßiger Golfer. Ich schaute auf die Uhr.

»Hättest du Lust, eine Kleinigkeit essen zu gehen?«

»Wirklich?«, fragte sie schon wieder. »Wollen wir heute Abend nichts kochen?«

»Nur, wenn du gern Reste essen möchtest. Ich hatte keine Zeit, einkaufen zu gehen.«

»Ich wollte dir keine Vorhaltungen machen. Schließlich kann ich nicht von dir erwarten, dass du jetzt jeden Abend kochst! Obwohl ich zugeben muss, dass ich es sehr genossen habe.« Sie lächelte. »Ja, ich würde gern etwas essen gehen. Wenn du dich noch einen Augenblick gedulden könntest – ich muss mich nur ein bisschen zurecht machen.«

»Du siehst wunderbar aus, so wie du bist.«

»Zwei Minuten!«, rief sie, während sie bereits die Stufen hinaufeilte.

Ich wusste, dass es mehr als zwei Minuten dauern würde. Ich hatte mir angewöhnt, die Wartezeit sinnvoll zu überbrücken, sie mit Dingen zu füllen, die ich gern machte, auf die ich mich aber nicht besonders konzentrieren musste. Ich konnte zum Beispiel in mein Arbeitszimmer gehen und schnell meinen Schreibtisch aufräumen. Oder die Lautsprecher der

Stereoanlage zurechtrücken, nachdem die Kinder sie umgestellt hatten. Zu tun gab es immer etwas.

Diese harmlosen Aktivitäten sorgten dafür, dass die Zeit verging, ohne dass ich es registrierte. Es konnte vorkommen, dass ich gerade mit meinen kleinen Beschäftigungen fertig war – nur um festzustellen, dass meine Frau bereits hinter mir stand, die Hände in die Hüften gestützt. Dann spielte sich stets folgender Dialog ab:

»Bist du fertig?«, fragte ich.

»Seit einer halben Ewigkeit!«, rief sie empört. »Ich warte schon mindestens zehn Minuten darauf, dass *du* endlich fertig wirst!«

»Ach, entschuldige bitte«, sagte ich. »Wir können gleich los. Habe ich die Schlüssel schon eingesteckt?«

»Sag nur nicht, du hast sie verlegt!«

»Nein, natürlich nicht«, entgegnete ich und klopfte auf meine Taschen. »Sie müssen irgendwo liegen. Vor einer Minute hatte ich sie noch.«

Woraufhin meine Frau die Augen verdrehte.

An jenem Abend nun nahm ich mir mein *Time Magazine* und setzte mich auf die Couch. Ich hatte schon ein paar Artikel gelesen, als ich Janes Schritte über mir hörte. Schnell legte ich die Zeitschrift weg. Welches Restaurant sollte ich vorschlagen? Worauf hatte sie wohl Lust? In dem Moment klingelte das Telefon.

Während ich der bebenden Stimme am anderen Ende der Leitung lauschte, verflog meine Vorfreude.

Stattdessen erfüllten mich furchtbare Vorahnungen. Als ich auflegte, kam Jane gerade die Treppe herunter.

»Wer war das? Was ist los?«, fragte sie beunruhigt.

»Es war Kate«, antwortete ich beklommen. »Sie fährt gleich ins Krankenhaus.«

Jane schlug erschrocken die Hand vor den Mund.

»Es ist wegen Noah«, sagte ich.

KAPITEL 9

Auf der Fahrt zum Krankenhaus kämpfte Jane die ganze Zeit mit den Tränen. Ich bin normalerweise ein defensiver Autofahrer, aber jetzt wechselte ich dauernd die Spur und trat aufs Gaspedal, auch wenn die Ampel schon auf Gelb geschaltet hatte. Die Minuten schienen sich endlos zu dehnen.

Als wir die Notaufnahme betraten, kam ich mir vor wie nach Noahs Schlaganfall im Frühjahr. Es war ein Gefühl, als hätte es die vergangenen vier Monate gar nicht gegeben. Der Geruch von Desinfektionsmitteln drang mir in die Nase. Trostloses Neonlicht erhellte den überfüllten Warteraum.

Metallstühle mit Plastiksitzen standen an den Wänden entlang und in Reihen mitten im Raum. Die meisten waren besetzt, oft durch Gruppen von zwei oder drei Leuten, die sich gedämpft unterhielten. An der Anmeldung hatte sich eine endlos lange Schlange gebildet, weil viele Besucher erst noch irgendwelche Formulare ausfüllen mussten.

Janes Familie hatte sich neben der Tür versammelt. Kate, blass und nervös, stand neben Grayson, ihrem

Ehemann, der in seinem Overall und den staubigen Stiefeln aussah wie ein Baumwollpflanzer aus dem Bilderbuch. Sein kantiges Gesicht war von tiefen Furchen durchzogen. Der Nächste war David, Janes jüngster Bruder, mit seiner Frau Lynn, der er schützend den Arm um die Schulter gelegt hatte.

Kate kam sofort auf uns zugelaufen und fiel Jane schluchzend um den Hals.

»Was ist passiert?«, rief Jane in heller Aufregung. »Wie geht es ihm? Wo ist er jetzt?«

Kates Stimme überschlug sich. »Er ist gestürzt. Ganz in der Nähe des Teichs. Kein Mensch hat gesehen, wie es genau passiert ist, aber als die Krankenschwester ihn fand, war er bewusstlos. Sie glaubt, er ist mit dem Kopf aufgeschlagen. Der Krankenwagen hat ihn vor gut zwanzig Minuten hierher gebracht, und jetzt ist er gerade im Behandlungszimmer bei Dr. Barnwell«, sprudelte es aus Kate heraus. »Mehr wissen wir nicht.«

Hätten sich die Schwestern nicht gegenseitig festgehalten, wäre Jane sicher zusammengesackt. David und Grayson konnten gar nicht hinschauen, mit verkniffenen Mienen bemühten sie sich, die Fassung zu bewahren. Lynn hatte die Arme vor der Brust verschränkt und wippte auf den Füßen vor und zurück.

»Wann können wir zu ihm?«, fragte Jane tonlos.

Kate zuckte die Achseln. »Ich habe keine Ahnung. Die Krankenschwestern sagten, wir müssen auf Dr. Barnwell warten oder auf einen der Assistenten. Ich kann bloß hoffen, dass sie uns rufen.«

Schweigend klammerten sie sich aneinander.

»Wo ist Jeff?«, fragte Jane schließlich. Er war der einzige der vier Geschwister, der noch fehlte. »Er weiß doch Bescheid, oder?«

»Ich habe ihn vorhin erst erreicht«, berichtete David. »Er fährt noch kurz bei sich zu Hause vorbei, um Debbie abzuholen, aber dann kommen sie direkt hierher.«

Er drückte seine beiden Schwestern an sich, und so standen die drei eng umschlungen. Mir kam es vor, als versuchten sie, sich auf diese Weise gegenseitig Kraft zu geben.

Wenig später trafen Jeff und Debbie ein. Jeff schloss sich gleich seinen Geschwistern an und wurde von ihnen auf den neusten Stand gebracht. Man sah ihm an, dass er genauso erschrocken war wie die anderen.

Die Zeit schien stillzustehen. Bleischwer lastete die Angst auf uns. Wir hatten uns jetzt in zwei Gruppen aufgeteilt: die Kinder von Noah und Allie auf der einen Seite – und ihre Ehepartner auf der anderen. Ich mag Noah sehr und bin schon so lange mit Jane verheiratet, aber ich habe gelernt, dass es Situationen gibt, in denen Jane ihre Geschwister dringender braucht als mich.

Für Lynn, Grayson, Debbie und mich war es nicht die erste Erfahrung dieser Art, wir hatten schon öfter Ähnliches durchgemacht – im Frühjahr, als Noah den schweren Schlaganfall hatte, außerdem bei Allies Tod und vor sechs Jahren, als Noah seinen ersten Herzinfarkt hatte. Die »Kinder« haben ihre gemeinsamen Rituale, sie umarmen sich, bilden einen Gebetskreis und wiederholen immer wieder ihre besorgten Fragen.

Wir anderen sind sehr viel stoischer. Grayson ist wie ich, das heißt eher wortkarg. Wenn er nicht mehr weiterweiß, vergräbt er die Hände in den Hosentaschen und klimpert mit seinen Schlüsseln. Lynn und Debbie akzeptieren natürlich, dass David und Jeff manchmal ihre Schwestern brauchen, aber sie wirken in Krisensituationen immer recht desorientiert. Sie wissen nicht, was tun, also ziehen sie sich zurück und reden nur noch im Flüsterton.

Ich hingegen überlege immer sofort, wie ich praktisch helfen kann – das ist für mich das beste Mittel, meine Gefühle unter Kontrolle zu behalten.

Jetzt fiel mir auf, dass die Schlange an der Anmeldung auf eine Person zusammengeschrumpft war. Kurz entschlossen trat ich an den Schalter. Die Schwester blickte von ihrem Stapel mit Formularen hoch, sichtlich gestresst.

»Kann ich etwas für Sie tun?«, fragte sie höflich.

»Ja, hoffentlich«, sagte ich. »Ich wüsste gern, ob Sie neue Informationen über den Zustand von Noah Calhoun haben. Er wurde vor einer halben Stunde eingeliefert.«

»Hat der Arzt schon mit Ihnen gesprochen?«

»Nein. Aber jetzt ist die ganze Familie hier, und wir sind alle sehr in Sorge.«

Mit einer Kopfbewegung deutete ich auf die Geschwister, und die Krankenschwester folgte meinem Blick.

»Ich nehme an, dass der Arzt oder ein Assistent demnächst bei Ihnen sein wird.«

»Ja, das hat man uns schon gesagt. Aber könnten Sie vielleicht irgendwie für uns in Erfahrung bringen, wann wir unseren Vater sehen dürfen? Und wie seine Überlebenschancen stehen?«

Ich war mir nicht sicher, ob sie mir helfen würde. Sie warf noch einen Blick auf die anderen und seufzte.

»Wenn Sie sich noch ein paar Minuten gedulden – ich muss diese Formulare bearbeiten, aber dann werde ich sehen, was ich für Sie tun kann, einverstanden?«

Grayson kam zu mir, die Hände in den Taschen. »Ist alles in Ordnung?«, fragte er.

»Ich denke schon.«

Er nickte und klimperte mit seinen Schlüsseln.

»Vielleicht sollten wir uns lieber hinsetzen«, sagte er nach kurzem Schweigen. »Wer weiß, wie lange wir noch hier warten müssen.«

Wir nahmen in der Reihe hinter den Geschwistern Platz. Gleich darauf erschienen Anna und Keith. Anna ging sofort zu den Geschwistern, wohingegen sich Keith zu mir setzte. In ihrem schwarzen Kleid sah Anna aus, als käme sie direkt von einem Begräbnis.

Die Warterei ist immer das Schlimmste – und genau aus diesem Grund kann ich Krankenhäuser nicht ausstehen. Nichts tut sich, aber im Geist sieht man die schrecklichsten Bilder vor sich und macht sich unbewusst auf alle Eventualitäten gefasst.

In der angespannten Stille glaubte ich meinen eigenen Herzschlag zu hören und hatte Mühe zu schlucken, weil mein Mund völlig ausgetrocknet war.

Da sah ich, dass hinter dem Anmeldungsschalter niemand mehr saß. Hoffentlich ist die Schwester jetzt bei Noah!, dachte ich. In dem Moment kam Jane auf mich zu. Ich stand auf und schloss sie tröstend in die Arme, sodass sie sich an mich anlehnen konnte.

»Das ist alles so entsetzlich«, flüsterte sie.

Ein junges Paar mit drei weinenden Kindern kam in den Warteraum. Wir mussten ein Stück beiseite treten, damit sie an uns vorbei konnten. Sie strebten zur Anmeldung, und gerade noch rechtzeitig erschien die Schwester wieder. Sie gab der jungen Familie zu verstehen, sie müsse sich noch einen Moment gedulden, und wandte sich uns zu.

»Er ist jetzt wieder bei Bewusstsein«, berichtete sie. »Aber er fühlt sich noch recht schwach. Seine Vitalzeichen sind in Ordnung. Wir werden ihn vermutlich in Kürze auf die Station verlegen – etwa in einer Stunde.«

»Heißt das, er wird wieder gesund?«

»Die Ärzte haben jedenfalls nicht angeordnet, ihn auf die Intensivstation zu bringen – wenn Sie das meinen«, erwiderte sie diplomatisch. »Er muss nur ein paar Tage zur Beobachtung im Krankenhaus bleiben.«

Alle atmeten erleichtert auf.

»Dürfen wir ihn sehen?«, fragte Jane drängend.

»Sie können leider nicht alle auf einmal zu ihm, dafür ist einfach nicht genug Platz. Und der Arzt sagte, Mr Calhoun brauche jetzt vor allem Ruhe. Einer von Ihnen kann mit nach hinten kommen und ihm einen Besuch abstatten – aber nicht zu lange.«

Eigentlich kamen dafür nur Kate oder Jane infrage, aber ehe jemand etwas sagen konnte, fragte die Schwester:

»Wer von Ihnen ist Wilson Lewis?«

»Ich!«, meldete ich mich.

»Folgen Sie mir bitte zum Behandlungszimmer. Er soll jetzt an einen Tropf gehängt werden, und am besten sprechen Sie mit ihm, ehe er schläfrig wird.«

Die anderen Familienmitglieder starrten mich an. Ich konnte mir denken, warum Noah ausgerechnet mich sehen wollte, hob aber abwehrend die Hände.

»Ich bin zwar derjenige, der vorhin mit Ihnen gesprochen hat – aber vielleicht sollten lieber Jane oder Kate zu ihrem Vater gehen«, sagte ich. »Sie sind seine Töchter. Oder wie wär's mit David oder Jeff?«

Die Schwester schüttelte den Kopf.

»Er hat ausdrücklich gesagt, dass er Sie als Ersten sehen will.«

Jane lächelte, und ich glaubte, in ihrem Lächeln das zu entdecken, was ich auch bei den anderen spürte: Verwunderung. Aber bei Jane hatte ich außerdem den Eindruck, dass sie sich irgendwie betrogen fühlte – als wüsste sie genau, warum ihr Vater mich ausgewählt hatte.

Noah lag reglos da, mit Schläuchen in den Armen und an Maschinen angeschlossen, die den regelmäßigen Rhythmus seines Herzens aufzeichneten. Seine Augen waren halb geschlossen, aber als die Schwester den Vorhang hinter uns zuzog und sich ihre Schritte entfernten, drehte er den Kopf. Jetzt konnten wir unter vier Augen reden.

Noah wirkte in dem großen Bett sehr zerbrechlich. Sein Gesicht war ganz weiß. Ich nahm auf dem Stuhl neben ihm Platz.

»Hallo, Noah.«

»Hallo, Wilson«, sagte er mit zittriger Stimme. »Danke, dass du mich besuchst.«

»Wie geht's denn so?«

»Könnte besser sein«, antwortete er, und auf seinem Gesicht erschien ein schwaches Lächeln. »Könnte aber auch wesentlich schlechter sein.«

Ich nahm seine Hand. »Erzähl mir, was passiert ist.«

»Eine Wurzel«, erwiderte er. »Ich bin schon mindestens tausend Mal ohne Probleme an ihr vorbeigekommen. Aber plötzlich hat sie nach meinem Fuß geschnappt.«

»Bist du mit dem Kopf aufgeschlagen?«

»Mit dem Kopf, mit dem Körper, mit allem. Bin hingeplumpst wie ein alter Kartoffelsack. Aber gebrochen hab ich mir zum Glück nichts. Mir ist nur immer noch etwas schwindelig. Der Arzt hat gesagt, in ein paar Tagen bin ich wieder auf den Beinen. Woraufhin ich geantwortet habe, ausgezeichnet, am Wochenende muss ich nämlich zu einer Hochzeit.«

»Mach dir bitte deswegen keine Gedanken. Du musst jetzt vor allem an dich selbst denken und daran, dass du wieder gesund wirst.«

»Ach, das wird schon wieder. Ich glaube, ich hab noch ein bisschen Zeit.«

»Das will ich doch hoffen!«

»Wie geht es Kate und Jane? Ich wette, sie sind völlig aus dem Häuschen.«

»Wir machen uns alle große Sorgen um dich.«

»Ja, aber du schaust mich nicht mit diesen bekümmerten Rehaugen an und brichst auch nicht sofort in Tränen aus, wenn ich irgendetwas murmle.«

»Das mache ich heimlich, wenn du nichts davon merkst.«

Noah grinste. »Na ja – aber nicht so wie die beiden. Bestimmt wird eine von ihnen die nächsten Tage rund um die Uhr in meiner Nähe sein wollen, mich zudecken und mein Kissen aufschütteln und überhaupt. Die beiden sind solche Glucken! Ich weiß, sie meinen es gut, aber wenn sie mich derart umsorgen, macht mich das verrückt. Als ich das letzte Mal im Krankenhaus war, hatte ich keine Minute Ruhe. Ich konnte nicht mal auf die Toilette gehen, ohne dass eine von ihnen mich begleiten wollte, und dann haben sie immer vor der Tür gewartet, bis ich fertig war.«

»Aber du hast Hilfe gebraucht! Du konntest nicht ohne Stütze gehen, erinnerst du dich?«

»Ein Mann braucht aber auch seine Würde.«

Ich drückte seine Hand. »Du wirst immer der würdevollste Mensch sein, den ich kenne.«

Noah erwiderte meinen Blick, und seine Gesichtszüge wurden plötzlich ganz weich. »Sobald sie mich sehen, werden sie sich auf mich stürzen. Das kannst du mir glauben. Sie werden mich nicht mehr aus den Augen lassen, genau wie sonst.« Er grinste verschmitzt. »Ich denke, ich werde mir einen kleinen Scherz mit ihnen erlauben.«

»Übertreib's nicht zu sehr, Noah. Sie machen das doch nur aus Liebe.«

»Ich weiß. Aber sie sollen mich nicht wie ein Kind behandeln.«

»Das tun sie auch nicht.«

»Doch, das tun sie. Wenn es so weit ist, sag *du* ihnen bitte, ich brauche Ruhe, okay? Denn wenn ich zu ihnen sage, dass ich müde werde, machen sie sich nur wieder unnötig Sorgen.«

Ich lächelte. »Wird gemacht.«

Eine Weile lang saßen wir schweigend beieinander. Der Herzmonitor piepste regelmäßig, und das monotone Geräusch wirkte fast beruhigend.

»Weißt du, warum ich gesagt habe, *du* sollst kommen und nicht eins meiner Kinder?«

Ich nickte – fast gegen meinen Willen. »Du willst, dass ich nach Creekside gehe und den Schwan füttere, so wie letztes Frühjahr, stimmt's?«

»Würdest du das für mich tun?«

»Ja, natürlich. Die Aufgabe übernehme ich gern.«

Er sah auf einmal so müde aus, dass ich richtig Mitleid mit ihm bekam. »Du weißt ja, ich hätte dich nicht darum bitten können, wenn die anderen auch im Zimmer sind«, sagte er. »Sie regen sich schon auf, wenn ich die Schwänin nur erwähne, weil sie sofort glauben, ich verliere den Verstand.«

»Ich weiß.«

»Und du weißt auch, dass es nicht stimmt.«

»Ja.«

»Weil du so denkst wie ich. Sie war bei mir, als ich wieder zu Bewusstsein gekommen bin. Sie stand da, über mich gebeugt, und hat auf mich aufgepasst. Die Schwester musste sie sogar wegscheuchen. Sie ist die ganze Zeit bei mir gewesen.«

Ich wusste genau, was er von mir hören wollte, aber ich fand nicht die richtigen Worte. Also lächelte ich nur und sagte: »Wonderbread. Vier Scheiben am Morgen und drei am Nachmittag oder gegen Abend, stimmt's?«

Noah drückte meine Hand und zwang mich, ihm in die Augen zu sehen.

»Du glaubst mir doch, Wilson, oder?«

Ich schwieg. Da Noah mich besser kennt als irgendjemand, wusste ich, dass ich ihm nichts vormachen konnte. »Ich weiß es nicht.«

Die Enttäuschung auf seinem Gesicht war nicht zu übersehen.

Eine Stunde später wurde Noah in ein Zimmer im ersten Stock verlegt, und nun konnten sich endlich alle um ihn versammeln.

Als Jane und Kate eintraten, riefen sie wie aus einem Munde: »Ach, Daddy!« Lynn und Debbie folgten ihnen, während David und Jeff auf die andere Seite des Bettes traten. Grayson postierte sich am Fußende, während ich mich im Hintergrund hielt.

Wie Noah schon angekündigt hatten, stürzten sich seine Kinder auf ihn: Sie nahmen seine Hand, zupften die Bettdecke zurecht, stellten das Kopfende höher, musterten ihn prüfend, betätschelten ihn, fächelten ihm Luft zu, umarmten und küssten ihn. Alle wollten wissen, wie es ihm ging, und überschütteten ihn mit Fragen.

Jeff begann den Reigen: »Fühlst du dich wirklich besser? Der Arzt hat gesagt, du bist schwer gestürzt.«

»Mir geht es gut, danke. Ich habe eine Beule am Hinterkopf, aber sonst fehlt mir nichts, ich bin nur ein bisschen müde.«

Nun war Jane an der Reihe. »Ich bin zu Tode erschrocken!«, klagte sie. »Aber zum Glück sieht es so aus, als wäre dir nichts Ernsthaftes zugestoßen.«

»Mir ist auch der Schreck in alle Glieder gefahren!« Das war David.

»Du hättest nicht allein in den Park gehen sollen, wenn dir nicht ganz wohl ist«, mischte sich Kate ein. »Das nächste Mal musst du einfach sitzen bleiben, bis jemand kommt und dich holt. Ich bin mir sicher, dass dich immer jemand findet.«

»Na ja – so hat mich auch jemand gefunden«, knurrte Noah.

Jane schüttelte sein Kopfkissen auf. »Du hast ziemlich lange da draußen gelegen, stimmt das? Mich macht es ganz krank, wenn ich mir vorstelle, dass dich nicht gleich jemand entdeckt hat.«

Noah schüttelte den Kopf. »Ach, es waren höchstens zwei Stunden, nehme ich an.«

»Zwei Stunden!«, riefen Jane und Kate im Chor und tauschten entsetzte Blicke.

»Vielleicht war's auch ein bisschen länger. Ich kann es schlecht sagen, weil die Sonne hinter den Wolken war.«

»Noch länger?« Janes Hände verkrampften sich.

»Und ich war völlig durchnässt. Ich denke, es hat geregnet. Aber vielleicht war es auch nur der Rasensprenger.«

»Du hättest dir den Tod holen können!«, rief Kate bestürzt.

»So furchtbar war es doch gar nicht. Ein bisschen Wasser hat noch keinem geschadet. Am unangenehmsten war der Anblick des Waschbären, als ich wieder zu mir gekommen bin. Er hat mich so komisch angestarrt, dass ich dachte, er hat sicher Tollwut. Und dann ist er plötzlich auf mich losgegangen.«

»Du bist von einem Waschbären angegriffen worden?« Jane sah aus, als würde sie gleich in Ohnmacht fallen.

»Nein, nein, er hat mich nicht richtig angegriffen. Ich habe ihn vertrieben, noch bevor er zubeißen konnte.«

»Er wollte dich beißen?« Kate war fassungslos.

»Ach, das ist doch alles gar nicht gefährlich. Ich habe schon öfter Waschbären vertrieben.«

Kate und Jane schauten sich mit verstörten Gesichtern an und blickten sich dann Hilfe suchend nach ihren Brüdern um. Niemand brachte ein Wort heraus – bis ihnen auffiel, dass Noah grinste. Er deutete mit dem Finger auf sie und zwinkerte vergnügt.

»Reingefallen!«

Ich musste mich beherrschen, um nicht laut herauszuplatzen. Auch Anna hatte sichtlich Mühe, ein ernstes Gesicht zu bewahren.

»Du darfst uns doch nicht anschwindeln!«, rief Kate empört und klopfte mit der Hand seitlich aufs Bett.

»Ja, Daddy, das ist nicht nett«, fügte Jane hinzu.

Noah kniff belustigt die Augen zusammen. »Ich konnte einfach nicht anders. Das habt ihr euch selbst zuzuschreiben. Aber nun Schluss mit dem grausamen Spiel – sie haben mich nach ein paar Minuten gefunden. Mir ist nichts Schlimmes zugestoßen. Ich habe gesagt, ich könnte selbst zum Krankenhaus fahren, aber die Schwestern haben darauf bestanden, die Ambulanz zu rufen.«

»Du hättest unmöglich selbst fahren können! Du hast doch gar keinen gültigen Führerschein mehr.«

»Das heißt noch lange nicht, dass ich nicht mehr fahren kann. Und mein Wagen steht außerdem immer noch auf dem Parkplatz.«

Die Töchter sagten zwar nichts, aber ich sah ihnen an, dass sie insgeheim beschlossen, ihm so bald wie möglich die Autoschlüssel abzunehmen.

Jeff räusperte sich. »Vielleicht solltest du so einen Alarm am Handgelenk tragen. Wenn dann etwas passiert, kannst du sofort Hilfe rufen.«

»Ach, papperlapapp! Ich bin doch nur über eine Wurzel gestolpert! Beim Hinfallen hätte ich sowieso keine Zeit mehr gehabt, auf irgendeinen Knopf zu drücken. Und als ich wieder zu mir kam, war die Schwester schon bei mir.«

»Ich muss mal dringend mit der Heimleitung sprechen«, sagte David grimmig. »Wenn sie diese Wurzel nicht entfernen lassen, mache ich das höchstpersönlich!«

»Ich helfe dir dabei«, meldete sich Grayson.

»Es ist doch nicht die Schuld der Heimleitung, dass ich alt und tatterig werde. In ein, zwei Tagen bin ich wieder in Form, und am Wochenende werde ich topfit sein.«

»Mach dir deswegen keine Gedanken«, sagte Anna. »Werd einfach nur wieder gesund, versprochen?«

»Und pass gut auf dich auf«, drängte Kate. »Wir machen uns alle solche Sorgen um dich!«

»Ja, wir sind fast gestorben vor Angst!«, wiederholte Jane.

Da waren sie wieder, die Glucken. Ich lächelte in mich hinein. Noah hatte mit seiner Beschreibung genau ins Schwarze getroffen.

»Keine Bange, das wird schon«, sagte Noah. »Und kommt ja nicht auf die Idee, meinetwegen die Hochzeit abzusagen. Ich freue mich sehr darauf und möchte nicht, dass jemand denkt, so eine kleine Beule am Kopf könnte mich einschüchtern.«

»Das ist doch jetzt gar nicht wichtig«, entgegnete Jeff.

»Er hat Recht, Grampa«, stimmte Anna ihm zu.

»Und ihr sollt sie auch nicht auf später verschieben«, sagte Noah.

»Aber Daddy!«, rief Kate. »Du musst hier im Krankenhaus bleiben, bis du wieder ganz gesund bist.«

»Ich bin doch gesund. Ich will nur, dass ihr mir versprecht, die Hochzeit nicht zu verschieben. Ich freue mich schon die ganze Zeit darauf.«

»Sei doch bitte nicht so eigensinnig«, flehte Jane ihn an.

»Wie oft muss ich es dir noch sagen? Das Fest ist mir wichtig. Schließlich gibt es nicht jeden Tag eine Hochzeit!« Als er begriff, dass er seine Töchter nicht überzeugen konnte, wandte er sich an seine Enkelin. »Aber du verstehst doch wenigstens, was ich meine, nicht wahr, Anna?«

Anna zögerte kurz. Ihr Blick wanderte zu mir, dann schaute sie wieder ihren Großvater an. »Ja, natürlich, Grampa.«

»Das heißt, du verschiebst den Termin nicht? Versprochen?«

Sie griff instinktiv nach Keiths Hand.

»Versprochen«, sagte sie schlicht.

Noah lächelte, sichtlich erleichtert. »Danke!«, murmelte er.

Kate zupfte seine Decke zurecht. »Also dann – du musst gut auf dich aufpassen«, sagte sie abermals. »Und in Zukunft solltest du ein bisschen vorsichtiger sein.«

»Mach dir keine Gedanken, Dad«, versprach David. »Ich werde dafür sorgen, dass die Wurzel weg ist, wenn du zurückkommst.«

Nun wandte sich das Gespräch wieder der Frage zu, wie und warum Noah gestürzt war, und mir wurde plötzlich bewusst, dass keiner der Anwesenden erwähnte, weshalb Noah unten am Teich gewesen war.

Aber das war nur verständlich. Niemand wollte über den Schwan sprechen.

Vor knapp fünf Jahren hatte Noah mir erzählt, was es mit dem Schwan auf sich hatte. Allie war einen Monat zuvor gestorben, und Noah wirkte um Jahre gealtert. Er verließ so gut wie nie sein Zimmer, nicht einmal, um den anderen Senioren Gedichte vorzulesen. Stattdessen saß er an seinem Schreibtisch, las die Briefe, die er und Allie sich im Laufe der Jahre geschrieben hatten, oder blätterte in Walt Whitmans Gedichtsammlung *Grashalme*.

Wir versuchten mit allen Mitteln, ihn zu motivieren, an die frische Luft zu gehen, und es ist wohl eine Ironie des Schicksals, dass ausgerechnet ich derjenige war, der ihn zu der Bank am Teich brachte. An jenem Morgen sahen wir das erste Mal den Schwan.

Ich könnte nicht behaupten, dass ich gleich wusste, was Noah dachte. Ihm war nicht anzumerken, dass er irgendetwas Ungewöhnliches in dieser Situation zu sehen glaubte. Ich erinnere mich aber noch genau daran, dass der Schwan auf uns zuschwamm, als würde er nach etwas Essbarem suchen.

»Ich hätte ein bisschen Brot mitbringen sollen«, sagte Noah.

»Das nächste Mal«, bemerkte ich.

Als ich zwei Tage später wieder zu Besuch kam, war Noah verblüffenderweise nicht in seinem Zimmer. Die

Schwester sagte mir, er sei am Teich. Tatsächlich saß er auf der Bank, neben sich eine Packung Wonderbread. Als ich näher kam, hatte ich das Gefühl, als würde der Schwan mich aufmerksam betrachten, ohne jedes Zeichen von Furcht.

»Sieht so aus, als hättest du einen Freund gefunden«, sagte ich.

»Ja, sieht so aus«, murmelte Noah.

»Wonderbread?«, fragte ich.

»Das mag sie am liebsten.«

»Woher weißt du, dass es eine ›Sie‹ ist?«

Noah lächelte. »Das weiß ich eben«, sagte er. Und so fing alles an.

Seither füttert er den Schwan regelmäßig und geht bei jedem Wetter hinunter an den Teich. Er sitzt dort auf der Bank, gleichgültig, ob es regnet oder ob die Sonne brennt. Im Laufe der Jahre hat er sich angewöhnt, immer mehr Zeit auf der Bank zu verbringen. Stundenlang beobachtet er den Schwan und redet mit ihm. Es kann passieren, dass er den ganzen Tag dort verbringt.

Ein paar Monate nach seiner ersten Begegnung mit dem Schwan fragte ich ihn, warum er so gern unten am Teich sitze. Ich dachte, er würde sagen, weil es dort so friedlich sei oder weil er sich gern mit jemandem unterhalte, auch wenn er keine Antwort erwarten könne.

»Ich komme hierher, weil sie es will«, sagte er.

»Du meinst – die Schwänin will es?«

»Nein, Allie.«

Mir wurde beklommen ums Herz, als ich ihn den Namen seiner Frau aussprechen hörte, aber ich hatte noch nicht begriffen, was er mir sagen wollte. »Allie möchte, dass du den Schwan fütterst?«

»Ja.«

»Woher weißt du das?«

Er seufzte. Dann schaute er mir in die Augen und sagte: »Das ist sie.«

»Wer?«

»Allie. Die Schwänin.«

Ich schüttelte verwirrt den Kopf. »Ich verstehe nicht ganz ...«

»Allie«, wiederholte er. »Sie hat eine Möglichkeit gefunden, zu mir zurückzukommen. Genau wie sie es mir versprochen hat. Ich musste sie nur finden.«

Und das ist der Grund, weshalb die Ärzte denken, Noah leide an Wahnvorstellungen.

Wir blieben noch eine halbe Stunde im Krankenhaus. Dr. Barnwell versprach, uns am nächsten Tag nach der Visite anzurufen, um uns über Noahs Zustand auf dem Laufenden zu halten. Er fühlte sich unserer Familie sehr verbunden und sorgte für Noah wie für einen Vater. Wir vertrauten ihm rückhaltlos. Wie ich mit Noah vereinbart hatte, sagte ich zu den anderen, er scheine jetzt doch müde zu werden und sollte sich vielleicht ein bisschen ausruhen. Draußen auf dem Parkplatz vereinbarten wir beim Abschied, ihn abwechselnd zu besuchen, dann umarmten und küssten wir uns, und schon bald waren Jane und ich wieder allein. Wir schauten den anderen nach.

Ich sah Jane an, wie erschöpft sie war. Ihr Blick war trübe, sie ließ die Schultern hängen. Mir selbst ging es nicht viel besser.

»Wie fühlst du dich?«, fragte ich sie.

»Ach, es geht schon.« Sie seufzte. »Ich weiß, er wirkt nicht besonders angegriffen, aber irgendwie will er sich innerlich nicht eingestehen, dass er demnächst neunzig wird. Er wird nicht so bald wieder herumlaufen können, wie er denkt.« Sie schloss die Augen. Sicher quälte sie der Gedanke, dass Noah möglicherweise nicht bei der Hochzeitsfeier dabei sein würde.

»Aber du willst doch nicht, dass Anna die Hochzeit verschiebt, oder? Das hat er uns ja eindeutig verboten.«

Jane schüttelte den Kopf. »Ich hätte es vielleicht versucht, wenn er sich nicht so unmissverständlich ausgedrückt hätte. Ich hoffe inständig, dass er nicht darauf besteht, weil er weiß, er wird bald ...«

Sie verstummte. Aber ich wusste genau, was sie sagen wollte.

»... weil er weiß, er wird nicht mehr lange unter uns sein«, führte sie den Satz zu Ende. »Ich möchte nicht, dass er denkt, die Hochzeit soll das letzte große Fest sein, an dem er teilnimmt.«

»Ich glaube nicht, dass er das denkt. Er hat noch einige Jahre vor sich.«

»Hört sich an, als wärst du davon überzeugt.«

»Bin ich auch! Für sein Alter ist Noah unglaublich robust. Denk doch nur an die anderen Leute in Creekside! Die meisten gehen kaum nach draußen und sehen nur noch fern.«

»Ja, aber er geht nur zum Teich, zu diesem blöden Schwan. Als wäre das so viel besser!«

»Es macht ihn glücklich.«

»Aber es tut ihm nicht gut!«, rief Jane aufgebracht. »Siehst du das denn nicht? Mom lebt nicht mehr. Der Schwan hat nichts mit ihr zu tun.«

Ich wusste nicht, was ich sagen sollte. Also schwieg ich.

»Ich finde das völlig verrückt!«, fuhr Jane fort. »Dass er den Schwan füttert – meinetwegen, das ist ja in Ordnung. Aber dass er denkt, Moms Geist sei irgendwie zurückgekommen – das ist doch blanker Unsinn!« Sie verschränkte die Arme. »Ich habe gehört, wie er mit dem Schwan redet. Schon öfter. Er unterhält sich ganz normal mit ihm, als könnte der ihn verstehen! Kate und David haben ihn auch schon dabei erwischt. Und du genauso, das weiß ich.«

Sie fixierte mich vorwurfsvoll.

»Ja, stimmt.«

»Und? Beunruhigt es dich nicht?«

Ich verlagerte mein Gewicht. »Ich glaube, dass Noah das im Moment braucht.«

»Wie meinst du das?«

»Er muss glauben können, dass es so ist.«

»Aber warum?«

»Weil er sie liebt. Weil sie ihm fehlt.«

Janes Lippen zitterten. »Mir geht es genauso.«

Aber schon als sie das sagte, wussten wir beide, dass es nicht das Gleiche war.

Obwohl Jane und ich durch die Ereignisse der letzten Stunden wie ausgelaugt waren, hatten wir keine Lust, direkt nach Hause zu fahren. Jane erklärte, sie komme fast um vor Hunger. Also beschlossen wir, zu einem späten Abendessen ins Chelsea zu gehen.

Noch ehe wir das Restaurant betraten, hörte ich John Peterson am Klavier. Da er ein paar Wochen in der Stadt war, spielte er hier jedes Wochenende. An normalen Werktagen trat er jedoch nur selten auf. Aber heute war offenbar solch ein Abend. Die Tische um den Flügel herum waren alle besetzt, und auch an der Bar drängten sich die Menschen.

Wir nahmen oben auf der Galerie Platz, wo nur ein paar Gäste saßen, weit weg von der Musik und vom allgemeinen Gewimmel. Zu meiner Verblüffung bestellte Jane mit ihrer Vorspeise ein zweites Glas Wein. Wahrscheinlich hoffte sie, so die angestaute Spannung loszuwerden.

»Was hat Daddy eigentlich gesagt, als du allein bei ihm warst?«, fragte Jane, während sie sorgfältig eine Gräte aus ihrem Fisch entfernte.

»Nicht viel«, antwortete ich. »Ich habe ihn gefragt, wie es ihm geht und was genau passiert ist. Im Grunde hat er nichts anderes gesagt als nachher.«

Sie runzelte die Stirn. »Was heißt ›im Grunde‹?«

»Willst du es wirklich wissen?«

Sie legte das Besteck weg. »Er hat dich wieder gebeten, den Schwan zu füttern, stimmt's?«

»Ja, das stimmt.«

»Und? Wirst du es tun?«

»Selbstverständlich«, antwortete ich, aber als ich ihren gequälten Gesichtsausdruck sah, fügte ich noch schnell hinzu: »Bevor du dich aufregst, Jane – ich mache es nicht, weil ich denke, es ist Allie. Ich tue es, weil Noah mich darum gebeten hat und weil ich nicht möchte, dass der Schwan verhungert. Er hat wahrscheinlich längst verlernt, für sich selbst Futter zu suchen.«

Sie betrachtete mich skeptisch.

»Mom konnte Wonderbread nicht ausstehen. Diese laschen Toastscheiben hätte sie nie gegessen, sie hat ihr Brot immer selbst gebacken.«

Zum Glück rettete mich der Kellner vor einer längeren Debatte über dieses Thema. Der junge Mann erkundigte sich, ob wir mit der Vorspeise zufrieden seien. Ganz unvermittelt fragte ihn Jane, ob diese auch auf der Catering-Speisekarten stehe.

Der Kellner wusste gleich Bescheid. »Sind Sie das Paar, das am Wochenende die große Hochzeit feiert? In der alten Villa Calhoun?«

»Ja, genau!« Jane strahlte.

»Hab ich mir's doch gedacht. Ich glaube, die Hälfte unseres Personals wird vor Ort sein!« Er grinste. »Ich freue mich, Sie kennen zu lernen. Darf ich Ihnen nachgießen? Und die Catering-Karte bringe ich Ihnen natürlich gern.«

Kaum war er verschwunden, da beugte sich Jane zu mir.

»Ich glaube, damit sind all meine Fragen in puncto Service beantwortet.«

»Ich hab dir doch gesagt, du brauchst dir keine Sorgen zu machen.«

Sie leerte ihr Glas. »Meinst du, sie stellen ein Zelt auf? Wir essen doch im Freien, oder?«

»Warum nicht im Haus?«, fragte ich. »Ich bin sowieso dort, wenn die Gärtner kommen, also kann ich doch versuchen, auch eine Reinigungsfirma zu bestellen, die alles auf Vordermann bringt, meinst du nicht? Wir haben ja noch ein paar Tage – da finde ich bestimmt jemanden.«

»Versuchen können wir es ja«, sagte Jane bedächtig. Ich wusste, dass sie an das letzte Mal dachte, als sie in Noahs Haus gewesen war. »Du weißt ja, dass alles völlig verstaubt ist.«

»Ja, klar, aber es muss doch nur alles gründlich geputzt werden. Ich werde ein paar Unternehmen anrufen. Mal sehen, was sich machen lässt.«

»Das sagst du die ganze Zeit.«

»Ich muss ja auch dauernd etwas tun!«, entgegnete ich, und sie lachte freundlich. Durch das Fenster konnte ich auf die Kanzlei blicken. In Saxons Raum brannte noch Licht. Bestimmt hatte er etwas zu erledigen, was sich absolut nicht aufschieben ließ, denn Saxon machte sonst nur selten Überstunden. Jane bemerkte meinen Blick.

»Na, fehlt dir die Arbeit?«

»Nein, im Gegenteil – es ist schön, mal für eine Weile nicht ins Büro zu müssen.«

»Ehrlich?«

»Ja.« Ich zupfte an meinem Polohemd. »Schon deswegen, weil ich nicht die ganze Zeit mit Jackett und Krawatte herumlaufen muss.«

»Ich wette, du hattest ganz vergessen, wie sich das anfühlt, stimmt's? Schließlich hast du schon ewig keinen richtigen Urlaub mehr gemacht, seit mindestens ... acht Jahren?«

»Nein, das kann nicht wahr sein!«

Jane rechnete kurz nach, dann nickte sie. »Doch, es stimmt. Du hast zwar mal hier und da ein paar Tage freigenommen, aber 1995 war das letzte Mal, dass du eine ganze Woche Ferien hattest. Erinnerst du dich? Wir sind damals mit allen drei Kindern nach Florida gefahren. Joseph hatte gerade die Highschool abgeschlossen.«

Sie hatte selbstverständlich Recht. Früher hätte ich diese Arbeitswut nur positiv beurteilt, aber jetzt sah ich darin eher einen Fehler.

»Es tut mir sehr Leid.«

»Was?«

»Dass ich nicht häufiger Urlaub genommen habe. Das war dir und den Kindern gegenüber nicht fair. Ich hätte versuchen sollen, viel öfter mit euch etwas zu unternehmen.«

»Ist schon gut«, sagte sie und wedelte mit ihrer Gabel. »Halb so wild.«

»Ich sehe das inzwischen anders.«

Jane hatte sich zwar längst daran gewöhnt, dass für mich die Arbeit immer an erster Stelle stand, und sie betrachtete meinen Fleiß als Teil meines Charakters, aber geärgert hatte sie sich trotzdem immer wieder, das war mir klar. Weil ich wusste, dass sie mir jetzt zuhören würde, fuhr ich fort:

»Und ich möchte mich nicht nur dafür bei dir entschuldigen. Mir tut so vieles Leid! Es tut mir Leid, dass die Arbeit mir so oft dazwischen gefunkt hat und ich mich nicht dagegen gewehrt habe. Wie viel habe ich deswegen versäumt, als die Kinder noch zu Hause waren! Zum Beispiel die Geburtstagspartys ... Ich weiß gar nicht, wie viele mir entgangen sind, nur weil ich noch irgendeine Sitzung hatte, die ich unmöglich verschieben konnte. Und dann die Volleyballspiele, die Leichtathletikwettbewerbe, die Klaviervorspiele, die Theaterstücke, die in der Schule aufgeführt wurden ... Es ist ein Wunder, dass die Kinder mir verziehen haben und mich sogar ganz nett finden.«

Jane nickte stumm. Was hätte sie sagen wollen? Ich war außerdem noch lange nicht fertig.

»Ich weiß, dass ich nicht immer der ideale Ehemann war«, sagte ich leise. »Gelegentlich frage ich mich sogar, wie du es so lange mit mir ausgehalten hast.«

Nun zog sie erstaunt die Augenbrauen hoch. Ich kannte dieses Mienenspiel, diese wortlose Frage, ließ mich aber nicht unterbrechen.

»Du hast viel zu viele Abende und Wochenenden allein verbringen müssen. Und ich habe die gesamte Verantwortung für die Kindererziehung dir überlassen. Das war nicht fair. Und selbst als du sagtest, du würdest gern öfter etwas mit mir unternehmen, habe ich dir nicht richtig zugehört. Zum Beispiel an deinem dreißigsten Geburtstag.« Ich machte eine kleine Pause, weil ich meine Worte auf sie wirken lassen wollte. Ihren Augen konnte ich ansehen, dass sie genau wusste, worauf ich anspielte. Mein Verhalten an ihrem dreißigsten Geburtstag gehörte zu den zahlreichen Fehlern, die ich begangen hatte und die ich am liebsten ungeschehen gemacht hätte.

Jane hatte damals eine schlichte Bitte geäußert: Ausgelaugt von den Strapazen ihrer Mutterrolle, wollte sie sich gern einmal wieder ganz als Frau fühlen – wenigstens ein paar Stunden lang. Sie hatte mehrfach Andeutungen gemacht, wie solch ein romantischer Abend aussehen könnte: ein Kleid, das auf dem Bett ausgebreitet auf sie wartete, Blumen, ein Taxi, das uns in ein stilles Restaurant brachte, ungestörte Gespräche, bei denen sie nicht dauernd im Hinterkopf haben musste, dass sie eigentlich längst zu Hause erwartet wurde. Mir war völlig klar gewesen, wie viel ihr das bedeutete, und ich hatte mir fest vorgenommen, ihr diesen Wunsch zu erfüllen, Punkt für Punkt. Aber kurz zuvor verwickelte ich mich auswegslos in eine chaotische Erbschaftsangelegenheit, bei der es um riesige Summen ging. Janes Geburtstag rückte immer näher, und ich hatte nichts, aber auch gar nichts vorbereitet. In letzter Minute bat ich meine Sekretärin, ein elegantes Armband, besetzt mit kleinen Juwelen, für sie auszusuchen, und auf dem Weg nach Hause versuchte ich mir einzureden, dieses Geschenk sei ein vollwertiger Ersatz, da es immens teuer gewesen war. Bestimmt würde sich Jane genauso darüber freuen wie über einen gemeinsamen Abend. Als sie den Schmuck auspackte, versprach ich ihr, schon ganz bald einen romantischen Abend zu arrangieren, der all ihre Träume noch weit übertreffen würde. Aber es kam, wie es kommen musste – ich löste dieses Versprechen nie ein, genau wie viele, viele andere, weil immer etwas dazwischenkam. Und Jane hatte das genauso wenig vergessen wie ich, davon bin ich felsenfest überzeugt.

Der Gedanke an all die vergeudeten Möglichkeiten ließ mich verstummen. Ratlos rieb ich mir die Stirn und schob meinen Teller beiseite. Bedeutete für mich die Vergangenheit wirklich nichts anderes als eine endlose Abfolge von Versäumnissen? So schien es mir jetzt, während diese Erinnerungen an mir vorbeizogen. Da spürte ich Janes Blick. Zu meinem Erstaunen nahm sie meine Hand.

»Wilson? Fehlt dir etwas?« Ihre Stimme klang besorgt, ja zärtlich – ein Tonfall, den ich gar nicht mehr von ihr gewohnt war.

Ich schüttelte den Kopf. »Nein, nein.«

»Darf ich dich etwas fragen?«

»Selbstverständlich.«

»Warum sprichst du heute Abend über all diese Dinge, die du bedauerst? Hat Daddy etwas zu dir gesagt?«

»Nein.«

»Warum dann?«

»Ich weiß es nicht – vielleicht liegt es an der Hochzeit.« Ich lächelte verlegen. »Jedenfalls muss ich seit Tagen an diese Versäumnisse denken.«

»Das ist doch sonst nicht deine Art.«

»Du hast Recht. Aber das ändert nichts daran, dass ich viele Fehler gemacht habe.«

Jane legte den Kopf schief. »Na ja – ich bin auch nicht gerade perfekt.«

»Aber du bist wesentlich näher dran als ich.«

»Das stimmt.«

Wider Willen musste ich lachen, und die Atmosphäre entspannte sich ein wenig.

»Und es stimmt auch, dass du wahnsinnig viel gearbeitet hast«, fuhr sie fort. »Vermutlich viel zu viel. Aber ich habe immer gewusst, du tust es für deine Familie, du willst gut für uns sorgen. Das hat sehr viele positive Seiten – zum Beispiel konnte ich zu Hause bleiben und ganz für die Kinder da sein. Das war mir immer extrem wichtig.«

Ich lächelte. In ihren Worten schwang so viel Verständnis mit – ich konnte mich wirklich glücklich schätzen. Lächelnd beugte ich mich zu ihr.

»Weißt du, worüber ich außerdem nachgedacht habe?«

»Ich bin gespannt!«

»Ich habe mich gefragt, wieso du mich überhaupt geheiratet hast.«

Ihr Gesicht wurde weich, ihr Blick liebevoll.

»Sei nicht so streng mit dir. Ich hätte dich niemals geheiratet, wenn ich dich nicht gewollt hätte.«

»Warum hast du mich geheiratet?«

»Aus Liebe.«

»Und worauf beruhte diese Liebe?«

»Ach, da könnte ich alles Mögliche nennen.«

»Zum Beispiel?«

»Soll ich ein paar Sachen aufzählen?«

»Ja, bitte, mach mir die Freude. Ich habe dir gerade all meine Geheimnisse anvertraut.«

Sie lächelte über meine Beharrlichkeit.

»Also, gut. Warum habe ich dich geheiratet? Du warst ehrlich, fleißig und hilfsbereit. Du warst höflich und geduldig und viel erwachsener als alle Männer, mit denen ich vor dir ausgegangen war. Und wenn wir zusammen waren, hast du mir immer so aufmerksam zugehört, dass ich mir vorkam wie die interessanteste Frau auf der Welt. Du hast mir das Gefühl gegeben, vollkommen zu sein, und es erschien mir einfach richtig, mit dir mein Leben zu teilen.«

Nach einer kurzen Pause fügte sie hinzu: »Aber es ging nicht nur um meine Gefühle. Je länger ich dich kannte, desto deutlicher sah ich, dass du für deine Familie alles, aber auch wirklich alles tun würdest. Genau das habe ich gebraucht. Du weißt ja so gut wie ich, dass es damals viele Leute gab, die die Welt verändern wollten. Das fand ich zwar in vielen Punkten richtig, aber ich wollte trotzdem eine ganz normale Familie haben, so wie meine Eltern. Ich wünschte mir Kinder – und ich habe jemanden gesucht, der diesen Wunsch respektieren und mich darin unterstützen würde.«

»Und? Bin ich deinen Ansprüchen gerecht geworden?«

»Größtenteils, ja.«

Ich lachte. »Aber du hast noch gar nicht erwähnt, dass ich fantastisch aussah und außerdem hinreißend charmant war.«

»Du wolltest doch die Wahrheit hören, oder?«, fragte sie schmunzelnd.

Wieder lachte ich, und sie drückte meine Hand.

»Aber jetzt mal Scherz beiseite – ich war damals immer begeistert davon, wie du ausgesehen hast, wenn du morgens in deinem Anzug zur Arbeit gingst. So groß, so schlank, ein ehrgeiziger junger Anwalt, der seiner Familie ein schönes Leben schenken will. Ausgesprochen attraktiv!«

Bei diesen Worten wurde mir warm ums Herz. Während der nächsten Stunde – wir gingen die Catering-Speisekarte durch, tranken dazu noch einen Kaffee und lauschten der Musik, die dezent von unten zu uns heraufdrang – spürte ich, dass Jane mich immer wieder musterte. Ich glaubte sogar, ein gewisses Interesse ihrerseits zu spüren. Auch das war ich nicht mehr gewohnt, und die Wirkung war Schwindel erregend. Dachte sie noch immer darüber nach, weshalb sie mich geheiratet hatte? Bedauerte sie ihre Entscheidung – oder war sie etwa doch froh darüber?

KAPITEL 10

Als ich am Dienstagmorgen aufwachte, war es draußen noch dunkel. Weil ich Jane nicht wecken wollte, stand ich ganz leise auf, und nachdem ich mich angekleidet hatte, schlich ich die Treppe hinunter und verließ das Haus. Über mir wölbte sich der pechschwarze Nachthimmel. Selbst die Vögel schlummerten noch, aber wir hatten schon sehr milde Temperaturen, und der Asphalt war feucht, weil es in der Nacht geregnet hatte. Man spürte bereits die ersten Anzeichen dafür, dass es ein schwüler Tag werden würde. Nur gut, dass ich mich schon so früh auf den Weg gemacht hatte!

Ich begann zu laufen, zuerst langsam, doch sobald meine Muskeln sich aufgewärmt hatten, beschleunigte ich den Rhythmus. Im vergangenen Jahr hatte ich mich so an die Joggerei gewöhnt, dass sie mir inzwischen mehr Spaß machte, als ich je zu hoffen gewagt hätte. Ursprünglich hatte ich geplant, sie zu reduzieren, sobald ich genug abgenommen hatte. Aber stattdessen verlängerte ich die Strecke und notierte mir immer, wie lange ich brauchte.

Außerdem sehnte ich mich immer richtig nach der morgendlichen Stille. Um diese Zeit war kaum ein Auto unterwegs, und meine Sinne schienen erheblich aufnahmefähiger zu sein als sonst. Ich hörte meinen Atem, fühlte den Druck, wenn meine Füße auf dem Asphalt aufkamen, beobachtete, wie die Dämmerung allmählich anbrach – zuerst ein blasser Lichtstreifen am Horizont, dann ein orangerotes Leuchten über den Baumwipfeln, und nach und nach ging das nächtliche Schwarz in sanftes Grau über. Selbst an trüben Tagen freute ich mich schon beim Aufwachen auf das Joggen. Ich hätte schon viel früher damit anfangen sollen!

Wie immer joggte ich eine Dreiviertelstunde. Gegen Schluss verlangsamte ich das Tempo, damit sich die Atemfrequenz beruhigte. Der Schweiß stand mir auf der Stirn, aber es war ein tolles Gefühl. Als ich sah, dass in der Küche bereits Licht brannte, bog ich mit einem fröhlichen Lächeln in unsere Auffahrt ein.

Schon an der Haustür schlug mir der Duft von gebratenem Speck entgegen, ein Geruch, der mich an unser früheres Leben erinnerte. Als die Kinder noch zu Hause waren, bereitete Jane meistens ein Familienfrühstück zu, aber in letzter Zeit hatte sich das geändert, weil unsere Tagesabläufe so verschieden waren. Auch das gehörte zu den Veränderungen, die sich fast unbemerkt in unsere Beziehung eingeschlichen hatten.

Als ich durchs Wohnzimmer tappte, steckte Jane den Kopf zur Tür herein. Sie war bereits angezogen und hatte eine Schürze umgebunden.

»Wie war's?«, erkundigte sie sich.

»Ich fühle mich fit – jedenfalls für einen älteren Herrn.« Ich ging zu ihr in die Küche. »Du bist heute aber auch schon ganz schön früh auf den Beinen.«

»Ich habe gehört, wie du dich aus dem Schlafzimmer geschlichen hast«, antwortete sie. »Und als ich merkte, dass ich nicht mehr einschlafen kann, bin ich aufgestanden. Möchtest du eine Tasse Kaffee?«

»Ich glaube, vorher brauche ich einen Schluck Wasser. Was gibt's zum Frühstück?«

»Rührei mit Speck«, sagte sie und holte ein Glas aus dem Schrank. »Ich hoffe, das ist dir recht. Wir waren zwar gestern Abend noch spät essen, aber ich hatte trotzdem beim Aufwachen gleich einen Bärenhunger.« Sie füllte das Glas mit Leitungswasser und reichte es mir. »Wahrscheinlich sind es die Nerven«, fügte sie mit einem Grinsen hinzu.

Als ich das Glas entgegennahm, spürte ich die Berührung ihrer Finger. Vielleicht bildete ich es mir nur ein, aber ich hatte das Gefühl, dass Jane mich länger anschaute als sonst.

»Ich gehe kurz unter die Dusche und zieh mir was Frisches an«, sagte ich. »Bleibt mir noch genug Zeit, oder ist das Frühstück schon fertig?«

»Du hast noch ein paar Minuten«, erwiderte sie. »Ich mache schon mal ein paar Scheiben Toast.«

Als ich wieder nach unten kam, war Jane dabei, die Eier zu verteilen. Mit einem wohligen Seufzer setzte ich mich zu ihr.

»Ich muss entscheiden, ob wir bei der Brautkleidsuche in Greensboro übernachten sollen oder nicht«, sagte sie.

»Und?«

»Es hängt davon ab, was Dr. Barnwell sagt. Wenn er denkt, Daddy ist wieder stabil, wäre es vermutlich ganz praktisch, wir würden nach Greensboro fahren. Es sei denn, wir finden doch noch hier ein Kleid. Sonst muss ich morgen früh hinfahren. Aber ich lasse mein Handy an – nur für den Fall ...«

Ich kaute genüsslich meinen Speck. »Ich kann mir nicht vorstellen, dass es nötig sein wird. Wenn sich Noahs Zustand verschlechtert hätte, wüssten wir das schon, meinst du nicht? Dr. Barnwell hätte angerufen. Du weißt doch, wie gut er sich um Noah kümmert.«

»Ich warte aber trotzdem ab, bis ich mit ihm gesprochen habe.«

»Ja, das würde ich an deiner Stelle auch tun. Und sobald die Besuchszeit anfängt, fahre ich zu Noah.«

»Mach dich darauf gefasst, dass er schlecht gelaunt ist. Er kann Krankenhäuser nicht ausstehen.«

»Wer kann das schon? Außer vielleicht bei einer Entbindung. Aber sonst ist doch niemand gern im Krankenhaus.«

Jane strich sich Butter auf ihren Toast. »Was hast du mit dem Haus vor? Meinst du wirklich, dass genug Platz für alle Gäste ist?«

Ich nickte. »Der Platz reicht garantiert – wir müssen nur die Möbel raustragen. Wir könnten sie für ein paar Tage in der Scheune unterstellen.«

»Und du willst jemanden anheuern, der die Schlepperei übernimmt?«

»Zur Not, ja. Aber ich glaube, es gibt eine andere Lösung. Der Gärtner kommt mit seinem ganzen Team. Er hat sicher nichts dagegen, wenn ich ihm die Männer für ein paar Minuten ausspanne.«

»Aber sieht nicht alles furchtbar kahl und leer aus, ohne Möbel?«

»Das ändert sich, sobald die Tische da sind. Das Büfett können wir neben den Fenstern aufbauen, und vor dem Kamin sollte Platz frei bleiben, damit man tanzen kann.«

»Tanzen? Aber wir haben doch gar keine Musik.«

»Ich weiß, aber der Punkt ›Musik‹ steht auch auf meiner Liste für heute. Zuerst will ich mich um eine Reinigungsfirma bemühen, dann spreche ich mit dem Chelsea den Speiseplan ab – und anschließend bleibt mir sicher noch Zeit für die musikalische Untermalung.«

»Du klingst, als hättest du das alles schon genau durchdacht.«

»Was glaubst du, was ich gemacht habe, während ich durch die Straßen gejoggt bin?«

»Gekeucht, gehechelt, geschwitzt.«

Ich lachte. »Hör zu – ich bin gut in Form. Heute habe ich sogar einen anderen Läufer überholt.«

»War es wieder der alte Mann mit der Gehhilfe?«

»Ha, ha!« Ich spielte den Gekränkten, aber eigentlich gefiel es mir, wenn sie mich aufzog. Gab es einen Zusammenhang zwischen ihrem Verhalten jetzt und den Blicken von gestern Abend? Dass sich irgendetwas verändert hatte, war keine Einbildung meinerseits, so viel war sicher, auch wenn ich den Grund nicht benennen konnte.

»Übrigens – vielen Dank, dass du Frühstück für uns beide gemacht hast.«

»Das ist doch das Mindeste, was ich für dich tun kann. Du hast mir diese Woche schon so viel geholfen. Und du hast zweimal nacheinander Abendessen gekocht.«

»Ja, stimmt. Ich bin schon fast ein Heiliger.«

»So weit würde ich nicht gehen.«

»Ach, nein?«

»Nein. Aber ohne dich wäre ich inzwischen sicher schon durchgedreht.«

»Und du wärst verhungert.«

Sie lächelte. »Ich brauche deinen Rat«, sagte sie. »Was hältst du von einem ärmellosen Kleid? Mit einer gefassten Taille und einem halblangen Schleier?«

Ich stützte nachdenklich das Kinn auf. »Klingt nicht übel«, sagte ich. »Aber ich glaube, in einem Smoking würde ich besser aussehen.«

Jane verdrehte die Augen, und ich hob unschuldig die Hände.

»Ach – du meinst, für Anna!«, sagte ich. Dann zitierte ich Noah: »Egal, was sie trägt – sie wird sehr hübsch aussehen.«

»Also – du hast keine Meinung dazu.«

»Ich weiß doch nicht mal richtig, was eine gefasste Taille ist.«

»Männer!«, stöhnte sie.

»Du hast Recht – es ist ein Wunder, dass wir nicht schon längst ausgestorben sind.«

Dr. Barnwell rief kurz nach acht an. Noah gehe es den Umständen entsprechend ausgezeichnet, berichtete er, sie hätten vor, ihn im Verlauf des Tages oder spätestens am nächsten Morgen zu entlassen. Mit einem Seufzer der Erleichterung reichte ich den Hörer an Jane weiter. Sie hörte andächtig zu, während der Arzt seine Informationen wiederholte. Dann rief sie Noah an, der ihr zuredete, sie solle ruhig mit Anna nach Greensboro fahren.

»Ich glaube, ich muss ein paar Sachen zusammenpacken«, sagte sie, nachdem sie aufgelegt hatte.

»Gute Idee.«

»Aber es wäre mir lieber, wenn wir hier und heute fündig würden.«

»Klar – aber falls nicht, dann genieße es trotzdem. Die Gelegenheit kommt nicht wieder.«

»Na ja – wir haben immerhin noch zwei Kinder!«, sagte sie lachend. »Das hier ist erst der Anfang.«

»Das wollen wir doch hoffen!«

Eine Stunde später fuhr Keith vor. Anna stieg aus, ein kleines Köfferchen in der Hand. Jane war noch oben, um ihre Sachen zu packen, und ich öffnete die Haustür, als meine Tochter, wie immer in Schwarz, den Weg entlang kam.

»Hi, Daddy!«, rief sie.

Ich trat auf die Veranda. »Hallo, Liebling. Wie fühlst du dich?«

Sie stellte ihren Koffer ab und umarmte mich.

»Hervorragend«, sagte sie. »Die Vorbereitungen machen mir unheimlich Spaß. Zuerst war ich ja nicht sehr begeistert, aber eigentlich finde ich jetzt alles sehr lustig. Mom blüht richtig auf. Du müsstest sie sehen, wie sie durch die Geschäfte zieht! Ich hab sie schon lange nicht mehr so munter und vergnügt erlebt.«

»Wie schön.«

Anna lächelte, und ich war wieder einmal verblüfft, wie erwachsen sie aussah. Dabei war es doch noch gar nicht lange her, dass ein kleines Mädchen mit großen dunklen Augen vor mir stand. Wo war nur die Zeit geblieben?

»Ich kann es kaum erwarten!«, flüsterte sie.

»Mir geht es genauso.«

»Schaffst du es, das Haus entsprechend herzurichten?«

Ich nickte.

Sie schaute sich um, und an ihrem Gesichtsausdruck konnte ich ablesen, was jetzt kommen würde.

»Wie läuft es zwischen dir und Mom?«

Diese Frage hatte sie mir das erste Mal gestellt, nachdem Leslie ein paar Monate auf dem College war. Im vergangenen Jahr hatte sie sich in regelmäßigen Abständen nach unserem Befinden erkundigt – allerdings nie, wenn Jane in der Nähe war. Zuerst hatte mich die Frage verunsichert, aber inzwischen war ich schon darauf gefasst.

»Gut.« Das war meine Standardantwort, aber ich wusste, dass Anna mir nicht immer glaubte.

Diesmal jedoch fiel sie mir um den Hals und flüsterte: »Ich hab dich lieb, Daddy!«

»Ich dich auch, mein Schatz.«

»Mom hat wirklich Glück mit dir«, sagte sie. »Vergiss das nie.«

»Okay«, sagte Jane. »Dann werde ich mich jetzt mal auf den Weg machen.« Wir standen noch in der Einfahrt, während Anna schon im Auto wartete. »Du rufst mich an, wenn irgendetwas ist – versprochen?«

»Großes Ehrenwort«, sagte ich. »Und gib Leslie einen Kuss von mir.«

Man ahnte schon wieder die Gluthitze, die Luft war feucht und schwer.

»Macht euch einen schönen Tag«, murmelte ich. Es fiel mir schwer, sie gehen zu lassen.

Jane nickte und ging zum Wagen. Ich folgte ihr mit den Augen. Sie war immer noch eine extrem attraktive Frau, die jedem Mann den Kopf verdrehen konnte. Wie war es möglich, dass ich ein älterer Herr geworden war, während ihr die Zeit anscheinend nichts anhaben konnte? Ich vermochte es mir nicht zu erklären. Irgendwie war es mir auch egal – aber ehe ich mich bremsen konnte, waren die Worte schon heraus:

»Du bist wunderschön«, murmelte ich.

Jane drehte sich überrascht um. Ich hätte ihre Antwort abwarten können, aber stattdessen tat ich etwas, was ich schon lange nicht mehr getan hatte, was mir früher jedoch absolut natürlich erschienen wäre. Ich ging zu ihr und küsste sie auf den Mund.

Dieser Kuss war anders als unsere Küsse sonst. Seit langem hatten wir uns immer nur schnell und oberflächlich geküsst, wie gute Bekannte, die sich freundschaftlich begrüßen. Aber dieser Kuss war voller Leben, voller Leidenschaft. Als wir uns trennten und ich ihr Gesicht sah, wusste ich, dass ich genau das Richtige getan hatte.

KAPITEL 11

Der Kuss ging mir den ganzen Tag nicht aus dem Sinn.

Schon bald nach dem Abschied stieg ich in meinen eigenen Wagen, um mein Tagesprogramm zu beginnen. Ich fuhr kurz zum Supermarkt und dann weiter nach Creekside. Allerdings ging ich nicht direkt zum Teich, sondern schaute vorher in Noahs Zimmer vorbei.

Wie immer roch es auf den Fluren nach Putz- und Desinfektionsmittel. Die Fliesen und die langen Korridore erinnerten mich an das Krankenhaus, und als ich einen Blick in den Gemeinschaftsraum warf, fiel mir auf, dass nur wenige Stühle belegt waren. In der Ecke spielten zwei Männer Mühle, ein paar Leute sahen fern. Eine Schwester saß mit gesenktem Kopf hinter einem Schreibtisch, sie bemerkte mich gar nicht.

Der plärrende Fernseher verfolgte mich regelrecht, und ich war froh, als ich in Noahs Zimmer die Tür hinter mir zumachen konnte. Viele der Bewohner hier gaben ihren Räumen keine persönliche Note, aber Noah hatte sein Zimmer gestaltet, es wirklich zu seiner Heimat gemacht. Über seinem Sessel hing ein Gemälde von Allie, ein See mit Seerosen in einem wunderschönen Garten. Die Szenerie erinnerte stark an Monet. Auf den Regalen standen gerahmte Fotos von den Kindern und von Allie, andere waren mit Reißnägeln an der Wand befestigt. Noahs Strickjacke lag auf dem Bett, und in der Ecke befand sich der alte Sekretär, der früher im Familienwohnzimmer gestanden hatte. Ursprünglich hatte er Noahs Vater gehört, und man sah ihm sein Alter an, überall Kratzer, Schrammen und Tintenflecken – bis heute benutzt Noah einen altmodischen Füllfederhalter.

Ich wusste, dass Noah abends immer an diesem Schreibtisch saß. In den Schubladen befanden sich die Schätze, die er über alles liebte: das Notizbuch, in dem er die Liebesgeschichte mit Allie festgehalten hatte, seine in Leder gebundenen Tagebücher, deren Seiten schon vergilbten, die unzähligen Briefe, die er und Allie sich im Laufe der Jahre geschrieben hatten, sowie ihr allerletzter Brief. Außerdem getrocknete Blumen, Zeitungsausschnitte über Allies Ausstellungen, besondere Geschenke von den Kindern und Walt Whitmans Gedichtband *Grashalme*, der ihn schon durch den Zweiten Weltkrieg begleitet hatte.

Wahrscheinlich machten sich meine Anwalt-Antennen bemerkbar – jedenfalls fragte ich mich, was aus all diesen Dingen werden sollte, wenn Noah einmal nicht mehr unter uns war. Wie konnte man diese Erinnerungsstücke unter seinen Kindern verteilen? Die einfachste Lösung war immer, wenn alle gleich viel bekamen, aber das war in diesem Fall ja nicht möglich. Wer würde das Notizbuch bei sich zu Hause aufbewahren? Wessen Kommode würde die Briefe oder die Tagebücher aufnehmen? Geld und Wertstücke aufzuteilen war gar nicht so schwierig – aber was war mit den Schätzen des Herzens?

Die Schubladen waren nicht abgeschlossen. Noah würde in ein, zwei Tagen wieder hier sein, aber ich suchte trotzdem ein paar Kleinigkeiten zusammen, von denen ich annahm, dass er sie im Krankenhaus gern bei sich hätte.

Im Vergleich zu den klimatisierten Räumen des Heims war die Luft draußen schwül und drückend. Mir brach sofort der Schweiß aus. Der Park war wie immer menschenleer. Ich ging den Kiesweg entlang und hielt dabei Ausschau nach der Wurzel, über die Noah gestolpert war. Ich entdeckte sie nicht gleich – sie gehörte zu einem riesigen Magnolienbusch und schlängelte sich über den Weg. Ich musste an eine Kobra denken, die ein Sonnenbad nimmt.

Wie ein Spiegel reflektierte der Teich den Himmel, und einen Moment lang ließ ich mich von den Wolken verzaubern, die träge über das Wasser zogen. Es roch ein bisschen nach Salzwasser. Sobald ich mich auf die Bank setzte, tauchte in der Ferne der Schwan auf und kam langsam auf mich zugeschwommen.

Ich öffnete die Packung Wonderbread, rupfte die erste Scheibe in kleine Stückchen, so wie Noah es immer machte, und warf ein Stück ins Wasser. Stimmte es, was Noah im Krankenhaus gesagt hatte? War der

Schwan tatsächlich die ganze Zeit bei ihm geblieben? Ich zweifelte nicht daran, dass er, als er wieder zu sich kam, den Schwan gleich gesehen hatte – die Schwester, die ihn gefunden hatte, konnte es bestätigen –, aber hatte der Schwan wirklich bei ihm Wache gehalten? Niemand wusste es mit Sicherheit, doch tief in meinem Inneren glaubte ich daran.

Allerdings war ich nicht bereit, Noah noch weiter zu folgen. Der Schwan war bei ihm geblieben, weil Noah ihn immer fütterte und sich um ihn kümmerte, er war wie ein Haustier. Aber mit Allie oder mit Allies Geist hatte das nichts zu tun. So etwas konnte ich mir beim besten Willen nicht vorstellen.

Der Schwan beachtete das Brot gar nicht, sondern schaute mich nur an. Sehr eigenartig. Als ich das zweite Stück ins Wasser warf, musterte er es kurz und wandte sich dann wieder mir zu.

»Nun friss schon«, murmelte ich. »Ich habe nicht den ganzen Tag Zeit.«

Unter der Wasseroberfläche konnte ich die Füße des Schwans sehen: Er paddelte langsam hin und her, um an derselben Stelle zu bleiben.

»Mach schon«, drängte ich leise. »Du kennst mich doch – ich habe dich früher schon mal gefüttert.«

Ich warf ein drittes Stück Brot ins Wasser, es landete mit einem sanften *Plopp* direkt vor ihm. Aber wieder reagierte der Schwan kaum.

»Hast du denn keinen Hunger?«, fragte ich.

In dem Moment hörte ich, wie hinter mir zischend der Rasensprenger anging. Ich warf einen Blick hinauf zu Noahs Fenster, in dem sich die Sonne spiegelte. Was sollte ich tun? Mir blieb nichts anderes übrig, als es mit einem vierten Bröckchen zu probieren. Ohne Erfolg.

»Er hat gesagt, ich soll hierher kommen.«

Der Schwan streckte den Hals und plusterte die Flügel. Plötzlich wurde mir klar, dass ich genau das machte, was alle an Noah so befremdlich fanden: Ich redete mit dem Schwan, als könne er mich verstehen.

Als wäre er Allie?

Natürlich nicht! Der Gedanke lag mir absolut fern. Die Menschen redeten doch auch mit Hunden und Katzen, sie redeten mit Pflanzen, und manchmal schrien sie ihren Fernseher an, vor allem bei Sportwettkämpfen oder Baseballspielen. Jane und Kate brauchten sich eigentlich gar keine Sorgen zu machen. Noah saß jeden Tag stundenlang auf dieser Bank – da wäre es eher Besorgnis erregend gewesen, wenn er *nicht* mit dem Schwan sprechen würde!

Andererseits – dass er mit ihm redete, mochte ja ganz normal sein, aber dass er glaubte, Allie sei zu ihm zurückgekommen? Und davon war Noah immerhin felsenfest überzeugt.

Die Brotstückchen waren verschwunden. Sie hatten sich mit Wasser voll gesogen und waren untergegangen. Doch der Schwan ließ mich immer noch nicht aus den Augen. Ich versuchte mein Glück ein letztes Mal, und als der Schwan auch dieses Stück Brot ignorierte, beschloss ich, meine Taktik zu ändern. Ich schaute mich um, weil ich sicher sein wollte, dass mich niemand beobachtete. Ich musste es versuchen. Warum auch nicht? Es war meine einzige Chance. Ich beugte mich vor und fing an, mit leiser Stimme zu reden.

»Es geht ihm gut. Ich habe ihn gestern im Krankenhaus besucht. Und heute Morgen habe ich noch einmal mit dem Arzt gesprochen. Morgen wird er entlassen und kommt wieder hierher.«

Der Schwan schien über meine Worte nachzudenken. Und dann geschah etwas, womit ich nie gerechnet hätte. Mir lief ein Schauer über den Rücken – der Schwan begann zu fressen.

Im Krankenhaus dachte ich zuerst, ich hätte mich in der Tür geirrt.

Ich kenne Noah jetzt schon seit so vielen Jahren, aber ich habe noch nie erlebt, dass er fernsieht! Zu Hause hatte er zwar einen Fernsehapparat, aber der war vor allem für die Kinder gedacht gewesen, solang sie noch klein waren. Und als ich in sein Leben trat, wurde er nur noch selten angemacht. Die Abende verbrachte man meistens auf der Veranda, man erzählte sich Geschichten, manchmal wurde gesungen, und Noah spielte dazu Gitarre, oder man saß einfach nur beisammen, plauderte oder horchte auf das Zirpen der Grillen und Zikaden. An kühleren Abenden machte Noah ein Feuer im Kamin, und die Familie verlegte ihre Aktivitäten ins Wohnzimmer. Manchmal machte es sich jeder in einer anderen Ecke des Raumes mit einem Buch bequem – auf dem Sofa oder in einem der Schaukelstühle. Dann hörte man nur das leise Rascheln, wenn jemand eine Seite umblätterte.

Es war wie eine Szene aus einer längst vergangenen Zeit, als es noch das Wichtigste im Leben war, dass man Zeit mit der Familie verbrachte, und ich hatte mich immer sehr auf diese Stunden gefreut. Sie erinnerten mich an die Abende mit meinem Vater, wenn er seine Schiffe baute. Mir war klar, dass vielen Menschen das Fernsehen als eine Art Zuflucht diente, obwohl es doch eigentlich nichts Beruhigendes oder Friedliches hat. Noah war dem Sog immer entkommen – bis zu jenem Morgen.

Schon als ich die Tür öffnete, schlug mir das Geplapper aus dem Fernseher entgegen. Noah saß im Bett, ein Kissen im Rücken, und starrte gebannt auf den Bildschirm. Er bemerkte gar nicht, dass ich die Dinge in der Hand hielt, die ich aus seinem Schreibtisch genommen hatte.

»Guten Tag, Noah«, sagte ich, aber er antwortete nicht wie sonst, sondern schüttelte nur ratlos den Kopf.

»Komm mal her«, sagte er und winkte mich zu sich. »Du wirst es nicht glauben, was da läuft.«

Ich trat näher. »Was guckst du dir an?«

»Keine Ahnung«, sagte er, den Blick wieder auf die Mattscheibe gerichtet. »Irgendeine Talkshow. Ich dachte, es sei etwas Seriöses, so wie Johnny Carson, aber das stimmt nicht. Du kannst dir nicht vorstellen, worüber diese Leute reden.«

Ich dachte natürlich gleich an diese vulgären Sendungen, bei denen ich mich immer frage, wie ihre Produzenten nachts ruhig schlafen können. Und tatsächlich hatte er einen der entsprechenden Sender eingestellt. Ich brauchte gar nicht hinzuhören, um zu erfahren, worum es ging – die Themen waren alle gleichermaßen widerlich, alles wurde möglichst sensationell aufgebauscht, und für die Gäste gab es nur ein Ziel: Sie wollten unbedingt im Fernsehen auftreten, gleichgültig, wie gnadenlos sie gedemütigt und lächerlich gemacht wurden.

»Warum guckst du ausgerechnet dieses Programm?«

»Ich hatte doch keine Ahnung!«, schimpfte er. »Ich wollte Nachrichten sehen, aber als ich den Fernseher anmachte, kam gerade Werbung, und schon fing dieser Quatsch an. Aber dann konnte ich nicht mehr abschalten. Es ist wie bei einem Unfall auf der Autobahn – man muss einfach hinsehen.«

Ich setzte mich auf die Bettkante. »Ist es denn so schlimm?«

»Ich sag's mal so: Ich möchte heutzutage nicht jung sein. Mit unserer Gesellschaft geht es rapide bergab, und ich bin froh, dass ich nicht mehr hier sein werde, wenn der Aufprall kommt.«

Ich lächelte. »Du klingst wie ein alter Mann, Noah.«

»Kann schon sein, aber das heißt nicht, dass ich Unrecht habe.« Er griff zur Fernbedienung. Gleich darauf war es still im Zimmer.

Ich legte die mitgebrachten Sachen auf sein Bett.

»Ich dachte, du könntest dir vielleicht hiermit ein bisschen die Zeit vertreiben. Sofern du nicht doch lieber fernsehen möchtest.«

Er strahlte, als er das Päckchen Briefe und Whitmans *Grashalme* sah. Zärtlich strich er über den ramponierten Umschlag. »Du bist ein feiner Kerl, Wilson«, sagte er. »Ich nehme an, du warst gerade am Teich?«

»Vier Scheiben am Morgen«, informierte ich ihn.

»Wie geht es ihr?«

Ich setzte mich anders hin. Was sollte ich antworten?

»Ich glaube, du fehlst ihr«, sagte ich schließlich.

Er nickte zufrieden. Dann richtete er sich auf und fragte: »Ist Jane mit Anna unterwegs?«

»Ja, sie sind vor einer Stunde losgefahren.«

»Und Leslie?«

»Sie trifft sich in Raleigh mit ihnen.«

»Das wird wirklich eine schöne Sache«, murmelte er. »Das Wochenende, meine ich. Wie klappt's denn so? Was ist mit dem Haus?«

»Es läuft alles gut«, sagte ich. »Am Donnerstag wird dann das Haus hergerichtet. Eigentlich bin ich optimistisch.«

»Was hast du heute vor?«

Ich zählte auf, was alles auf meiner Liste stand, und er pfiff anerkennend durch die Zähne. »Klingt, als hättest du noch einiges vor dir.«

»Stimmt. Aber bisher war das Glück auf meiner Seite.«

»Das würde ich auch sagen«, sagte er. »Nur ich hätte dich beinah im Stich gelassen! Mein Sturz hätte alles vermasseln können.«

»Ja, aber – wie gesagt, das Glück ist auf meiner Seite.«

Er hob den Kopf. »Und was ist mit eurem Hochzeitstag?«

Ich dachte daran, wie viel Zeit ich in die Vorbereitungen investiert hatte – ich hatte unzählige Telefongespräche geführt, war ständig zum Postfach gelaufen, hatte alle möglichen Geschäfte und Boutiquen aufgesucht. In den Mittagspausen und während jeder freien Minute im Büro hatte ich an dem Geschenk für Jane gearbeitet und intensiv darüber nachgedacht, wie ich es ihr am besten überreichen konnte. Sämtliche Mitarbeiter in der Kanzlei wussten über meine Pläne Bescheid, und alle hatten mir hoch und heilig versprochen, nichts zu verraten. Mehr noch, sie hatten mich unglaublich unterstützt, denn ohne Hilfe hätte ich dieses Geschenk niemals zustande gebracht.

»Donnerstagabend«, sagte ich. »Es sieht so aus, als wäre das unsere einzige Chance. Heute Abend ist Jane nicht da, morgen wird sie vermutlich dich besuchen wollen, und am Freitag sind Joseph und Leslie schon da. Und der Samstag ist natürlich ausgeschlossen.« Ich schwieg für einen Moment. »Hoffentlich freut sie sich.«

Noah lächelte. »Davon bin ich überzeugt, Wilson. Du hättest dir kein schöneres Geschenk ausdenken können, nicht für alles Geld der Welt.«

»Na, hoffen wir mal, dass du Recht hast.«

»Natürlich habe ich Recht! Und ich kann mir keinen besseren Auftakt zum Wochenende vorstellen.«

Er klang so überzeugt, dass mir wieder ganz warm ums Herz wurde, und ich war gerührt, weil ich spürte, wie gern er mich mochte – obwohl wir doch so verschieden waren.

»Immerhin hast du mich auf den Gedanken gebracht«, erinnerte ich ihn.

Noah schüttelte den Kopf. »Nein. Die Idee geht ausschließlich auf dein Konto. Ideen für Geschenke, die von Herzen kommen, kann nur der Schenkende selbst für sich beanspruchen.« Er klopfte sich auf die Brust, als wolle er mit dieser Geste sein Argument unterstreichen. »Allie wäre bestimmt begeistert«, sagte er. »Sie war in diesen Dingen immer wunderbar sentimental.«

»Ich fände es so schön, wenn sie dieses Wochenende bei uns sein könnte!«

Noah blickte auf den Briefstapel. Ich wusste, er sah Allie vor sich, und in dem Moment wirkte er ganz jung.

»Ich auch«, sagte er fast unhörbar.

Als ich den Parkplatz überquerte, hatte ich Angst, die Hitze würde mir die Fußsohlen versengen. Die Gebäude in der Ferne schienen in der flirrenden Luft zu zerfließen, und ich spürte, dass mein Hemd am Rücken klebte.

Ich fuhr die kurvigen Landstraßen entlang, die mir so vertraut waren wie die Wege in unserem Viertel.

Das Low Country hier in der Nähe der Küste besaß eine karge Schönheit, die ich sehr liebte. Ich kam an alten Farmen und verlassen wirkenden Tabakscheuern vorbei. Weihrauchkiefern trennten ein Grundstück vom nächsten, am Horizont fuhr ein Traktor, gefolgt von einer Wolke aus Staub.

An manchen Stellen gab die Straße den Blick auf den Trent River frei, der träge in der Sonne glitzerte. Eichen und Zypressen säumten sein Ufer, die hellen Stämme und die knorrigen Wurzeln warfen geheimnisvolle Schatten. Spanisches Moos hing in wurzellosen Strängen von den Ästen herunter, und als das Farmland allmählich in Wald überging, musste ich daran denken, dass während des Bürgerkriegs die Soldaten ebendiese Bäume gesehen hatten.

Vor mir tauchte nun ein Blechdach auf, das im Sonnenlicht schimmerte, dann erschien das Haus selbst – und wenig später war ich am Ziel.

Ich blieb in der von Bäumen gesäumten Auffahrt stehen und betrachtete das Haus. Man sah auf den ersten Blick, dass es nicht mehr bewohnt war. Seitlich stand die verblasste rote Scheune, in der Noah Holz und Geräte gelagert hatte. Die Wände waren löcherig, das Dach mit Rost bedeckt. Noahs Werkstatt, in der er früher den größten Teil des Tages verbracht hatte, befand sich direkt hinter dem Haus. Die Türflügel hingen windschief in den Angeln, und die Fenster waren mit einer klebrigen Schmutzschicht bedeckt. Gleich dahinter lag der Rosengarten, der so überwuchert war wie das Flussufer.

Ich parkte neben dem Haus. Vor der Eingangstür blieb ich zögernd stehen. Sollte ich wirklich eintreten? Aber dann holte ich den Schlüssel aus der Tasche und steckte ihn ins Schloss. Als ich die Tür aufstieß, strömte gleißendes Sonnenlicht ins Innere.

Da die Fenster verbarrikadiert waren, lag das Hausinnere ansonsten im Dunkel. Ich nahm mir vor, den Generator anzustellen, ehe ich ging. Sobald sich meine Augen an die gedämpfte Beleuchtung gewöhnt hatten, konnte ich alles erkennen: direkt vor mir die Treppe, die zu den Schlafzimmern führte, links das große Wohnzimmer, das sich vom vorderen Teil des Hauses bis zur hinteren Veranda erstreckte. Hier würden wir die Tische aufstellen, befand ich, denn in diesem Raum konnten alle Gäste mühelos Platz finden.

Es roch nach Staub. Selbst die Laken, die alle Möbelstücke bedeckten, waren verstaubt. Ich durfte auf keinen Fall vergessen, die Leute, die diese Möbel wegtragen würden, darauf hinzuweisen, dass es sich bei jedem Stück um eine wertvolle Antiquität handelte. Sie stammten alle aus der Zeit, als das Haus gebaut wurde. Der Kamin war mit handbemalten Kacheln gefliest. Ich erinnerte mich daran, dass Noah mir vor vielen Jahren erzählt hatte, dass er einmal ein paar zerbrochene Kacheln ersetzen musste und zu seiner großen Erleichterung herausfand, dass es das Geschäft, das die Originale gefertigt hatte, immer noch gab. In der Ecke stand, ebenfalls mit einem weißen Laken verhängt, das Klavier, auf dem nicht nur Noahs Kinder, sondern auch seine Enkel gespielt hatten.

Rechts vom Kamin befanden sich drei große Fenster. Ich versuchte mir auszumalen, wie der Raum am Wochenende aussehen würde, aber es wollte mir nicht gelingen – das Haus war einfach zu dunkel. Ich hatte mir zwar schon genau überlegt, wie alles sein sollte, und ich hatte meine Ideen sogar mit Jane besprochen, aber jetzt, vor Ort sozusagen, wurden plötzlich Erinnerungen wach, die eine solche Umgestaltung fast unmöglich erscheinen ließen.

Wie viele Abende hatten Jane und ich hier mit Noah und Allie verbracht? Sie waren nicht zu zählen, und wenn ich mich konzentrierte, konnte ich mir einbilden, ich würde noch immer das Gelächter und die fröhlichen Stimmen hören.

Vermutlich war ich hierher gekommen, weil die Ereignisse des Vormittags die nostalgischen Gefühle, die mich zurzeit so oft überkamen, noch verstärkt hatten. Wieder spürte ich Janes Lippen auf meinen, schmeckte ihren Lippenstift. Veränderte sich doch etwas zwischen uns? Ich wünschte es mir so sehr, aber gerade deshalb konnte es natürlich sein, dass ich es mir nur einbildete. Eins wusste ich allerdings mit Sicherheit: Zum ersten Mal seit langem hatte es einen Augenblick gegeben, wenigstens einen Augenblick, in dem Jane mit mir genauso glücklich zu sein schien wie ich mit ihr.

KAPITEL 12

Den Rest des Tages verbrachte ich in meinem Arbeitszimmer und telefonierte. Ich verhandelte mit dem Reinigungsunternehmen, das uns auch hier im Haus gute Dienste tat, und wir vereinbarten, dass Noahs Haus am Donnerstag auf Hochglanz gebracht werden sollte. Ich sprach mit dem Mann, der unser Deck immer mit dem Druckstrahlreiniger bearbeitete, und er sagte zu, gegen zwölf Uhr mittags zu kommen, um sich das alte Haus vorzunehmen. Einen Elektriker beauftragte ich damit, den Generator sowie sämtliche Leitungen und Steckdosen im Haus zu überprüfen. Außerdem sollte er nachsehen, ob die Scheinwerfer im Rosengarten noch funktionierten. Ich rief die Firma an, die vergangenes Jahr die Räume in unserer Kanzlei gestrichen hatte: Man war bereit, einen Trupp vorbeizuschicken, der die Wände in Noahs Haus weißen und sich auch um den Zaun, der den Rosengarten umgab, kümmern würde. Ein Verleihdienst wollte später Zelte und Tische bringen, zudem Tischtücher, Gläser, Besteck wie auch die Stühle für die Zeremonie. Ein paar Angestellte des Restaurants wollten anschließend kommen und die Tische und dergleichen schon einmal rechtzeitig für das Fest am Samstag vorbereiten. Nathan Little freute sich darauf, sein Großprojekt in Angriff zu nehmen, und er teilte mir mit, er habe die Pflanzen, die ich in der Gärtnerei bestellt hatte, bereits auf seine Lastwagen gepackt. Er übernahm auch bereitwillig die Aufgabe, mit seinen Angestellten die überflüssigen Möbelstücke aus dem Haus zu tragen. Schließlich arrangierte ich noch das Musikprogramm für die Hochzeit und für den Empfang. Das Klavier sollte ebenfalls am Donnerstag im Laufe des Tages gestimmt werden.

Es war gar nicht so schwierig, wie man annehmen mochte, zu erreichen, dass alles rasch erledigt wurde. Erstens kannte ich die meisten Leute, mit denen ich verhandelte, und zweitens organisierte ich so etwas nicht das erste Mal. In vielerlei Hinsicht erinnerte mich dieser Wirbel von Aktivitäten daran, wie wir das erste Haus herrichteten, das Jane und ich uns nach der Hochzeit gekauft hatten. Es war ein altes Reihenhaus, das ziemlich heruntergekommen war und gründlich renoviert werden musste – sonst hätten wir es uns damals gar nicht leisten können. Wir machten vieles selbst, kamen aber doch recht schnell an den Punkt, an dem wir das Fachwissen von Zimmerleuten, Klempnern und Elektrikern brauchten.

Als wir uns das Eheglöbnis gaben, hatten wir beide noch nie mit jemandem geschlafen. Ich war sechsundzwanzig, Jane dreiundzwanzig. Wir lehrten uns gegenseitig die Kunst der Liebe, unschuldig und doch voller Leidenschaft, und so lernten wir nach und nach, einander Lust und Befriedigung zu schenken. Dabei spielte es keine Rolle, wie müde wir waren – es verging kaum ein Abend, an dem wir das Gelernte nicht praktizierten.

Über Verhütung machten wir uns keine Gedanken. Ich erwartete, dass Jane sofort schwanger werden würde, und legte deswegen sogar noch zusätzlich etwas auf die hohe Kante. Doch Jane wurde nicht schwanger, weder im ersten Monat unserer Ehe noch im zweiten oder dritten.

Nach einem halben Jahr bat sie Allie um Rat, und als ich am Abend nach Hause kam, teilte sie mir mit, wir müssten reden. Wieder saß ich neben ihr auf dem Sofa, als sie mir eröffnete, sie müsse mich wieder einmal um etwas bitten. Diesmal ging es nicht um einen Kirchgang. Nein, sie wollte, dass ich mit ihr bete – und das tat ich auch. Aus irgendeinem Grund wusste ich, dass es genau das Richtige war. Von da an beteten wir regelmäßig miteinander, und mit der Zeit begann ich, mich darauf zu freuen. Einige Monate vergingen, und Jane war immer noch nicht schwanger. Ob sie je ernsthaft befürchtete, sie könne vielleicht gar keine Kinder bekommen, weiß ich nicht, aber der Gedanke war natürlich nicht ganz von der Hand zu weisen, und auch ich fing an, mir quälende Fragen zu stellen. Inzwischen war es nur noch ein Monat bis zu unserem ersten Hochzeitstag.

Zwar hatte ich ursprünglich geplant, bei mehreren Firmen einen Kostenvoranschlag für die noch ausstehenden Arbeiten an unserem Haus einzuholen, aber ich spürte, dass dieses Verfahren für Jane eine zusätzlich Belastung sein würde. Unsere winzige Wohnung war viel zu eng für uns, und die Begeisterung für die Renovierungsarbeiten hatte erheblich nachgelassen. Heimlich setzte ich mir das Ziel, dafür zu sorgen, dass wir noch vor unserem ersten Jahrestag in unser neues Haus ziehen konnten.

Mit diesem Ziel vor Augen tat ich das Gleiche, was ich jetzt, dreißig Jahre später, wieder tat: Ich hängte mich ans Telefon, bat Leute, die ich kannte, um einen Gefallen und leitete alles Notwendige in die Wege, um sicherzustellen, dass die Arbeiten termingerecht abgeschlossen wurden. Ich heuerte Handwerker an, ging in meiner Mittagspause und nach Dienstschluss zum Haus, um die Fortschritte zu überwachen, und musste natürlich letzten Endes sehr viel mehr bezahlen, als ich ursprünglich angesetzt hatte. Aber ich staunte jeden Tag, in welchem Tempo das Haus nun Gestalt annahm. Die Handwerker gaben sich sozusagen die Klinke in die Hand – Fußböden wurden verlegt, Schränke eingebaut, Waschbecken angeschraubt, Leitungen verlegt, Steckdosen angebracht, Tapeten geklebt. Und unser Jahrestag rückte unaufhaltsam näher.

In der letzten Woche vor unserem Hochzeitstag legte ich mir immer neue Ausreden zurecht, um Jane von unserem Haus fern zu halten. Ich wollte ihr eine Überraschung bereiten, die sie nie vergessen würde.

»Ach, eigentlich ist es überflüssig, heute Abend noch zum Haus zu gehen«, sagte ich beispielsweise zu ihr. »Ich habe vorhin kurz vorbeigeschaut, aber es waren gar keine Handwerker da.« Oder: »Ich muss nachher leider noch ziemlich viel arbeiten, deshalb würde ich mich lieber hier ein bisschen mit dir entspannen.«

Ich habe keine Ahnung, ob sie meine Ausreden für bare Münze nahm – im Rückblick vermute ich fast, dass sie Verdacht geschöpft hat –, jedenfalls beharrte sie nie darauf, mit mir das Haus zu besichtigen. An unserem Hochzeitstag gingen wir abends essen, und anschließend fuhr ich zu unserem Haus und nicht zu unserer Wohnung.

Es war schon recht spät. Wir hatten Vollmond – in der klaren Nacht sah er aus wie eine geheimnisvoll leuchtende Scheibe, auf der sich schattenhaft Gebirge und Krater abzeichneten. Die Zikaden hatten bereits ihre Gesänge angestimmt, ihr Zirpen erfüllte die Luft. Von außen schien das Haus fast unverändert. Im Garten lagen Berge mit Bauschutt, Farbkanister stapelten sich neben der Tür, die vordere Veranda wirkte staubig und grau. Jane schaute mich fragend an.

»Ich möchte nur kurz nachsehen, wie weit die Handwerker gekommen sind«, erklärte ich.

»Jetzt gleich?«

»Wieso nicht?«

»Na ja, also – erstens bis zehntens – es ist dunkel. Man kann doch gar nichts sehen.«

»Ach, komm doch mit«, sagte ich und tastete nach der Taschenlampe, die ich unter meinem Autositz verstaut hatte. »Wir brauchen ja nicht lange zu bleiben, wenn du keine Lust hast.«

Ich stieg aus und hielt ihr die Wagentür auf. Nachdem ich sie galant über den Schotter hinauf zur Veranda geleitet hatte, schloss ich den Eingang auf.

Es war zwar stockdunkel, aber der Geruch des neuen Teppichbodens drang einem sofort in die Nase, und als ich gleich darauf meine Taschenlampe anknipste und den Lichtstrahl durch das Wohnzimmer und die Küche wandern ließ, wurden Janes Augen immer größer. Natürlich war noch nicht alles perfekt, aber schon von der Tür aus konnte man sehen, dass einem Einzug nichts mehr im Weg stand.

Jane blieb wie angewurzelt stehen. Ich nahm ihre Hand und flüsterte:

»Willkommen zu Hause.«

»Oh, Wilson!«

»Alles Gute zum Hochzeitstag.«

Sie schaute mich an – glücklich und verwirrt zugleich.

»Aber – wie kann – ich meine, letzte Woche wurde doch erst – da war noch kein Ende absehbar ...«

»Ich wollte dich überraschen. Komm mit – ich muss dir etwas zeigen.«

Ich führte sie die Treppe hinauf zum Elternschlafzimmer. Mit meiner Taschenlampe beleuchtete ich das einzige Möbelstück, das ich je ohne ihren Rat gekauft habe: ein altes Himmelbett. Es erinnerte an das Bett in dem Gasthaus in Beaufort, wo wir auf der Hochzeitsreise miteinander geschlafen hatten.

Jane schwieg. Ich geriet fast schon in Panik. Hatte ich etwas falsch gemacht?

»Ich kann's nicht fassen«, murmelte sie schließlich. »War das deine Idee?«

»Gefällt es dir nicht?«

Sie lächelte. »Ganz im Gegenteil ... ich finde es wunderschön.« Ihre Stimme klang so weich, beinahe zärtlich. »Aber ich kann nicht fassen, dass du dir so etwas ausgedacht hast. Es ist beinahe ... *romantisch.*«

Ehrlich gesagt – so hatte ich selbst es noch gar nicht gesehen. Wir brauchten dringend ein gutes Bett, und ich wusste, dass Jane diesen Stil mochte. Weil mir klar war, dass bei ihr das Wort »romantisch« das höchste Kompliment bedeutete, zog ich lässig die rechte Augenbraue hoch, als wollte ich fragen: Was hast du anderes erwartet?

Sie ging zum Bett, strich vorsichtig über die Pfosten, setzte sich dann auf die Kante und tätschelte einladend auf die Matratze. »Wir müssen reden«, sagte sie.

Mir fielen natürlich sofort die anderen Anlässe ein, bei denen sie diese Formulierung verwendet hatte. Bestimmt wollte sie mich wieder um einen Gefallen bitten. Als ich neben ihr Platz genommen hatte, küsste sie mich zärtlich.

»Ich habe auch eine Überraschung für dich«, begann sie. »Ich habe nur auf den richtigen Augenblick gewartet, um es dir zu sagen.«

»Und?«

Sie schloss kurz die Augen, als müsse sie sich konzentrieren, ehe sie lächelnd verkündete: »Ich bin schwanger.«

Ich schaute sie fassungslos an. Dann erst begriff ich, was sie gerade gesagt hatte. Sie hatte mir eine noch viel schönere Überraschung bereitet als ich ihr.

Am frühen Abend, als die Sonne sank und die Hitze langsam etwas nachließ, rief Jane an. Als Allererstes erkundigte sie sich nach Noah. Dann erzählte sie, dass sich Anna immer noch nicht für ein Kleid entschieden habe und sie deshalb nicht nach Hause kommen werde. Ich versicherte ihr, damit hätte ich schon gerechnet. Ihre Stimme klang etwas frustriert – nicht verärgert, sondern einfach nur müde. Innerlich musste ich lächeln. Wie konnte sich Jane immer noch über das Verhalten ihrer Tochter wundern?

Nachdem ich aufgelegt hatte, fuhr ich nach Creekside, um den Schwan zu füttern. Abends drei Scheiben Wonderbread, so lautete Noahs Anweisung. Auf dem Heimweg schaute ich noch kurz in meinem Büro vorbei.

Ich parkte wie immer direkt vor dem Gebäude. Mein Blick fiel auf das Chelsea auf der anderen Straßenseite. Dem Restaurant gegenüber befand sich eine kleine Grünfläche, wo im Winter jedes Jahr die Weihnachtsstadt aufgebaut wurde. Obwohl ich jetzt schon seit dreißig Jahren in dieser Kanzlei arbeite, versetzt es mich immer wieder in Erstaunen, wie stark die ersten Anfänge des Staates North Carolina hier allenthalben präsent sind. Die Vergangenheit besitzt für mich schon immer eine ganz spezielle Anziehungskraft, und es begeistert mich, dass ich nur eine Straße weiter gehen muss, um die erste katholische Kirche zu sehen, die in North Carolina gebaut wurde, oder um die erste öffentliche Schule zu besichtigen und zu erfahren, wie die Kinder der Siedler unterrichtet wurden. Ich kann auch über das Gelände des Tyron Palace, der ehemaligen Residenz des Kolonialgouverneurs, schlendern, das heute eine der schönsten Gartenanlagen in den Südstaaten ist. Ich bin nicht als Einziger stolz auf diese Stadt. Die »Historische Gesellschaft« von New Bern gehört zu den aktivsten in den USA, und fast an jeder Ecke dokumentieren Plaketten, welche zentrale Rolle New Bern schon gleich nach der Staatengründung spielte.

Das Gebäude, in dem sich unsere Kanzlei befindet, gehört meinen Partnern und mir. Es wurde in den späten fünfziger Jahren gebaut, also in einer Zeit, als Funktionalität das höchste Prinzip für die Architekten war. Das heißt, es ist ein absolut langweiliger Bau. Ein einstöckiges Haus, Backsteine, rechteckig – aber genügend Platz für die vier Partner und ihre Teilhaber. Drei Sitzungszimmer, ein Raum für die Akten und der Bereich, wo die Klienten warten.

Ich schloss die Tür auf. Gleich ertönte die Warnung, in weniger als einer Minute werde der Alarm ausgelöst. Schnell gab ich den Code ein, um die Anlage abzustellen, machte im Wartebereich Licht und ging in mein Büro.

Wie die Räume meiner Partner besitzt auch mein Büro eine gewisse förmliche Eleganz, die unsere Klienten erwarten: ein Schreibtisch aus dunklem Kirschholz mit einer Messinglampe, juristische Bücher in den Regalen, zwei bequeme Ledersessel vor dem Schreibtisch.

Als Anwalt für Erbschaftsangelegenheiten bin ich im Laufe der Zeit vermutlich schon jedem Typ von Paar begegnet, den es auf der Welt gibt. Die meisten Leute sind relativ normal, aber mir saßen auch schon Paare gegenüber, die plötzlich anfingen, zu schimpfen wie die Rohrspatzen und sich gegenseitig anzuschreien. Einmal hat sogar eine Frau ihrem Ehemann heißen Kaffee in den Schoß gekippt. Und sehr viel öfter, als ich erwartet hätte, kommt es vor, dass mich ein Ehemann beiseite nimmt und fragt, ob er eigentlich gesetzlich verpflichtet sei, seiner Ehefrau etwas zu hinterlassen, oder ob er sie zugunsten seiner Geliebten enterben könne. Diese Paare, das möchte ich ergänzend hinzufügen, sind in der Regel makellos gekleidet und wirken durchaus seriös, wenn sie mein Büro betreten, aber wenn sie es endlich wieder verlassen, frage ich mich oft, was sich wohl bei ihnen zu Hause hinter verschlossenen Türen abspielt.

Ich trat an meinen Schreibtisch und suchte nach dem Schlüssel für die Schublade. Dann legte ich mein Geschenk für Jane auf den Schreibtisch und betrachtete es. Wie würde sie reagieren? Ich war mir ziemlich sicher, dass es ihr gefallen würde, aber ich bezweckte ja vor allem eins damit: Ich wollte mich mit diesem Geschenk von ganzem Herzen dafür entschuldigen, dass ich in den Jahren unserer Ehe oft so gedankenlos, so unaufmerksam und blind gewesen war. Ich wollte mich für den arbeitswütigen Mann entschuldigen, den sie hatte ertragen müssen.

Doch trotz all dieser Enttäuschungen hatte sie mich an jenem Morgen in der Einfahrt eigenartig angeschaut, nachdem wir uns geküsst hatten. Hatte ich in ihrem Blick tatsächlich so etwas wie Sehnsucht, ja, Begehren gesehen? Oder hatte ich es mir nur eingebildet?

Als ich zum Fenster blickte, wusste ich plötzlich, wie die Antwort auf diese Frage lautete: Ich hatte es mir nicht eingebildet. Fast zufällig hatte ich den Schlüssel zum Erfolg gefunden, der mir auch am Anfang unserer Liebe die Tür öffnete, als ich sie für mich gewinnen wollte. Ich war zwar immer noch derselbe Mensch wie vor einem Jahr – ein Mann, der seine Frau über alles liebte und sein Bestes tat, um sie zu behalten –, aber ich hatte eine kleine, aber entscheidende Veränderung vorgenommen.

In dieser Woche hatte ich mich nicht auf meine eigenen Probleme konzentriert, sondern mich ganz und gar Jane zugewandt. Ich hatte meine Kräfte dafür eingesetzt, ihr bei den anstehenden Aufgaben beizustehen. Ich hatte ihr aufmerksam zugehört, und alles, worüber wir sprachen, war mir neu und spannend vorgekommen. Ich hatte über ihre Scherze gelacht, sie in die Arme geschlossen, wenn sie weinte, ich hatte mich für meine Fehler entschuldigt und ihr die zärtliche Zuneigung geschenkt, die sie brauchte und verdiente. Mit anderen Worten: Ich war der Mann gewesen, den sie sich immer gewünscht hatte, der Mann, der ich einmal gewesen war. Es kam mir vor, als hätte ich eine liebe alte Gewohnheit wiederentdeckt. Auf einmal begriff ich, dass dies das Richtige war, genau das musste ich tun, nichts anderes, um uns beiden die Möglichkeit zu geben, unser gemeinsames Leben wieder zu genießen.

KAPITEL 13

Als ich am nächsten Morgen zu Noahs Haus kam, stutzte ich: Die Gärtnereifahrzeuge parkten bereits in der Auffahrt. Es waren drei Lastwagen, auf deren Ladefläche kleine Bäumchen und Büsche standen, während auf einem vierten getrocknete, gelbliche Piniennadeln geliefert wurden, die auf die Blumenbeete, um die Bäume herum und am Zaun entlang gestreut werden sollten. Ein Laster mit Anhänger brachte alle nur denkbaren Geräte und Werkzeuge, und drei kleine Pickups waren voll gepackt mit Paletten niedriger, blühender Pflanzen.

Vor jedem der Fahrzeuge hatte sich eine Gruppe von fünf oder sechs Männern versammelt. Trotz der Hitze trugen alle Jeans und Baseballmützen. Ich zählte schnell nach – Nathan Little hatte fast vierzig Männer mitgebracht. Als ich aus meinem Wagen ausstieg, kam er mit strahlender Miene auf mich zugeeilt.

»Gut, dass Sie da sind«, sagte er und legte mir die Hand auf die Schulter. »Wir haben schon auf Sie gewartet. Also dann – packen wir's an!«

Sofort wurden mehrere Rasenmäher und andere Gerätschaften abgeladen, und schon bald war die Luft vom Geratter der verschiedenen Maschinen erfüllt. Einige der Arbeiter begannen, die Pflanzen, Büsche und Bäume abzuladen, packten sie in Schubkarren und schoben sie zu den vereinbarten Stellen.

Die schwierigste Aufgabe war sicherlich der Rosengarten. Ich folgte Little, der sich mit seiner Gartenschere zu den zwölf Arbeitern begab, die dort schon auf ihn warteten. Für mich war die Instandsetzung eines Gartens ein Vorhaben, von dem ich keine Ahnung hatte. Gab es eine erprobte Methode? Womit fing man an? Little begann einfach, den ersten Busch in Form zu schneiden, und erläuterte mir nebenher seine Vorgehensweise. Die Arbeiter scharten sich um ihn und unterhielten sich leise auf Spanisch, während sie ihm zuschauten. Dann verteilten sie sich, weil sie offensichtlich begriffen hatten, was sie tun sollten. Jeder Busch wurde kunstvoll ausgelichtet und verjüngt, und so kamen nach und nach die leuchtenden Farben der Rosen wieder zum Vorschein. Little betonte, dass möglichst wenig Blüten geopfert werden sollten, was ziemlich viel Schnur notwendig machte, weil die Pflanzen gebogen, gedreht und gezogen werden mussten, um sie dann da, wo sie hingehörten, festzubinden.

Als Nächstes kam die Laube dran. Sobald Little sah, dass seine Leute im Rosengarten selbstständig weiterarbeiten konnten, begann er, die Rosen, die an der Laube wuchsen, in Form zu schneiden. Ich ging inzwischen zu einer anderen Gruppe und instruierte sie, wo die Stühle für die Gäste aufgestellt werden sollten. Little zwinkerte mir zu.

»Sie möchten Fleißige Lieschen den Gang entlang, stimmt's?«

Ich nickte. Sofort pfiff er laut auf zwei Fingern, und mehrere Schubkarren mit bunten Blumen wurden an den gewünschten Ort gerollt. Zwei Stunden später war der Gang, den die Braut entlanggehen würde, fertig – und er war so wunderschön, dass man ihn jederzeit für eine Hochzeitszeitschrift hätte fotografieren können.

Das gesamte Grundstück begann im Verlauf des Vormittags Gestalt anzunehmen. Der Rasen wurde gemäht, die Büsche gestutzt, und anschließend wurden der Zaun, die Wege und das Haus selbst verschönert. Der Elektriker kam, um den Generator anzuwerfen und um die Steckdosen im Haus sowie die Scheinwerfer im Rosengarten zu überprüfen. Eine Stunde später trafen die Maler ein: Sechs Männer in verspritzten Overalls kletterten aus einem uralten Kleinbus. Zuerst trugen sie gemeinsam mit den Gärtnern die Möbel, die nicht gebraucht wurden, in die Scheune. Der Mann, der für die Druckstrahlreinigung des Hauses zuständig war, parkte jetzt neben meinem Wagen. Kaum hatte er sein Arbeitsgerät ausgepackt, da traf auch schon der erste Wasserstrahl die Hauswand, und langsam, aber sicher schwemmte er das triste Grau weg und machte das leuchtende Weiß wieder sichtbar.

Während all die verschiedenen Teams schufteten und ackerten, begab ich mich in die Werkstatt und holte eine Leiter. Die Bretter an den Fenstern mussten abgenommen werden. Diese Aufgabe konnte ich übernehmen.

Ehe ich mich versah, neigte sich der Nachmittag seinem Ende entgegen.

Um vier Uhr luden die Gärtner wieder alles auf ihre Lastwagen. Der Maler und der Mann mit dem Druckstrahlreiniger waren ebenfalls abmarschbereit, und ich hatte es immerhin geschafft, die Mehrzahl der Bretter zu entfernen, bis auf ein paar im oberen Stockwerk, aber mit denen konnte ich mich auch am nächsten Tag abgeben.

Auf einmal war alles wieder still und verlassen. Sehr merkwürdig. Aber war ich meinem Ziel überhaupt näher gekommen?

Wie bei halb fertigen Projekten so üblich, sah es jetzt fast schlimmer aus als vorher: Überall lag Gartengerät herum, leere Blumentöpfe stapelten sich an der Hauswand. Sowohl die Außen- als auch die Innenwände des Hauses waren nur zur Hälfte fertig. Ich musste an die Waschmittelreklame denken, bei der die eine Sorte verspricht, sie werde das weiße T-Shirt viel blütenreiner waschen als das andere Mittel, und man sieht die beiden Ergebnisse als Kontrast nebeneinander. Beim Zaun hatten sich riesige Haufen von Schnittgut angesammelt, und auch der Rosengarten ließ noch zu wünschen übrig: Zwar waren die äußeren Herzen jetzt wunderschön, aber die zwei inneren wirkten im Vergleich noch viel zerzauster und wilder.

Trotzdem überkam mich ein seltsames Gefühl der Erleichterung. Für einen einzigen Tag war das Ergebnis hervorragend. Ganz bestimmt wurde alles pünktlich fertig. Jane würde Augen machen! Ich wusste, dass sie sich auf dem Heimweg befand, und wollte gerade in mein Auto steigen, da sah ich Harvey Wellington, den Pastor.

Er lehnte an dem Zaun, der Noahs Grundstück von seinem trennte. Einen Moment lang war ich unschlüssig, aber dann ging ich zu ihm. Seine Stirn glänzte wie poliertes Mahagoni, und seine Brille saß ganz unten auf der Nasenspitze. Genau wie bei mir ließ seine Kleidung darauf schließen, dass er den ganzen Tag draußen im Freien gearbeitet hatte. Als ich näher kam, deutete er mit einer Kopfbewegung auf das Haus.

»Ich sehe schon, Sie bereiten alles fürs Wochenende vor«, sagte er.

»Ja, ich tue mein Bestes.«

»Sie haben ja auch genug Leute zu Hilfe gerufen, muss man sagen. Ringsum der reinste Parkplatz! Wie viele Leute waren es? Fünfzig insgesamt?«

»So ungefähr.«

Er pfiff leise durch die Zähne. »Das geht ganz schön ins Geld, nicht wahr?«

»Ja, ich habe schon Angst vor den Rechungen.«

Er lachte. »Wie viele Gäste erwarten Sie denn?«

»Etwa hundert.«

»Das wird bestimmt ein tolles Fest. Alma freut sich auch schon. Seit Tagen redet sie von nichts anderem mehr als von dieser Hochzeit. Wir finden es beide sehr nett, dass Sie sich so einsetzen.«

»Ich finde, das ist das Mindeste, was ich tun kann.«

Er hielt meinen Blick fest, ohne etwas zu erwidern. Ich hatte auf einmal das Gefühl, dass dieser Mann mich sehr gut verstand, obwohl wir uns kaum kannten. Irgendwie war das befremdlich, aber ich hätte mich wahrlich nicht zu wundern brauchen. Als Pastor fragten ihn sicher viele Menschen um Rat, und ich spürte bei ihm die Güte eines Mannes, der gelernt hatte, aufmerksam zuzuhören, sich in andere Menschen hineinzuversetzen und mit ihnen zu fühlen. Er war ein Mensch, den jeder gern zu seinen Freunden zählen wollte.

Als könne er meine Gedanken lesen, lächelte er. »Also, dann – um acht Uhr?«

»Früher wäre es zu heiß, meinen Sie nicht?«

»Es wird auch dann noch heiß sein. Aber ich glaube nicht, dass es die Leute stören wird.« Er deutete auf das Haus. »Ich bin froh, dass Sie endlich etwas unternehmen. Das Haus ist ein Juwel.«

»Das finde ich auch.«

Er nahm seine Brille ab und rieb die Gläser mit seinem Hemdzipfel sauber. »Ja, ich muss schon sagen – es hat mir richtig Leid getan, wie es in den letzten Jahren heruntergekommen ist. Dabei hätte es nur einen einzigen Menschen gebraucht, der sich darum kümmert.« Mit einem freundlichen Lächeln setzte er seine

Brille wieder auf. »Es ist komisch, aber ist Ihnen das auch schon einmal aufgefallen – je kostbarer etwas ist, desto eher nehmen die Menschen es als selbstverständlich hin. Sie glauben, dass es immer so bleiben wird und sich nie ändert. Genau wie das Haus hier. Ein bisschen Zuwendung und regelmäßige Fürsorge hätten genügt, und es wäre nie so weit gekommen.«

Als ich nach Hause kam, fand ich auf dem Anrufbeantworter zwei Nachrichten vor: Die eine war von Dr. Barnwell, er teilte mir mit, Noah sei bereits wieder in Creekside. Die andere stammte von Kate: Sie wolle mich ebendort gegen neunzehn Uhr treffen.

Als ich in Creekside eintraf, hatten die meisten Familienmitglieder Noah bereits einen Besuch abgestattet und waren wieder gegangen. Nur Kate saß noch bei ihm. Als ich eintrat, legte sie warnend den Finger an die Lippen, stand leise auf und umarmte mich.

»Er ist gerade eingeschlafen«, flüsterte sie mir ins Ohr. »Ich glaube, er war völlig erschöpft.«

Verdutzt schaute ich zu Noah hinüber. Nun kannte ich ihn schon so viele Jahre, aber dass er am frühen Abend ein Schläfchen hielt, hatte ich noch nie erlebt. »Ist sonst alles in Ordnung?«, fragte ich mit gedämpfter Stimme.

»Na ja, er war ziemlich knurrig, als wir ihn hierher gebracht haben, aber insgesamt geht es ihm gut, glaube ich.« Sie zupfte mich am Ärmel. »Jetzt erzähl mal – wie ist es heute gegangen? Wie sieht das Haus aus? Ich will alles ganz genau hören.«

Ich schilderte ihr die fantastischen Fortschritte. Man sah ihr an, wie sehr sie sich freute. »Jane wird glückselig sein!«, flüsterte sie. »Ach, dabei fällt mir ein – ich habe vorhin kurz mit ihr telefoniert. Sie wollte wissen, wie es Daddy geht.«

»Haben sie ein Kleid gefunden?«

»Das muss sie dir selbst erzählen. Aber sie klang ziemlich zufrieden.« Kate griff nach ihrer Handtasche, die an der Stuhllehne hing. »Ich gehe jetzt lieber. Ich war den ganzen Nachmittag hier, und Grayson erwartet mich sicher schon sehnsüchtig.« Sie küsste mich auf die Wange. »Pass gut auf Daddy auf! Ich denke, du solltest ihn weiterschlafen lassen – er braucht Ruhe.«

»Ich werde mucksmäuschenstill sein«, versprach ich.

Ich wollte mich gerade auf den Stuhl beim Fenster setzen, als ich ein heiseres Flüstern hörte.

»Hallo, Wilson. Danke, dass du gekommen bist.«

Als er mein verwirrtes Gesicht sah, zwinkerte er mir zu.

»Ich dachte, du schläfst!«

»Ach, Unsinn.« Er setzte sich auf. »Ich musste so tun, als ob. Meine Tochter hat mich den ganzen Tag umsorgt wie ein kleines Baby. Sie wollte mich sogar wieder auf die Toilette begleiten.«

Ich lachte. »Davon hast du immer geträumt, stimmt's? Dass dich deine Kinder verhätscheln?«

»Ja, klar, das hat mir gerade noch gefehlt. Als hätte der Zirkus im Krankenhaus nicht schon gereicht. So wie die sich aufgeführt hat, könnte man meinen, ich stehe mit dem einen Fuß im Grab und mit dem andern auf einer Bananenschale.«

»Na, du bist wohl wieder auf dem Damm – sehe ich das richtig?«

»Könnte besser sein«, sagte er mit einem Achselzucken. »Könnte aber auch wesentlich schlechter sein. Mein Kopf ist absolut in Ordnung, falls du das meinst.«

»Keine Schwindelgefühle? Keine Kopfschmerzen? Vielleicht solltest du dich trotzdem ausruhen. Soll ich dir etwas Joghurt füttern?«

Er drohte mir mit dem Finger. »Fang du nicht auch noch an! Ich bin geduldig, aber ein Heiliger bin ich auch nicht. Und ich habe nicht die geringste Lust, mich noch länger auszuruhen. Seit Tagen bin ich eingesperrt und konnte kein bisschen frische Luft schnuppern.« Er deutete auf den Schrank. »Wärst du so nett und würdest mir meine Jacke geben?«

Ich ahnte schon, was er vorhatte.

»Es ist immer noch ziemlich warm draußen«, sagte ich.

»Gib mir meine Jacke«, sagte er. »Und falls du die Absicht haben solltest, mir beim Anziehen zu helfen, kriegst du eins auf die Birne.«

Wenig später waren wir unterwegs nach draußen, das Wonderbread in der Hand. Noah schlurfte zielstrebig vorwärts, und man spürte richtig, wie er sich entspannte. Creekside würde uns anderen immer fremd bleiben, aber für Noah war es die neue Heimat, hier fühlte er sich wohl. Es war nicht zu übersehen, dass die anderen Bewohner ihn vermisst hatten – bei jeder offenen Tür winkte er zur Begrüßung, sagte ein paar Worte und versprach, später vorbeizukommen und noch etwas vorzulesen.

Er ließ nicht zu, dass ich ihn stützte, also ging ich wenigstens dicht neben ihm. Er wirkte weniger sicher auf den Beinen als sonst, und erst als wir das Gebäude schon verlassen hatten, begann ich daran zu glauben, dass er es aus eigener Kraft bis zum Teich schaffen würde. Bei unserem Tempo brauchten wir allerdings ziemlich lange, und unterwegs stellte ich mit Erleichterung fest, dass die gefährliche Wurzel entfernt worden war. Hatte Kate ihre Brüder ermahnt, es nur ja nicht zu vergessen, oder hatte einer von ihnen selbst daran gedacht?

Wir setzten uns auf die Bank und ließen den Blick über das Wasser schweifen. Aber wo war der Schwan? Sicher versteckte er sich irgendwo im Schilf. Ich lehnte mich zurück, und Noah begann, das Brot in kleine Stücke zu zerteilen.

»Ich habe vorhin gehört, was du Kate vom Haus erzählt hast«, sagte er. »Wie geht es meinen Rosen?«

»Der Rosengarten ist noch nicht ganz fertig, aber es wird dir bestimmt gefallen, was die Gärtner machen.«

Er stapelte die Brotstückchen auf seinem Schoß. »Der Garten war mir immer sehr wichtig. Er ist fast so alt wie du.«

»Wirklich?«

»Ja, die ersten Büsche wurden im April 1951 gepflanzt.« Noah nickte, als wolle er sich selbst die

Richtigkeit dieses Datums bestätigen. »Ich musste im Laufe der Zeit immer wieder neue Büsche kaufen, aber damals habe ich das Muster entworfen und angefangen, daran zu arbeiten.«

»Jane hat mir erzählt, dass du Allie damit überrascht hast, weil du ihr zeigen wolltest ... wie sehr du sie liebst.«

Er schnaubte. »Das ist nur ein Teil der Geschichte. Aber es wundert mich nicht, dass Jane es so sieht. Manchmal habe ich den Eindruck, Jane und Kate denken, ich hätte jede freie Minute damit verbracht, mich irgendwie um Allie zu bemühen.«

»Willst du damit sagen, das stimmt nicht?«

Noah lachte. »Ja, natürlich stimmt es nicht! Wir haben uns auch immer wieder gestritten, genau wie andere Leute. Wir waren nur sehr begabt in Sachen Versöhnung. Aber was den Rosengarten betrifft – da haben die beiden Mädchen fast Recht.« Er legte das Brot beiseite. »Ich habe ihn angelegt, als Allie mit Jane schwanger war. In den ersten Monaten wurde ihr dauernd übel. Ich hatte erwartet, es wäre nach ein paar Wochen vorbei, aber nein – an manchen Tagen konnte sie kaum aufstehen. Der Sommer stand vor der Tür, und ich wusste genau, dass sich ihr Zustand dann noch verschlimmern würde. Also wollte ich dafür sorgen, dass sie von ihrem Fenster aus immer etwas Schönes sehen konnte.« Noah blinzelte in die Sonne. »Hast du gewusst, dass es anfangs nur ein Herz war, keine fünf?«

Ich zog erstaunt die Augenbrauen hoch. »Nein.«

»Ich hatte es nicht so geplant, aber nach Janes Geburt fand ich, dass das Herz irgendwie mickrig aussah. Daraufhin habe ich mir vorgenommen, ein paar zusätzliche Büsche zu pflanzen, um es aufzufüllen. Aber ich habe das Vorhaben immer wieder verschoben, weil schon das erste Herz so viel Arbeit gewesen war, und als ich mich schließlich daran machte, war Allie wieder schwanger. Als sie sah, was ich tat, dachte sie natürlich, es hätte etwas mit ihrer Schwangerschaft zu tun. Sie fing gleich an zu schwärmen, wie lieb das von mir sei. Und danach stand ich unter Zugzwang, es gab kein Zurück mehr. Das meine ich, wenn ich sage, es stimmt nicht ganz, dass der Rosengarten ein reiner Liebesbeweis ist. Das erste Herz war eine romantische Geste, aber beim letzten war es eigentlich nur noch eine Verpflichtung. Rosen sind enorm schwierig. Nicht nur das Pflanzen, sondern vor allem auch die Pflege. Solange sie jung sind, schießen sie hoch, und man muss sie ständig in Form schneiden. Jedes Mal, wenn sie anfingen zu blühen, musste ich mit meiner Gartenschere losziehen, und ich war davon überzeugt, dass der Garten nie so aussehen würde, wie ich ihn haben wollte. Und außerdem habe ich mir ständig wehgetan! Die Dornen sind ganz schön spitz. Dauernd bin ich mit verbundenen Händen herumgerannt – die reinste Mumie!«

Ich grinste. »Aber Allie hat sich sicher über deinen unerschrockenen Einsatz gefreut, oder?«

»Ja, natürlich. Jedenfalls eine Weile lang. Aber irgendwann sagte sie, ich solle das ganze Ding umgraben.«

Zuerst glaubte ich, mich verhört zu haben, doch an seinem Gesicht konnte ich erkennen, dass er es ernst meinte. Ich musste daran denken, dass ich in Allies Gartenbildern oft diese Melancholie wahrgenommen hatte.

»Wieso?«

Wieder blinzelte Noah in die Sonne. Dann seufzte er tief. »Sie hat immer gesagt, der Rosengarten sei wunderschön, aber der Anblick tue ihr weh. Jedes Mal, wenn sie aus dem Fenster schaute, kamen ihr die Tränen, und manchmal konnte sie gar nicht mehr aufhören zu weinen.«

Ich wusste gleich, wovon er redete.

»Wegen John«, sagte ich leise. John war Janes Bruder, der mit vier Jahren an einer Hirnhautentzündung gestorben war. Meine Frau sprach genauso selten von ihm wie Noah.

»Ja, der Verlust hat sie fast umgebracht.« Er schwieg. »Mich auch. John war so ein süßer kleiner Junge – und genau in dem Alter, in dem Kinder anfangen, die Welt zu entdecken, und alles so spannend finden. Er hat immer versucht, mit den größeren Kindern mitzuhalten, er ist im Garten hinter ihnen her gerannt, und er war völlig gesund. Er hatte nie eine Mittelohrentzündung oder auch nur einen Schnupfen gehabt! Deshalb war es solch ein Schock. Gerade hatte er noch im Garten gespielt – und eine Woche später mussten wir ihn begraben. Danach konnte Allie lange Zeit weder essen noch schlafen, und wenn sie nicht gerade weinte, ist sie wie in Trance durchs Haus gewandert. Mehr als einmal habe ich befürchtet, sie käme nie darüber weg. Und in dieser Phase wollte sie, dass ich den Garten umgrabe.«

Noah verstummte. Ich schwieg ebenfalls. Was hätte ich als Trost sagen können? Ich wusste, dass niemand, der es nicht selbst durchgemacht hat, sich vorstellen kann, wie es ist, ein Kind zu verlieren.

»Und warum hast du es nicht getan?«, fragte ich ihn nach einer Weile.

»Weil ich dachte, es sei der Schmerz, der sie das sagen ließ«, antwortete er leise. »Ich war mir nicht sicher, ob sie es wirklich wollte oder ob sie es nur sagte, weil sie so litt. Also habe ich abgewartet und mir eine Strategie zurechtgelegt: Wenn sie mich noch einmal darum bitten würde, wollte ich es tun. Oder ich würde ihr vorschlagen, nur das äußere Herz umzugraben. Aber sie hat nie wieder etwas gesagt. Sie hat den Rosengarten oft als Motiv für ihre Gemälde verwendet, allerdings konnte sie ihn nie wieder mit unbefangenem Blick betrachten. Nachdem wir John verloren hatten, war der Garten für sie kein Glückssymbol mehr. Selbst als Kate in diesem Garten geheiratet hat, war das für Allie mit gemischten Gefühlen verbunden.«

»Wissen eure Kinder, weshalb es fünf Herzen sind?«

»Vielleicht – aber da müssen sie selbst drauf gekommen sein. Allie und ich haben nicht gern über diese Zusammenhänge gesprochen. Nach Johns Tod war es leichter, den Garten als ein einmaliges Geschenk zu betrachten, nicht als fünf einzelne. Und diese Sicht-weise hat sich dann durchgesetzt. Und als die Kinder älter wurden und Fragen stellten, sagte Allie nur, ich hätte den Rosengarten für sie angelegt. Deshalb haben sie ihn immer als romantische Geste meinerseits betrachtet.«

Aus dem Augenwinkel sah ich, dass der Schwan angeglitten kam. Wie eigenartig, dass er sich jetzt erst zeigte! Ich erwartete, Noah würde ihm gleich ein Stückchen Brot zuwerfen, aber nein, er schaute den Schwan nur an. Dieser paddelte immer näher. Am Teichrand angekommen, schien er kurz zu überlegen und kam dann aus dem Wasser.

Unbeirrt tappte er auf uns zu. Noah streckte die Hand aus. Der Schwan schmiegte sich hinein, und während Noah leise mit ihm redete, fragte ich mich plötzlich, ob der Schwan ihn ebenfalls vermisst hatte.

Noah fütterte ihn jetzt, und dann – ich konnte es kaum glauben, obwohl er es mir schon erzählt hatte – ließ sich der große Vogel zu seinen Füßen nieder.

Eine Stunde später zogen Wolken auf, dicke, dunkle Regenwolken, die ein Sommergewitter ankündigten, so wie wir es in den Südstaaten kennen – ein Wolken-bruch, der etwa zwanzig Minuten lang dauert, und danach klart der Himmel wieder auf. Der Schwan tappte zurück ins Wasser, und ich wollte gerade vor-schlagen, ins Haus zurückzugehen, als ich Annas Stimme hörte.

»Hallo, Grampa! Hallo, Daddy!«, rief sie. »Wir haben uns doch gleich gedacht, dass wir euch hier finden.«

Ich drehte mich um. Anna wirkte ausgesprochen munter. Jane folgte ihr, offensichtlich etwas müder als ihre Tochter. Ihr Lächeln wirkte angespannt – es ängstigte sie, wenn sich ihr Vater am Teich aufhielt.

»Hallo, Liebling!« Ich stand auf. Anna fiel mir um den Hals.

»Wie war es?«, fragte ich. »Habt ihr ein Kleid gefunden?«

Anna begann gleich zu schwärmen. »Du wirst total staunen, Daddy!«, sagte sie und drückte meinen Arm. »Es ist einfach perfekt.«

Nun war auch Jane bei uns. Ich ließ Anna los, um Jane zu umarmen, als wäre das wieder etwas ganz Normales zwischen uns. Sie fühlte sich so weich an, so warm. Was für ein tröstliches Gefühl!

»Komm zu mir«, sagte Noah zu Anna und klopfte auf den Platz neben sich. »Erzähl mir, was du heute für das große Wochenende getan hast.«

Anna setzte sich neben ihn und nahm seine Hand. »Es läuft alles absolut gut«, sagte sie. »Ich hätte nie gedacht, dass es so viel Vergnügen macht! Wir waren bestimmt in einem Dutzend Geschäfte. Leslie fand es auch toll! Wir haben ein Kleid für sie gefunden, das ihr wirklich gut steht.«

Jane und ich standen etwas abseits und hörten zu, wie Anna die turbulenten Aktivitäten der beiden letzten Tage schilderte. Sie redete ohne Punkt und Komma, und zwischendurch stieß sie ihren Großvater immer wieder an oder drückte seine Hand. Obwohl ein Altersunterschied von sechzig Jahren zwischen den beiden lag, spürte man, wie wohl sie sich miteinander fühlten. Es kommt zwar häufiger vor, dass Großeltern ein besonders inniges Verhältnis zu ihren Enkeln haben, aber bei Noah und Anna war es eindeutig mehr – sie waren richtige Freunde. Mich erfüllte väterlicher Stolz. Was für eine wunderbare junge Frau Anna geworden war! An Janes gerührtem Gesicht konnte ich erkennen, dass es ihr genauso erging wie mir, und dann tat ich etwas, was ich seit Jahren nicht mehr spontan gemacht hatte: Ich legte ihr den Arm um die Schultern.

Ich hatte keine Ahnung, wie sie reagieren würde – einen Augenblick lang schien sie fast irritiert –, aber als ich dann spürte, wie sie sich entspannte, schien für einen Moment die ganze Welt wieder in Ordnung. In der Vergangenheit war ich in solchen Situationen oft hilflos gewesen und hatte nicht gewusst, was ich sagen sollte. Vielleicht hatte ich Angst gehabt, die Stimmung kaputt zu machen und meine Gefühle zu zerreden. Aber inzwischen hatte ich etwas begriffen: Es war ein großer Fehler gewesen, dass ich meine Gedanken und Gefühle nicht ausgesprochen hatte. Jetzt flüsterte ich Jane die Worte ins Ohr, die ich schon so oft hätte sagen sollen:

»Ich liebe dich, Jane, und ich bin der glücklichste Mann auf der Welt, weil ich dich habe.«

Sie erwiderte nichts, sie schmiegte sich nur an mich. Und diese Antwort genügte mir – mehr brauchte ich nicht.

Etwa eine halbe Stunde später hörte man das erste ferne Donnergrollen. Wir brachten Noah in sein Zimmer zurück, und nachdem wir uns am Parkplatz von Anna verabschiedet hatten, fuhren Jane und ich nach Hause.

Gerade als wir die Innenstadt durchquerten, brach die Sonne noch einmal durch die Wolken und warf lange Schatten. Der Fluss schimmerte im goldenen Licht ihrer Strahlen. Jane war ungewöhnlich still und schaute gedankenverloren aus dem Fenster. Sie hatte die Haare hinters Ohr gestrichen, und die rosafarbene Bluse passte ausgezeichnet zu ihrem Teint: Ihre Haut schimmerte wie die eines jungen Mädchens. An ihrer Hand glitzerte der Ring, den sie nun seit fast dreißig Jahren trug, der Verlobungsring mit dem Diamanten und dem schmalen goldenen Band.

Wenig später bogen wir in unsere Zufahrt ein. Jane stieg aus, ein müdes Lächeln auf den Lippen.

»Entschuldige, dass ich so schweigsam bin – ich bin einfach schrecklich erschöpft.«

»Kein Problem. Du hast ja auch zwei anstrengende Tage hinter dir.«

Ich trug das Gepäck ins Haus, während sie ihre Handtasche auf das Tischchen bei der Tür stellte.

»Möchtest du einen Schluck Wein?«, fragte ich sie.

Jane gähnte und schüttelte den Kopf. »Nein, danke, heute Abend lieber nicht. Ich würde gleich nach dem ersten Glas einschlafen. Aber ein Glas Wasser hätte ich gern.«

Ich ging in die Küche und füllte zwei Gläser mit Wasser, gab Eiswürfel dazu und reichte Jane ihr Glas. Sie trank einen kräftigen Schluck, lehnte sich an die Arbeitsplatte, einen Fuß an den Schrank gestützt – ihre übliche Haltung.

»Meine Füße bringen mich noch um. Wir waren den ganzen Tag auf den Beinen, sozusagen ohne Pause. Anna hat sich ein paar hundert Kleider angeschaut, ehe sie sich entscheiden konnte. Leslie war diejenige, die es am Ständer entdeckt hat. Ich glaube, sie war kurz davor, die Geduld zu verlieren – Anna ist mit Sicherheit der am wenigsten entscheidungsfreudige Mensch auf der ganzen Welt.«

»Kannst du das Kleid beschreiben?«

»Ach, nein, du musst sehen, wie sie darin aussieht! Ein bisschen im Meerjungfrauenstil, also eher figurbetont. Es muss etwas enger gemacht werden, damit es richtig sitzt. Keith ist bestimmt begeistert.«

»Ich wette, sie wird sehr hübsch aussehen.«

»Ja, das glaube ich auch.« Janes verträumter Gesichtsausdruck sagte mir, dass sie im Geiste ihre Tochter als Braut vor sich sah. »Ich würde dir das Kleid gern zeigen, aber Anna will, dass du es erst am Wochenende siehst. Sie möchte dich überraschen.« Nach kurzem Schweigen wechselte sie das Thema. »Und was ist bei dir heute passiert? Sind die Handwerker gekommen?«

»Ja, alle miteinander«, erklärte ich stolz und erzählte ihr die Details.

Von der Küche aus konnten wir durch die Glastür schauen, die auf das Deck hinausführte. Draußen wurde es immer dunkler, und schon klopften die ersten Regentropfen an die Scheiben. Der Fluss wirkte grau und geheimnisvoll. Dann der erste grelle Blitz – gefolgt von einem kräftigen Donner –, und plötzlich begann es zu schütten. Fasziniert verfolgte Jane das Naturschauspiel.

»Weißt du, ob es am Samstag regnen soll?«, fragte sie. Ihre Stimme klang ganz gelassen, ich hätte erwartet, dass sie besorgter klingen würde. Aber sie war ja schon während der Autofahrt entspannt gewesen. Warum nur verlor sie kein Wort über Noah und den Teich?

»Angeblich regnet es nicht«, sagte ich. »Im Wetterbericht hieß es, es wird ein wolkenloser Tag. Das hier soll das letzte Unwetter vor dem Wochenende sein.«

Schweigend blickten wir in den Regen. Nichts war zu hören, nur das sanfte Prasseln. Jane schien in Gedanken weit weg zu sein, ein versonnenes Lächeln spielte um ihre Lippen.

»Ist das nicht herrlich?«, fragte sie schließlich. »Dem Regen zuzuschauen? Erinnerst du dich – wir haben das immer im Haus meiner Eltern gemacht. Wir saßen auf der Veranda und schauten nach draußen.«

»Ich erinnere mich sehr gut.«

»Das war schön, stimmt's?«

»Sehr.«

»Wir haben das schon lange nicht mehr getan.«

»Stimmt.«

Jane schien wieder ihren Erinnerungen nachzu-
hängen, und ich wünschte mir sehnlichst, dass diese
neu gefundene Ruhe nicht in die lähmende Traurigkeit der letzten Monate umschlagen würde, gegen die
ich so machtlos war. Aber Janes Gesicht veränderte
sich nicht. Nach einer Weile begann sie wieder zu
sprechen.

»Heute ist noch etwas anderes passiert.«

»Was denn?«

Jetzt sah sie mich an. In ihren Augen glänzten
Tränen.

»Ich kann bei der Hochzeit nicht neben dir sitzen.«

»Warum nicht?«

»Es geht nicht. Ich bin vorn bei Anna und Keith.«

»Aber warum?«

»Weil Anna mich gebeten hat, ihre Brautführerin
zu sein.« Janes Stimme überschlug sich fast. »Sie hat
gesagt, sie fühlt sich mir näher als allen anderen und
ich hätte so viel für sie und die Hochzeit getan ...« Jane
blinzelte ein paar Mal und schniefte dezent. »Ich weiß,
es ist albern, aber ich war so überrascht, dass ich gar
nicht gewusst habe, was ich antworten soll. Von mir
aus wäre ich im Traum nicht auf diese Idee gekommen. Und Anna war so lieb, als sie mich gefragt hat –
als wäre es ihr ganz, ganz wichtig.«

Sie wischte die Tränen fort. Ich hatte vor Rührung
einen dicken Kloß in der Kehle. Den Vater als Braut-
führer zu nehmen, war hier im Süden nicht unüblich,

aber dass jemand seine Mutter als Brautführerin haben wollte, war eher die Ausnahme.

»Wie wunderbar, mein Schatz«, murmelte ich. »Ich freue mich sehr für dich.«

Wieder blitzte es, der Donner hallte, aber wir achteten kaum darauf. Wir standen noch in der Küche, als das Gewitter schon längst weitergezogen war, und genossen unser stilles Glück.

Schließlich hörte es auch auf zu regnen. Jane öffnete die Glastür und trat hinaus auf das Deck. Von der Dachrinne und dem Geländer tropfte es immer noch heftig, und vom Boden stiegen kleine Dampfwolken auf.

Ich folgte ihr. Erst jetzt merkte ich, dass mir von der ungewohnten körperlichen Anstrengung Rücken und Arme wehtaten. Ich ließ meine Schultern rotieren, um sie zu entspannen.

»Hast du schon etwas gegessen?«, erkundigte sich Jane.

»Nein, noch nicht. Hättest du Lust, essen zu gehen?«

Sie schüttelte den Kopf. »Eigentlich nicht. Ich fühle mich so ausgelaugt.«

»Was hältst du davon, wenn wir uns etwas bestellen? Etwas Unkompliziertes?«

»Zum Beispiel?«

»Zum Beispiel eine Pizza?«

Sie stemmte die Hände in die Hüften. »Wir haben keine mehr bestellt, seit Leslie ausgezogen ist.«

»Ich weiß. Aber Pizza klingt verlockend, findest du nicht?«

»Ja, sogar sehr verlockend. Nur leider bekommst du hinterher immer Verdauungsprobleme.«

»Stimmt – aber heute Abend bin ich bereit, das Risiko auf mich zu nehmen.«

»Wär's dir nicht lieber, ich würde schnell noch etwas improvisieren? In der Gefriertruhe lässt sich bestimmt etwas auftreiben.«

»Ach, weißt du – wir haben uns seit Jahren keine Pizza mehr geteilt. Nur wir beide, meine ich. Wir machen es uns auf der Couch gemütlich, essen direkt aus dem Karton – so wie wir's früher immer gemacht haben.«

»Willst du bestellen – oder soll ich?«

»Ich mach das schon. Was hättest du denn gern?«

Jane überlegte. »Ach – am liebsten die ganze Palette.«

»Warum nicht?«

Die Pizza wurde eine halbe Stunde später geliefert. Jane hatte sich inzwischen umgezogen, sie trug jetzt Jeans und ein dunkles T-Shirt, und während wir unsere Pizza verdrückten, fühlten wir uns wie ein Studentenpärchen im Wohnheim. Da sie vorhin gesagt hatte, sie wolle keinen Wein, teilten wir uns jetzt ein kaltes Bier aus dem Kühlschrank.

Beim Essen gab Jane noch ein paar Einzelheiten über ihren Einkaufsbummel zum Besten. Den Vormittag hatten sie damit verbracht, etwas Passendes für Leslie und Jane zu suchen, obwohl Jane protestierte und sagte, sie könne sich doch »ein schlichtes Outfit bei *Belk's* holen«. Aber Anna war unerbittlich gewesen und hatte darauf bestanden, dass sich Jane und Leslie ein Kleid aussuchten, das ihnen wirklich gefiel – und das sie auch bei anderen Gelegenheiten anziehen konnten.

»Leslie hat ein sehr elegantes Kleid gefunden – knielang, es sieht ein bisschen wie ein Cocktailkleid aus. Es stand Leslie so gut, dass Anna es auch anprobiert hat, nur so zum Spaß.« Jane seufzte verzückt. »Die Mädchen haben sich beide zu richtigen Schönheiten entwickelt.«

»Sie haben deine Gene«, erklärte ich ernsthaft.

Jane lachte mit vollem Mund, schüttelte dann aber energisch den Kopf.

Draußen verfärbte sich der Himmel indigoblau, und die mondbeschienenen Wolken bekamen einen zarten Silberrand. Als wir mit unserer Pizza fertig waren, blieben wir einfach sitzen und horchten auf den Klang der Windorgel in der abendlichen Brise. Jane lehnte sich zurück und betrachtete mich mit halb geschlossenen Augen. *Was für ein verführerischer Blick!*, dachte ich verwirrt.

»Das war eine tolle Idee«, sagte sie. »Ich hatte viel mehr Hunger, als ich dachte.«

»Aber du hast gar nicht so viel gegessen.«

»Na ja – immerhin muss ich am Wochenende noch in mein Kleid passen!«

»Da würde ich mir an deiner Stelle keine Sorgen machen«, sagte ich. »Du bist immer noch so schön wie an dem Tag, als ich dich geheiratet habe.«

An ihrem erzwungenen Lächeln merkte ich, dass meine Worte nicht ganz die gewünschte Wirkung hatten. Plötzlich fragte sie schroff: »Wilson? Kann ich dir eine Frage stellen?«

»Klar.«

»Ich möchte, dass du mir ehrlich antwortest.«

»Schieß los.«

Sie zögerte kurz. »Es ist wegen heute Nachmittag – am Teich.«

Es geht um den Schwan, dachte ich sofort, aber ehe ich ihr erklären konnte, dass Noah mich gebeten hatte, ihn zu begleiten, und dass er ohne mich gegangen wäre, wenn ich mich geweigert hätte, fuhr sie fort:

»Wie hast du das gemeint, was du da gesagt hast?«

Ich runzelte verwirrt die Stirn.

»Du hast gesagt, du liebst mich. Und du seist der glücklichste Mensch auf der Welt.«

Irgendwie war ich nicht darauf gefasst gewesen, dass sie so konkret nachfragen würde. »Ich habe es genauso gemeint, wie ich es gesagt habe«, murmelte ich etwas verlegen.

»Ist das alles?«

»Ja.« Ich konnte meine Ratlosigkeit nicht kaschieren. »Wieso fragst du?«

»Ich wüsste gern, warum du das gesagt hast«, erklärte Jane nüchtern. »So etwas sagt man doch nicht aus heiterem Himmel – du schon gar nicht.«

»Ja, aber ... also in dem Moment kam es mir einfach richtig vor.«

Ihr Gesicht wurde ernst. Mit zusammengepressten Lippen schaute sie zur Decke, als müsse sie Kraft sammeln, um sich zu wappnen. Dann durchbohrte mich ihr Blick. »Hast du eine Affäre?«

Ich zuckte wie vom Blitz getroffen zusammen. »Wie bitte?«

»Du hast genau gehört, was ich gesagt habe.«

Da begriff ich, dass das kein Scherz sein sollte. Sie versuchte, meine Miene zu entschlüsseln, weil sie wissen wollte, ob ich die Wahrheit sagen würde.

Ich nahm ihre Hand zwischen meine Hände. »Nein«, sagte ich und schaute ihr dabei fest in die Augen. »Ich habe keine Affäre, Jane. Ich habe noch nie eine Affäre gehabt, und ich werde auch nie eine haben. Ich habe nie auch nur den Wunsch verspürt.«

Sie musterte mich noch einmal prüfend, dann nickte sie und sagte: »Okay.«

»Ich meine es ernst.«

Sie lächelte. »Ich glaube dir. Ich habe es eigentlich auch nicht geglaubt, aber ich musste dich einfach fragen.«

»Aber – wie kommst du überhaupt auf die Idee?«

»Na, deinetwegen«, sagte sie, »so wie du dich verhältst ...«

»Das verstehe ich nicht.«

»Versuch doch einmal, dich in mich hineinzuversetzen und dein Verhalten aus meiner Perspektive zu sehen. Zuerst fängst du an, Sport zu treiben und abzunehmen. Plötzlich kochst du für uns und erkundigst dich, wie mein Tag war. Und als würde das nicht schon genügen, bist du die ganze Woche über unglaublich hilfsbereit ... bei allem, was anfällt. Und jetzt fängst du auch noch an, nette Sachen zu sagen, was völlig untypisch für dich ist. Anfangs habe ich gedacht, das ist nur eine Phase, dann vermutete ich, es hätte etwas mit der Hochzeit zu tun. Aber jetzt – irgendwie habe ich das Gefühl, du bist ein anderer Mensch geworden. Ich meine – du entschuldigst dich dafür, dass du nicht oft genug hier warst! Du machst mir ohne jeden Anlass eine Liebeserklärung! Du hörst mir zu, wenn ich stundenlang von meinen Einkäufen berichte. Komm, wir bestellen Pizza ... Ich finde das alles ganz wunderbar, aber ich wollte mich nur versichern, dass du es nicht tust, weil du wegen irgendetwas ein schlechtes Gewissen hast. Aber wenn du keine Affäre hast, begreife ich immer noch nicht, was in dich gefahren ist.«

Ich schüttelte den Kopf. »Ich habe kein schlechtes Gewissen, glaub mir. Das heißt, höchstens, weil ich immer so viel arbeite. Das finde ich nicht gut. Aber mein Verhalten sonst – ich möchte nur ...«

Ich verstummte. Jane schmiegte sich zärtlich an mich.

»Was möchtest du nur?«, hakte sie nach.

»Was ich neulich abends schon gesagt habe. Ich war kein besonders guter Ehemann, finde ich, und – ach, ich weiß auch nicht – ich will einfach versuchen, mich zu bessern.«

»Warum?«

Weil ich möchte, dass du mich wieder liebst, dachte ich, aber diese Worte behielt ich für mich.

Ich schwieg lange, dann sagte ich: »Du und die Kinder, ihr seid für mich die wichtigsten Menschen auf der Welt. Das wart ihr schon immer, und ich habe sehr viel Zeit vergeudet, weil ich mich jahrelang so verhielt, als wäre es nicht so. Ich weiß, die Vergangenheit kann ich nicht ungeschehen machen, aber vielleicht kann ich die Zukunft beeinflussen. Ich kann mich ändern. Und das will ich auch.«

Jane betrachtete mich mit zusammengekniffenen Augen. »Soll das heißen, dass du nicht mehr so viel arbeiten willst?«

Ihr Tonfall war sehr lieb, aber skeptisch. Das tat mir innerlich weh. War ich wirklich solch ein Arbeitsroboter geworden?

»Wenn du mich bitten würdest, in den Ruhestand zu gehen, würde ich das sofort tun.«

Wieder sah ich diesen verführerischen Glanz in ihren Augen.

»Siehst du, was ich meine? Du bist in letzter Zeit gar nicht du selbst!«

Sie meinte das zwar scherzhaft, und ich vermute, sie war sich nicht sicher, ob sie mir Glauben schenken sollte, aber der Gedanke gefiel ihr, so viel stand fest.

»Darf ich *dich* jetzt etwas fragen?«, sagte ich.

»Warum nicht?«

»Anna ist morgen Abend bei Keiths Eltern, und Leslie und Joseph kommen erst am Freitag – also habe ich gedacht, wir zwei könnten am Abend einmal etwas Besonderes unternehmen.«

»Woran dachtest du denn?«

»Wie wär's ... wenn ich mir etwas ausdenke und du dich überraschen lässt?«

Jane lächelte fast mädchenhaft. »Ich liebe Überraschungen, das weißt du doch.«

»Ja, das weiß ich.«

»Ich finde deinen Vorschlag wundervoll«, sagte sie mit unverhüllter Vorfreude.

KAPITEL 14

Am Donnerstagmorgen fuhr ich schon früh zu Noahs Haus, mit voll gepacktem Kofferraum. Wie schon am Tag zuvor wimmelte es wieder von Fahrzeugen. Mein Freund Nathan Little winkte mir von weitem zu und gab mir zu verstehen, er werde gleich bei mir sein.

Ich parkte im Schatten und machte mich sofort an die Arbeit. Mithilfe der Leiter entfernte ich die letzten Bretter von den Fenstern, damit der Mann mit dem Druckstrahlreiniger ungehindert weiterarbeiten konnte.

Die Bretter lagerte ich im Keller. Ich schloss gerade die Tür ab, als ein Putztrupp von fünf Personen auftauchte und das Haus mit Beschlag belegte. Da im Untergeschoss im Wohnzimmer bereits die Maler am Werk waren, schleppten die Putzleute Eimer, Schrubber, Wischlappen und Reinigungsmittel in den Flur und nahmen Küche, Treppenhaus, Badezimmer, Fenster sowie die oberen Räume in Angriff, zügig und effizient. Außerdem wurden alle Betten frisch bezogen – die Wäsche hatte ich aus unseren Schränken mitgebracht. Nathan stellte in jedem Zimmer frische Blumen auf.

Keine Stunde war vergangen, als schon der nächste Lastwagen vorfuhr. Mehrere Männer luden Klappstühle ab und stellten sie in Reihen auf. Bei der Laube wurden Löcher gegraben, in die Tröge mit vorgezogenen Glyzinien versenkt wurden, die purpurfarbenen Blüten wurden durch das Gitterwerk gefädelt und festgebunden. Jenseits der Laube sah man den Rosengarten, der jetzt nicht mehr verwildert aussah, sondern in üppiger Farbenpracht erstrahlte.

Trotz der optimistischen Wettervorhersage – strahlender Sonnenschein, wolkenloser Himmel – hatte ich ein Zelt bestellt, man konnte ja schließlich nie wissen, und zudem würde es den Gästen Schatten spenden. Im Verlauf des Vormittags wurde dieses schneeweiße Zelt nun aufgestellt. Danach versenkten die Männer weitere Glyzinientöpfe im Boden und schlangen Pflanzen zwischen weißen Lichterketten um die Zeltstangen.

Der Mann mit dem Druckstrahlreiniger säuberte auch den Springbrunnen im Zentrum des Rosengartens. Als ich den Brunnen nach der Mittagspause anstellte, begann er sofort zu gurgeln und zu sprudeln, der aufsteigende Strahl ergoss sich über die drei Becken und plätscherte wie ein kleiner Wasserfall.

Der Klavierstimmer traf ein und verbrachte drei Stunden mit dem Instrument, auf dem lange niemand mehr gespielt hatte. Als er fertig war, wurden Spezialmikrophone installiert, damit man die Musik zuerst bei der Zeremonie und später beim Empfang hören konnte. Zusätzliche Lautsprecher und Mikrophone würden dafür sorgen, dass der Pastor während der Feier von allen verstanden und die Musik in jedem Winkel des Hauses gehört wurde.

Im großen Wohnzimmer wurden die Tische aufgestellt – frei blieb eine Tanzfläche vor dem Kamin. Jeder Tisch wurde mit einem weißen Tischtuch bedeckt. Kerzen und Blumenschmuck erschienen wie von Zauberhand, und als die Leute vom Restaurant eintrafen, mussten sie nur noch die Stoffservietten zu Schwänen falten, um die Tischdekoration zu vervollkommnen.

Ich erinnerte die zuständigen Leute noch einmal daran, dass ich einen Einzeltisch draußen auf der hinteren Veranda gedeckt haben wollte. Auch diese Bitte wurde umgehend erfüllt.

Zum krönenden Abschluss stellten die Gärtner eingetopfte Hibiskussträucher, mit Lichterketten verziert, in die Zimmerecken, um dem Raum eine ganz besondere Note zu verleihen.

Gegen drei Uhr waren sämtliche Arbeiten mehr oder weniger abgeschlossen. Alle Helfer beluden wieder ihre Fahrzeuge, die Gärtner räumten noch auf und legten letzte Hand an. Zum ersten Mal, seit das Unternehmen »Hausputz« gestartet worden war, stand ich schließlich allein im Salon. Ich fühlte mich fantastisch – die Aktivitäten der letzten beiden Tage waren zwar hektisch gewesen, aber alles hatte einwandfrei geklappt, und selbst ohne Möbel erinnerten mich die Räume an die wunderbaren Jahre, als das Haus noch bewohnt gewesen war.

Ich blickte dem Fahrzeugkorso nach, der sich langsam entfernte. Eigentlich hätte ich ebenfalls aufbrechen müssen.

Ob Jane wohl über unsere Verabredung am Abend nachdachte? Wahrscheinlich blieb ihr gar keine Zeit dafür, weil sie im Stress war. Und weil sie mich so gut kannte, erwartete sie garantiert keine ausgetüftelte Überraschung. Ich hatte es im Laufe der Jahre geschafft, ihre Erwartungen herunterzuschrauben, aber gerade deswegen hoffte ich jetzt, dass das, was ich mir für sie ausgedacht hatte, sie umso mehr beeindrucken würde.

Als ich mir das Haus noch einmal von außen anschaute, wurde mir erst richtig bewusst, dass die vielen Monate, die ich mit der Vorbereitung für unseren Hochzeitstag verbracht hatte, jetzt bald zu Ende gingen. Es war gar nicht leicht gewesen, meine Pläne vor Jane geheim zu halten. Doch jetzt, da der große Abend unmittelbar bevorstand, merkte ich, dass fast alles, was ich mir für Jane und mich ersehnt hatte, bereits in Erfüllung gegangen war. Ursprünglich hatte ich mein Geschenk als eine Art Neuanfang betrachtet – aber war es nicht eher wie das Ende einer Reise, die ich vor einem Jahr angetreten hatte?

Nun, da Haus und Garten endlich menschenleer waren, machte ich zum Abschied noch einen letzten Rundgang. Dann fuhr ich los. Auf dem Heimweg musste ich ein paar Kleinigkeiten besorgen, die ich für den Abend brauchte, und als ich nach Hause kam, war es bereits fünf Uhr. Schnell räumte ich alles weg und ging unter die Dusche, um den Schweiß und Schmutz des Tages abzuwaschen.

Viel Zeit blieb mir nicht. Zum Glück hatte ich mir im Büro eine Liste gemacht und genau notiert, in welcher Reihenfolge ich vorgehen musste. Seit Monaten hatte ich an der Gestaltung dieses Abends gefeilt, jeder Schritt war exakt durchdacht. Ich hatte Anna gebeten, mich anzurufen, sobald Jane sie zu Hause abgesetzt hatte, damit ich mir ausrechnen konnte, wann sie hier eintreffen würde. Das Telefon klingelte, Anna war am Apparat – nun hatte ich noch eine Viertelstunde. Im Haus war alles in Ordnung, bestätigte mir ein letzter prüfender Blick. Ein wichtiges Detail kam ganz zum Schluss: An die verschlossene Eingangstür heftete ich einen Zettel, den Jane unmöglich übersehen konnte:

Willkommen zu Hause, mein Schatz. Die Überraschung wartet drinnen auf dich ...

Dann stieg ich ins Auto und fuhr los.

KAPITEL 15

Fast drei Stunden später wartete ich in Noahs Haus. Ich spähte aus dem Fenster und sah die Scheinwerfer eines Wagens, der sich langsam näherte. Ein Blick auf die Uhr bestätigte es mir – ja, pünktlich auf die Minute.

Ich knöpfte mein Jackett zu. Wie mochte sich Jane wohl fühlen? Ich war zwar nicht dabei gewesen, als sie unser Haus betrat, aber ich versuchte, mir die Szene auszumalen. Hatte sie sich gewundert, dass mein Wagen nicht in der Einfahrt stand? Bestimmt war ihr aufgefallen, dass ich die Vorhänge zugezogen hatte – vielleicht war sie kurz im Auto sitzen geblieben, erstaunt und sogar ein bisschen verwirrt ...

Sie musste zuerst das Auto ausladen und hatte bestimmt beide Hände voll, als sie die Tür aufschloss. Selbst wenn sie ihr Kleid für die Hochzeit noch nicht abgeholt haben sollte – den Karton mit den neuen Schuhen hatte sie dabei, denn Anna hatte kurz erwähnt, dass sie am Vormittag sehr schöne Schuhe gekauft hatte. Meinen Zettel konnte sie auf keinen Fall übersehen.

Aber wie würde sie auf meine Worte reagieren? Da war ich mir eher unsicher. Vielleicht ein verdutztes Lächeln? Dass ich nicht zu Hause war, fand sie sicher merkwürdig.

Was dachte sie, als sie die Tür aufschloss und in das dunkle Wohnzimmer trat, das nur von warmem Kerzenlicht erhellt war? Gefiel ihr die geheimnisvoll melodiöse Stimme von Billie Holiday, die leise aus dem CD-Spieler erklang? Wie lange dauerte es, bis sie die Rosenblätter auf dem Fußboden entdeckte, die vom Wohnzimmer die Treppe hinaufführten? Und den zweiten Brief, den ich an den Treppenpfosten geklebt hatte?

Liebste, dieser Abend gehört dir. Aber ehe du ans Ziel gelangst, musst du mehrere Aufgaben erfüllen. Stell es dir vor wie ein Spiel oder wie ein Theaterstück, in dem du eine Rolle spielst.
Ich werde dir Anweisungen geben, und du musst genau das tun, worum ich dich bitte.
Die erste Aufgabe ist leicht: Puste bitte die Kerzen im Wohnzimmer aus und folge den Rosenblättern hinauf ins Schlafzimmer. Dort erwarten dich weitere Anweisungen.

Verschlug es ihr die Sprache? Oder lachte sie ungläubig in sich hinein? Gleichgültig – so wie ich Jane kannte, machte sie das Spiel anstandslos mit. Im Schlafzimmer angekommen, platzte sie vermutlich schon vor Neugier.

Auch im Schlafzimmer brannten überall Kerzen, im Hintergrund spielte dezente Klaviermusik von Chopin. Ein Bouquet mit dreißig Rosen lag auf dem Bett, rechts und links davon ein hübsches Paket, jedes mit einem Briefumschlag versehen. Auf dem einen stand »Jetzt öffnen«, auf dem anderen »Um acht Uhr öffnen«.

Ich stellte mir vor, wie sie zum Bett trat, den Rosenstrauß nahm und daran roch, den betäubend süßen Geruch der Blüten in sich aufnahm. Als sie den Umschlag links öffnete, las sie:

Du hattest einen anstrengenden Tag, deshalb dachte ich, du möchtest dich vielleicht ein bisschen entspannen, ehe wir uns heute Abend sehen. Öffne das Geschenk, das zu dieser Karte gehört, und nimm den Inhalt mit ins Badezimmer. Dort erwarten dich weitere Anweisungen.

Vielleicht blickte sie über die Schulter und stellte fest, dass auch das Badezimmer von Kerzen erleuchtet war. In dem Päckchen befanden sich verschiedene Badeöle und Bodylotions sowie ein neuer Bademantel aus Seide.

Ich nehme fast an, dass sie auch das andere Päckchen in die Hand nahm und es hin- und herdrehte. »Um acht Uhr öffnen« ... Sollte sie sich daran halten oder nicht? Vielleicht strich sie über das Geschenkpapier. Wie groß war die Versuchung? Aber letztlich, so denke ich, rief sie sich zur Ordnung, besiegte ihre

Neugier und begab sich mit einem leisen Seufzer ins Bad. Auf dem Frisiertisch lag der nächste Zettel:

Gibt es nach einem langen Tag etwas Schöneres als ein ausgedehntes, warmes Bad? Nimm das Badeöl deiner Wahl, verwende es großzügig, und lass die Wanne mit heißem Wasser voll laufen. Neben der Wanne findest du eine Flasche mit deinem Lieblingswein, noch eisgekühlt und schon entkorkt. Gieß dir ein Glas ein, steige in die Wanne, lehne den Kopf zurück und entspanne dich. Wenn du das Bad lange genug genossen hast, steige aus der Wanne, trockne dich ab, reibe dich mit einer der neuen Lotionen ein, zieh dich aber noch nicht wieder an, sondern geh in dem neuen Bademantel zurück ins Schlafzimmer, setz dich aufs Bett und öffne das zweite Paket.

Darin befanden sich ein Cocktailkleid und schwarze Pumps. Mit viel List und Tücke war es mir gelungen, von den Dingen, die sich in Janes großem Schrank befanden, ihre Kleider- und Schuhgröße abzuleiten, und dann hatte ich es tatsächlich gewagt, diese beiden Dinge ohne Janes Beistand zu besorgen. Die Karte, die zu dem gehörte, war ganz schlicht:

Gleich hast du es geschafft. Bitte öffne das Paket und ziehe alles an, was ich für dich gekauft habe. Wenn du möchtest, leg doch auch die Ohrringe an, die ich dir zu jenem Weihnachtsfest geschenkt

habe, als wir uns gerade etwas näher kennen
gelernt hatten. Aber du darfst nicht trödeln, Lieb-
ling – es bleiben dir noch genau fünfundvierzig
Minuten, um alles zu erledigen. Puste die Kerzen
aus, lass das Badewasser ablaufen, stell den
CD-Spieler aus. Um Viertel vor neun gehst du
hinunter zur vorderen Veranda. Schließ die Tür
hinter dir ab. Mach die Augen zu und stelle dich
mit dem Rücken zur Straße. Dann darfst du
dich umdrehen – und wenn du die Augen öffnest,
beginnt unser gemeinsamer Abend.

Draußen erwartete sie schon die von mir bestellte
Limousine. Der Fahrer, der ebenfalls ein Geschenk für
sie bereit hielt, sollte zu ihr sagen: »Mrs Lewis? Ich
bringe Sie jetzt zu Ihrem Mann. Er möchte, dass Sie
dieses Geschenk auspacken, sobald Sie im Auto sitzen.
Auf der Rückbank liegt noch etwas für Sie.«

In dem Päckchen befand sich eine Flasche edles Parfum, mit der kurzen Mitteilung:

Ich habe das Parfum extra für dich und speziell
für heute Abend ausgewählt. Trage etwas
Parfum auf und öffne das andere Geschenk.
Der dazugehörige Brief wird dir mitteilen,
was du zu tun hast.

In der Schachtel, die auf dem Rücksitz lag, befand sich
ein schmaler schwarzer Schal mit der schriftlichen
Anweisung:

Du wirst jetzt an einen Ort gebracht, wo ich auf dich warte. Es soll eine Überraschung sein, deshalb bitte ich dich, den Schal als Augenbinde zu verwenden. Nicht schummeln! Die Fahrt dauert keine Viertelstunde, aber der Fahrer wird erst losfahren, wenn du sagst: »Ich bin so weit.« Sobald der Wagen hält, wird der Fahrer für dich die Tür öffnen. Du musst die Augen immer noch verbunden lassen. Bitte den Fahrer, dich zu führen.

Ich werde da sein.

KAPITEL 16

Die Limousine parkte direkt vor dem Haus. Ich hielt vor Spannung den Atem an.

Als der Fahrer ausstieg, nickte er mir kurz zu. Damit wollte er mir zu verstehen geben, dass alles wie geplant über die Bühne gegangen war. Aufgeregt erwiderte ich sein Nicken.

In den letzten beiden Stunden hatte ich eine Achterbahn der Gefühle durchgemacht: Einerseits freute ich mich unendlich, aber andererseits hatte ich auch furchtbare Angst. Was sollte ich tun, wenn Jane meine ganzen Einfälle – albern fand? Als der Chauffeur zu Janes Wagentür ging, hatte ich plötzlich einen ganz trockenen Mund. Ich verschränkte die Arme und lehnte mich an das Verandageländer. Schließlich wollte ich unbedingt einen souveränen, gelassenen Eindruck machen. Fahles Mondlicht erhellte die Nacht, die Grillen zirpten.

Der Chauffeur öffnete die Wagentür. Zuerst erschienen, wie in Zeitlupe, Janes Beine, dann tauchte sie selbst auf. Die Augen hatte sie noch immer verbunden.

Ich vermochte den Blick nicht von ihr zu nehmen. Trotz der schwachen Beleuchtung sah ich, dass ein feines Lächeln um ihre Lippen spielte. Sie wirkte unglaublich elegant. Mit einer Handbewegung gab ich dem Chauffeur zu verstehen, er könne nun wieder fahren.

Fast lautlos entfernte sich die Limousine, während ich zu Jane trat. Ich musste meinen ganzen Mut zusammennehmen, um sie anzusprechen.

»Du siehst wunderbar aus«, sagte ich.

Sie wandte sich mir zu. Jetzt lächelte sie richtig. »Vielen Dank«, sagte sie. Offensichtlich erwartete sie, dass ich weitersprechen würde, und als ich schwieg, fragte sie leise: »Darf ich die Binde abnehmen?«

Ich schaute mich noch einmal um, weil ich mich versichern wollte, dass auch wirklich alles so aussah, wie ich es geplant hatte.

»Ja«, antwortete ich ebenso leise.

Sie zupfte an dem Knoten, er löste sich, der Schal fiel zu Boden. Es dauerte einen Moment, bis sich ihre Augen dem Licht angepasst hatten. Sie schaute zuerst zu mir, dann zum Haus, dann wieder zu mir. Ich trug einen neuen, maßgeschneiderten Smoking. Jane blinzelte, als wäre sie gerade aus einem Traum erwacht.

»Ich dachte, du würdest vielleicht gern wissen, wie es am Wochenende hier aussieht.«

Mit scheuem Blick versuchte sie, die ganzen Eindrücke in sich aufzunehmen. Sogar aus der Entfernung sah das Anwesen zauberhaft aus. Unter dem nachtblauen Himmel schimmerte viel versprechend das weiße Zelt, die Scheinwerfer im Rosengarten warfen filigrane Schatten und brachten zugleich die herrlich satten Farben der Blüten zum Leuchten. Der Springbrunnen glitzerte im Mondlicht.

»Wilson ... das ist ... ich bin fassungslos!«, stammelte Jane.

Zärtlich nahm ich sie an der Hand. Ein Hauch ihres neuen Parfums umwehte sie, und ich entdeckte die kleinen Diamantohrringe. Dunkler Lippenstift betonte ihre vollen Lippen.

Sie musterte mich voller Staunen. »Aber wie hast du ... es waren ja nur zwei Tage!«

»Ich habe dir doch versprochen, dass es klappen wird«, sagte ich. »Und du weißt, was Noah gesagt hat – schließlich gibt es hier nicht jeden Tag eine Hochzeit.«

Erst jetzt schien sie meine Kleidung wahrzunehmen. Sie trat einen Schritt zurück.

»Du trägst ja einen Smoking!«

»Ich habe ihn fürs Wochenende gekauft, aber ich dachte, ich könnte ihn ja schon mal eintragen.«

Sie musterte mich von Kopf bis Fuß. »Du siehst toll aus – wirklich toll!«

»Du klingst überrascht.«

»Bin ich auch«, antwortete sie schnell, doch dann wurde ihr die Bedeutung ihrer Worte bewusst. »Ich meine – ich wollte sagen, ich bin nicht überrascht, dass du so gut aussiehst, ich war nur nicht auf diese stilvolle Kleidung gefasst.«

»Ich nehme es als Kompliment.«

Jane lachte. »Soll es auch sein. Aber jetzt würde ich mir gern mal alles aus der Nähe ansehen.«

Nathan Little hatte Recht behalten: Es sah wirklich alles großartig aus. Zwischen den Eichen und Zypressen wirkte das strahlend weiße Zelt wie eine Erscheinung aus einer anderen Welt. Die weißen Stühle waren wie bei einem Orchester in leicht geschwungenen Reihen aufgestellt, wodurch die Form des Rosengartens aufgegriffen wurde. Die Stühle blickten alle zur Laube, die den Betrachter mit ihren Lichterketten und den Glyzinien verzauberte. Und Blumen, überall Blumen, so weit das Auge reichte.

Langsam ging Jane den Gang hinunter. Ich wusste, dass sie vor ihrem inneren Auge die versammelten Gäste sah und sich ausmalte, wie Anna hier entlangschritt. Als sie sich zu mir umdrehte, drückte ihr Gesicht immer noch fassungsloses Staunen aus.

»Ich hätte nie gedacht, dass es so fantastisch werden könnte.«

Ich räusperte mich. »Sie haben ihre Sache gut gemacht, die Gärtner und die Handwerker, stimmt's?«

Sie schüttelte feierlich den Kopf. »Nein«, sagte sie. »*Du* hast deine Sache gut gemacht.«

Als wir das Ende des Gangs erreichten, ließ Jane meine Hand los und ging zur Laube, während ich stehen blieb. Sie betastete das Gitterwerk, die Blumen, die Lichterketten. Dann wanderte ihr Blick zum Rosengarten.

»Er sieht aus wie früher«, murmelte sie.

Während sie um die Laube schlenderte, fiel mein Blick auf ihr Kleid. Es umschmeichelte ihre Figur, ihre aufreizenden Rundungen, die ich so gut kannte. Wie kam es, dass es mir bei diesem Anblick immer noch den Atem verschlug? Woran lag das? Daran, dass sie solch ein wunderbarer Mensch war? An unserem gemeinsamen Leben? Seit unserer ersten Begegnung waren viele Jahre vergangen, aber Janes Wirkung auf mich hatte nicht nachgelassen, im Gegenteil, sie war eher stärker geworden.

Wir gingen zum Rosengarten, um das äußere der konzentrischen Herzen herum. Der Brunnen plätscherte wie ein Gebirgsbach. Jane sagte nichts – schweigend nahm sie alles in sich auf und blickte nur gelegentlich über die Schulter, um sich zu versichern, dass ich noch in der Nähe war. Vom Ende des Rosengartens aus war nur noch das Zeltdach zu sehen. Jane blieb stehen und betrachtete die Rosensträucher, wählte eine Blüte aus und steckte sie mir ans Revers. Sie zupfte ein bisschen daran herum, bis das Arrangement ihren Ansprüchen genügte, dann klopfte sie mir lächelnd auf die Brust.

»Zur Abrundung deiner vornehmen Erscheinung brauchst du unbedingt eine Rose im Knopfloch«, erklärte sie.

»Vielen Dank.«

»Habe ich dir schon gesagt, dass du sehr gut aussiehst in deinem Smoking?«

»Ich glaube, du hast das Wort ›toll‹ verwendet. Aber du kannst es gern noch ein paar Mal sagen.«

Sie legte mir die Hand auf den Arm. »Danke für alles, was du hier geleistet hast. Anna wird ihren Augen nicht trauen!«

»Gern geschehen.«

Jane schmiegte sich an mich und flüsterte: »Und danke auch für den heutigen Abend. Das war ... sehr charmant, dieses Spiel!«

Früher hätte ich in einer ähnlichen Situation sofort nachgehakt, ich hätte sie bedrängt und noch mehr hören wollen, um ganz sicher zu sein, dass ich alles richtig gemacht hatte und sie auch wirklich zufrieden war, aber jetzt nahm ich nur ihre Hand.

»Ich würde dir gern noch etwas anderes zeigen«, sagte ich.

»Sag bloß nicht, du hast in der Scheune eine Kutsche mit sechs Schimmeln versteckt!«

Ich schüttelte den Kopf. »Nicht ganz. Aber du brauchst es nur zu sagen, und ich werde sehen, was sich machen lässt.«

Jane lachte übermütig. Die Wärme ihres Körpers war berauschend, ihr Blick provozierend. »Dann zeig mir mal, was du noch zu bieten hast.«

»Noch eine Überraschung.«

»Ich weiß nicht, ob mein Herz das verkraftet.«

»Komm mit!«

Ich führte sie aus dem Rosengarten hinaus, den Kiesweg entlang in Richtung Haus. Hell funkelten die Sterne am wolkenlosen Himmel, und der Mond spiegelte sich im Fluss. An den Ästen, die sich wie gespenstische Finger in alle Richtungen erstreckten, hing

Spanisches Moos, es roch nach Fichtennadeln und Salzwasser, der typische Geruch, den man nur hier im Low Country kennt. In der Stille fühlte ich, wie Jane mit ihrem Daumen über meinen strich.

Sie schien sich nicht beeilen zu wollen. Gemächlich schlenderten wir weiter, begleitet von den abendlichen Geräuschen, vom Zirpen der Grillen und Zikaden, vom Rascheln und Wispern der Blätter, und unter unseren Füßen knirschte der Kies.

Die Schönheit des Hauses ließ uns beide nicht unberührt: Die Silhouette hob sich von den Bäumen ab, ein Bild zeitloser Eleganz, die weißen Säulen der Veranda fast majestätisch. Das Blechdach war im Laufe der Jahre dunkel geworden und verschmolz übergangslos mit dem Nachthimmel, und durch die Fensterscheiben drang goldener Kerzenschein.

Als wir eintraten, flackerten die Flammen im Luftzug. Jane blieb in der Tür stehen und schaute wie gebannt in das große Wohnzimmer. Das frisch polierte Klavier schimmerte im sanften Licht, und der Parkettfußboden vor dem Kamin, wo Anna mit Keith tanzen würde, erstrahlte in neuem Glanz. Die Tische – mit den weißen, zu Schwänen gefalteten Servietten, die vor den funkelnden Kristallgläsern saßen – sahen aus wie auf dem Werbefoto eines exklusiven Restaurants. Zu jedem Gedeck gehörte ein schimmernder Silberpokal. An der hinteren Wand standen die Tische, auf denen am Wochenende das Büfett aufgebaut werden sollte.

»Oh, Wilson ...«, hauchte Jane.

»Wenn am Samstag die Gäste da sind, wirkt natürlich alles wieder ganz anders, aber ich wollte dir zeigen, wie es ohne Menschen aussieht.«

Sie ließ meine Hand los, ging im Raum umher und studierte jedes Detail.

Ich beobachtete sie voller Entzücken, und als sie mir zunickte, sah ich darin eine Aufforderung: Ich ging in die Küche, öffnete den Wein und goss zwei Gläser ein. Bei meiner Rückkehr stand Jane verträumt am Klavier.

»Wer spielt?«, wollte sie wissen.

Ich lächelte. »Wenn du wählen würdest – wer wäre dir am liebsten?«

Sie schaute mich ungläubig an. »John Peterson?«

Ich nickte.

»Aber wie soll das denn gehen? Spielt er nicht im Chelsea?«

»Du weißt doch, er hatte immer schon eine Schwäche für dich und Anna. Das Chelsea kommt auch einen Abend ohne ihn aus.«

»Ich begreife einfach nicht, wie du das alles so schnell hinbekommen hast. Ich meine – ich war doch erst vor ein paar Tagen hier!«

Ich reichte ihr ein Weinglas. »Heißt das, du bist mit dem Ergebnis einverstanden?«

»Ob ich einverstanden bin?« Sie trank einen Schluck. »Das Haus war noch nie so schön!«

Das Kerzenlicht spiegelte sich in ihren Augen.

»Hast du denn noch keinen Hunger?«, fragte ich sie.

Sie erschrak fast. »Ehrlich gesagt – darüber habe ich noch gar nicht nachgedacht. Ich würde gern meinen

Wein trinken und mich noch ein bisschen umsehen, ehe wir gehen.«

»Wir müssen nicht gehen. Ich dachte, wir essen hier.«

»Aber – es ist doch gar nichts da.«

»Wart's nur ab. Du solltest dich jetzt einfach entspannen und dich noch ein wenig umsehen, während ich schon mal anfange.«

Ich ging in die Küche, wo ich schon einiges für das luxuriöse Mahl vorbereitet hatte. Die mit Krabben gefüllte Seezunge befand sich bereits im Backofen, ich musste nur noch die richtige Temperatur einstellen. Die Zutaten für die Sauce Hollandaise waren abgemessen und warteten darauf, in den Saucentopf gegeben zu werden. Die Salate waren gemischt, das Dressing fertig.

Während ich arbeitete, warf ich immer wieder einen Blick in den Salon. Obwohl alle Tische im Prinzip gleich aussahen, blieb Jane an jedem stehen – vielleicht überlegte sie sich, wer wo sitzen könnte. Nachdenklich legte sie hier eine Gabel anders hin und drehte dort eine Blumenvase, um sie dann wieder in ihre Ausgangsposition zu bringen. Eine Aura kindlicher Zufriedenheit umgab sie. Ich war richtig gerührt. Was mir, wie ich zugeben muss, in der letzten Zeit häufiger passierte.

In Gedanken ging ich noch einmal die Ereignisse der vergangenen Tage durch. Die Erfahrung hatte mich gelehrt, dass selbst die schönsten Erinnerungen mit der Zeit verblassen, doch ich wollte keine einzige

Minute der letzten Woche vergessen. Und ich wünschte mir, dass auch Jane jeden Moment in sich bewahren würde.

»Jane?«, rief ich. Ich konnte sie nicht sehen. Wahrscheinlich stand sie wieder beim Klavier.

Sie erschien in der Tür. Ihr Gesicht leuchtete richtig. »Ja?«

»Würdest du mir einen Gefallen tun?«

»Ja, klar, brauchst du Hilfe in der Küche?«

»Nein. Ich habe meine Schürze oben vergessen. Wärst du bitte so nett und würdest sie für mich holen? Sie liegt auf dem Bett in deinem ehemaligen Zimmer.«

»Das mach ich doch gern.«

Mit leichten Schritten eilte sie die Treppe hinauf. Ich wusste, sie würde erst wieder herunterkommen, wenn das Essen so gut wie fertig war.

Leise vor mich hinsummend begann ich, den Spargel zu putzen. Meine Nervosität nahm wieder zu. Hoffentlich freute sie sich über das Geschenk, das sie oben auf dem Bett erwartete.

»Alles Gute zum Hochzeitstag«, flüsterte ich.

Als das Wasser kochte, stellte ich den Backofen an und trat hinaus auf die hintere Veranda. Dort hatte der Catering Service, wie vereinbart, einen Tisch für uns beide aufgestellt. Ich überlegte, ob ich den Champagner schon aufmachen sollte, beschloss dann aber, lieber auf Jane zu warten.

Inzwischen hielt sie mein Geschenk in der Hand: Das Album – handgebunden, mit einem geprägten

Ledereinband – war an sich schon etwas Besonderes, aber es kam mir vor allem auf den Inhalt an. Die Bilder hatte ich mithilfe unzähliger Menschen zusammengetragen, ganz speziell für unseren dreißigsten Hochzeitstag. Wie schon bei den anderen Geschenken hatte ich auch hierzu etwas Schriftliches verfasst: Endlich hatte ich den Brief geschrieben, den ich immer schreiben wollte, so wie Noah es mir ans Herz gelegt hatte. So oft hatte ich Anlauf genommen, aber immer ohne Erfolg. Ich hatte die Hoffnung eigentlich schon aufgegeben, doch die Erfahrungen des letzten Jahres und vor allem die der vergangenen Woche hatten mich schließlich beflügelt und meinen Worten eine neue Kraft verliehen.

Liebste,
es ist schon spät, aber ich sitze noch an meinem Schreibtisch. Im Haus ist alles still, bis auf das Ticken der alten Standuhr. Du schläfst oben, und obwohl ich mich danach sehne, die Wärme deines Körpers zu spüren, möchte ich zuerst diesen Brief schreiben. Ich weiß selbst nicht recht, warum.

Wo soll ich anfangen? Ich bin mir auch gar nicht sicher, was ich sagen soll, aber irgendwie erscheint es mir richtig, dass ich dir nach all den Jahren schreibe, was ich denke und fühle – nicht nur deinetwegen, sondern auch für mich selbst. Nach dreißig Jahren ist es das Mindeste, was ich tun kann.

Kennen wir uns wirklich schon so lange?
Es versetzt mich immer wieder in Staunen, wenn
ich daran denke.

Viele Dinge haben sich nicht verändert, trotz
der langen Zeit. Immer noch gilt morgens
beim Aufwachen mein erster Gedanke dir. Oft
liege ich einfach nur neben dir und schaue dich
an. Ich sehe dein Haar auf dem Kissen, einen
Arm hast du über den Kopf gelegt, ich sehe, wie
sich deine Brust sanft hebt und senkt. Manchmal,
wenn du träumst, rücke ich ein bisschen näher,
in der Hoffnung, ich könnte so vielleicht Zutritt
zu deinen Träumen bekommen. Diese Gedanken
und Gefühle sind nicht neu. Seit ich dich kenne,
in all den Jahren unserer Ehe, bist du mein
Traum, und mir ist mehr als bewusst, was für
eine glückliche Fügung es war, dass ich dich
damals im Regen zum Auto gebracht habe – und
wie gut es mir seither geht, wie sehr mich das
Schicksal verwöhnt hat.

So oft denke ich an jenen Tag zurück! Es ist ein
Bild, das ich niemals vergessen werde, das mich
immer begleitet, und jedes Mal, wenn ein Blitz
den Himmel zerreißt, erlebe ich dieses Déjà-vu-
Gefühl. In solchen Augenblicken scheint es mir,
als würden wir wieder von Neuem beginnen, und
ich fühle, wie mein Herz schneller schlägt, wie
damals das Herz jenes jungen Mannes, der plötz-
lich seine Zukunft vor sich sah und sich ein
Leben ohne dich nicht mehr vorstellen konnte.

Ganz ähnlich geht es mir mit fast allen Erinnerungen, die ich heraufbeschwören kann. Wenn ich an Weihnachten denke, sehe ich dich unter dem Baum sitzen, wie du strahlend mit den Kindern die Geschenke auspackst. Wenn ich an laue Sommerabende denke, spüre ich deine Hand in meiner, während wir unter dem klaren Sternenhimmel einen romantischen Nachtspaziergang machen. Sogar bei der Arbeit ertappe ich mich, wie ich immer wieder auf die Uhr sehe und mich frage, was du wohl gerade tust. Oft sind es ganz normale Alltagssituationen, die ich vor mir sehe – wie du dir bei der Gartenarbeit einen Fleck von der Wange wischst oder wie du in der Küche am Tresen lehnst und dir mit der Hand durch die Haare fährst, während du telefonierst. Ich glaube, ich will dir vor allem eines sagen: dass du immer bei mir bist, bei allem, was ich bin, bei allem, was ich tue, und wenn ich zurückblicke, weiß ich, dass ich dir viel öfter hätte sagen müssen, wie viel du mir bedeutest.

Es tut mir sehr Leid, dass ich dir das nicht oft genug gesagt habe – und zugleich möchte ich mich für die unzähligen Enttäuschungen entschuldigen, die ich dir zugemutet habe. Ich wollte, ich könnte die Zeit zurückdrehen und alles besser machen. Wir wissen beide, dass das nicht möglich ist, aber ich bin zu folgender Überzeugung gekommen: Das Geschehene kann zwar nicht mehr rückgängig gemacht werden, und wir sind nicht

*imstande, nachträglich etwas zu verändern – aber
wir können die Dinge neu beleuchten, wir können unsere Sicht der Vergangenheit neu gestalten,
und dafür steht dieses Album.*

*Du findest hier viele, viele Fotos. Manche sind
Abzüge von Bildern aus unseren eigenen Alben,
aber die meisten stammen von anderen. Ich habe
unsere Freunde und Verwandten gefragt, ob
sie Fotos von uns beiden besitzen, und im Verlauf
des letzten Jahres sind aus allen Ecken und
Winkeln des Landes Bilder eingetroffen. Du wirst
ein Foto finden, das Kate bei Leslies Taufe gemacht hat, und ein Bild von einem Betriebspick-
nick vor einem Vierteljahrhundert, aufgenom-
men von Joshua Tundle. Noah hat eine Aufnahme
von uns beiden beigesteuert, die er an einem verregneten Thanksgiving gemacht hat, als du mit
Joseph schwanger warst, und wenn du genau
hinschaust, wirst du die Stelle sehen, wo mir zum
ersten Mal bewusst wurde, dass ich mich un-
widerruflich in dich verliebt habe. Auch Anna,
Leslie und Joseph haben alle drei das Ihre bei-
getragen.*

*Bei jedem Foto, das eintraf, habe ich versucht,
mich in den Augenblick seiner Entstehung zurück-
zuversetzen. Zuerst waren meine Erinnerungen
wie diese Schnappschüsse – kurze, in sich abge-
schlossene Momentaufnahmen. Doch dann habe
ich gemerkt: Wenn ich die Augen schließe und
mich konzentriere, beginnt die Zeit sich rückwärts*

zu bewegen. Und ich habe mich bei jedem Bild auch daran erinnert, was ich in der betreffenden Situation dachte.

Und so entstand der zweite Teil des Albums. Zu jedem Bild habe ich auf der gegenüberliegenden Seite niedergeschrieben, welche Erinnerungen mit dieser Aufnahme verbunden sind, das heißt vor allem, welche Rolle du in diesen Erinnerungen spielst.

Ich gebe diesem Album den Titel: »Die Dinge, die ich dir hätte sagen sollen.«

Ich habe dir einst auf den Stufen vor dem Standesamt ein Gelöbnis gemacht. Nun bin ich schon dreißig Jahre lang dein Ehemann – da wird es Zeit für ein zweites Gelöbnis: Von nun an will ich der Mann sein, der ich schon immer hätte sein sollen. Ich möchte in Zukunft romantischer sein. Ich möchte dafür sorgen, dass die gemeinsamen Jahre, die uns noch bleiben, so schön und erfüllt sein werden wie nur möglich. Und in jeder dieser wertvollen Stunden, in jedem einzelnen Moment möchte ich immer wieder etwas tun oder sagen, was dir zeigt, dass du der Mensch bist, den ich liebe – den ich mehr liebe als alles auf dieser Welt.

In Liebe,
Wilson

Als ich Janes Schritte hörte, blickte ich auf. Sie stand oben an der Treppe. Im Gegenlicht konnte ich ihr Gesicht nicht sehen. Mit bedächtigen Schritten begann sie die Stufen hinunterzugehen, die Hand auf dem Geländer.

Auf halber Treppe blieb sie stehen und suchte meinen Blick. Ich sah, dass Tränen in ihren Augen schimmerten.

»Alles Gute zum Hochzeitstag«, sagte ich. Ohne den Blick von mir zu nehmen, kam sie nun auf mich zu. Da wusste ich, was ich tun musste.

Ich schloss sie in die Arme, ich drückte ihren weichen, warmen Körper an mich, schmiegte meine Wange an ihr tränenfeuchtes Gesicht. So standen wir eng umschlungen in Noahs Haus, zwei Tage vor unserem dreißigsten Hochzeitstag, und ich presste sie noch fester an mich.

In jenem Augenblick wünschte ich mir, die Zeit möge stillstehen, jetzt und für immer.

Es dauerte eine ganze Weile, bis Jane den Kopf in den Nacken legte und mich anschaute. Ihre nassen Wangen schimmerten im matten Licht der Kerzen.

»Danke«, flüsterte sie.

Ich drückte sie noch einmal. »Komm mit, ich will dir etwas zeigen.«

Ich führte sie zur hinteren Tür, und wir traten hinaus auf die Veranda.

Der Mond leuchtete silbern, aber man konnte trotzdem den Juwelenschleier der Milchstraße erkennen. Venus stand hell am südlichen Himmel. Die Temperatur war gefallen, ein milder Windhauch trug mir Janes Parfum zu.

»Ich dachte, wir könnten hier draußen essen. Es wäre etwas unpraktisch, wenn wir die Tische drinnen in Unordnung bringen würden, findest du nicht?«

Sie hakte sich bei mir unter und bestaunte wortlos den vor uns stehenden Tisch.

Fast widerstrebend löste ich mich von ihr, zündete die Kerzen an und griff zum Champagner.

»Möchtest du ein Glas?«

Hatte sie mich überhaupt gehört? Sie starrte jetzt hinaus auf den Fluss, ihr Kleid wehte leicht im Abendwind.

»Ja, sehr gern.«

Mit einem leisen *Plopp* öffnete ich die Flasche, füllte zwei Gläser, wartete, bis der Schaum vergangen war, und goss nach.

»Seit wann hast du das geplant?«, fragte Jane.

»Seit letztem Jahr. Seit unserem neunundzwanzigsten Hochzeitstag. Ich dachte, ich habe etwas gutzumachen, was ich ...«

Sie schüttelte lächelnd den Kopf. »In meinen romantischsten Träumen hätte ich mir nichts Schöneres vorstellen können. Dieses Album – und die Gedanken, die du dir zu den Bildern gemacht hast – so etwas Wunderbares hast du noch nie für mich getan.«

Ich wiederholte, das sei doch wohl das Mindeste, was ich für sie tun könne, aber sie unterbrach mich wieder.

»Ich meine es ernst«, sagte sie leise. »Ich kann dir gar nicht sagen, wie viel es mir bedeutet. Mir fehlen die Worte.« Sie seufzte tief. Dann strich sie mit einem fast koketten Zwinkern über mein Revers und sagte: »Übrigens – der Smoking steht Ihnen ausgezeichnet, junger Mann.«

Ich musste lachen, die Spannung wich. »Da fällt mir ein – ich trenne mich zwar nur sehr ungern von dir ...«

»Aber?«

»Ich muss nach dem Essen sehen.«

Sie nickte. Ach, wie hinreißend schön sie war! »Brauchst du Hilfe?«, fragte sie.

»Nein, danke, es sind nur noch ein paar Handgriffe.«

»Würde es dir etwas ausmachen, wenn ich hier draußen bleibe? Es ist so friedlich hier.«

»Nein, kein Problem. Bleib ruhig hier.«

Der Spargel war abgekühlt, also drehte ich die Flamme noch einmal hoch. Die Sauce Hollandaise sah geronnen aus, aber nachdem ich einmal umrührte, schien sie wieder einwandfrei. Dann öffnete ich den Backofen und überprüfte die Konsistenz der Seezunge mit einer Gabel. Sie brauchte nur noch wenige Minuten.

Der Sender, den ich im Küchenradio eingestellt hatte, spielte Musik aus der Bigband-Ära. Ich wollte den Apparat gerade abstellen, da hörte ich Janes Stimme hinter mir.

»Bitte, lass die Musik an.«

Ich blickte auf. »Ich dachte, du wolltest den Abend draußen genießen.«

»Das wollte ich auch, aber ohne dich war's nicht mehr halb so schön«, erwiderte sie. Sie lehnte sich gegen den Tresen, in ihrer üblichen Pose. »Hast du diese Musik auch speziell für heute Abend bestellt?«

»Der Sender spielt sie schon seit ein paar Stunden. Wahrscheinlich ist heute großer Bigband-Abend.«

»Ach, das ruft Erinnerungen wach!«, seufzte Jane. »Daddy hat ständig Bigband gehört.« Sie fuhr sich verträumt durch die Haare. »Habe ich dir eigentlich je erzählt, dass er und Mom oft in der Küche getanzt haben? Beim Geschirrspülen fasste Daddy Mom plötzlich um die Taille und schwenkte sie herum. Das erste Mal habe ich das beobachtet, als ich etwa sechs war. Damals habe ich mir nichts dabei gedacht, ich hielt es für normal, aber als ich ein bisschen älter war, fingen Kate und ich immer an zu kichern, wenn wir die beiden beim Tanzen erwischt haben. Wir haben mit dem Finger auf sie gedeutet und gegackert, aber sie lachten nur und tanzten weiter, als wären sie die einzigen Menschen auf der Welt.«

»Das hast du mir noch nie erzählt.«

»Etwa eine Woche vor ihrem Umzug nach Creekside habe ich sie zum letzten Mal tanzen sehen. Ich bin hier vorbeigekommen, weil ich wissen wollte, wie es ihnen ginge. Ich habe sie durchs Küchenfenster gesehen, als ich den Wagen parkte, und mir sind vor Rührung die Tränen gekommen. Ich wusste ja, dass ich die beiden so nie wieder sehen würde, jedenfalls nicht in unserem Haus. Es hat mir fast das Herz gebrochen.« Jane schwieg, ganz in Gedanken versunken. Dann schüttelte sie sich. »Entschuldige. Ich wollte nicht die Stimmung verderben.«

»Keine Sorge, du verdirbst mir nicht die Stimmung«, beruhigte ich sie. »Deine Eltern gehören zu unserem Leben, und das hier ist ihr Haus. Ehrlich gesagt – ich wäre irritiert, wenn du nicht an sie denken würdest. Außerdem ist das doch eine bezaubernde Szene – so solltest du die beiden in Erinnerung behalten.«

Jane schien über meine Worte nachzudenken. Ich schwieg ebenfalls, holte die Seezunge aus dem Backofen und stellte sie oben auf den Herd.

»Wilson?«, fragte sie leise.

Ich drehte mich um.

»Du hast in deinem Brief geschrieben, du wolltest von jetzt an romantischer sein. Meinst du das ernst?«

»Ja.«

»Heißt das, dass wir noch öfter einen Abend wie heute verbringen werden?«

»Wenn du möchtest.«

Sie legte den Finger ans Kinn. »Es wird allerdings schwieriger sein, mich zu überraschen. Du musst dir wieder etwas Spektakuläres einfallen lassen.«

»Ach, das schaffe ich schon.«

»Ja?«

»Zur Not könnte ich jetzt gleich mit einer neuen Idee aufwarten.«

»Zum Beispiel?«

Ich überlegte nicht lange, sondern stellte kurz entschlossen den Herd ab und nahm den Spargel von der Flamme. Gespannt verfolgte Jane meine Bewegungen. Ich knöpfte mein Jackett zu, ging auf sie zu und verbeugte mich.

»Darf ich um diesen Tanz bitten, Liebste?«

Jane errötete, nahm meine Hand und schlang den anderen Arm um meinen Nacken. Ich zog sie zu mir, genoss ihre körperliche Nähe. Schwungvoll wiegten wir uns im Takt der Musik. Ich atmete Janes Lavendelshampoo ein und fühlte ihre Schenkel an meinen.

»Du bist wunderschön«, flüsterte ich, und Jane antwortete, indem sie mit dem Daumen über meinen Handrücken fuhr.

Als das Stück zu Ende war, blieben wir stehen, ohne uns loszulassen – wir warteten, bis das nächste begann und wir weitertanzen konnten, langsam, eng. Als Jane den Kopf in den Nacken legte, um mich anzusehen, lächelte sie, und dann strich sie mir kurz über die Wange, eine hauchzarte Berührung. Und als würde ich mich an eine alte Gewohnheit erinnern, beugte ich mich zu ihr. Unsere Lippen kamen sich immer näher ...

Ihr Kuss war fast nur ein Hauch, doch dann ließen wir unseren Gefühlen freien Lauf, unserem sehnsüchtigen Verlangen. Ich umschloss sie mit meinen Armen und presste meinen Mund auf ihren, ich spürte ihre leidenschaftliche Lust so deutlich wie meine eigene. Ich vergrub meine Hand in ihrem Haar, und sie stöhnte leise, ein Geräusch, so elektrisierend, so vertraut und neu zugleich, das Wunder aller Wunder.

Wortlos löste ich mich von ihr, schaute ihr tief in die Augen und führte sie aus der Küche. Ich fühlte wieder ihren Daumen auf meinem Handrücken, während wir auf dem Weg durch das Wohnzimmer eine Kerze nach der anderen auspusteten.

In der samtenen Dunkelheit ging ich mit ihr nach oben. Silberner Mondschein fiel durch das Fenster ihres alten Schlafzimmers, und eingehüllt in Licht und Schatten umarmten wir uns. Immer stürmischer wurden unsere Küsse, und Jane streichelte meine Brust, während ich am Rücken ihres Kleides den Reißverschluss zu öffnen begann. Wieder seufzte sie leise.

Meine Lippen wanderten über ihren Hals zur Rundung ihrer Schulter. Sie zupfte an meinem Jackett, es fiel zu Boden, genau wie ihr Kleid. Ihre Haut knisterte unter meinen Berührungen, und brennend vor Begehren ließen wir uns auf das Bett sinken.

Wir liebten uns langsam und genüsslich, unsere Leidenschaft war eine berauschende Wiederentdeckung, prickelnd in ihrer ungewohnten Neuheit. Ich sehnte mich nach Unendlichkeit, und ich küsste Jane tausend Mal, während ich ihr süße Liebesworte ins Ohr flüsterte. Selig vor Erschöpfung lagen wir danach nebeneinander, und ich zeichnete mit den Fingerspitzen die Konturen ihres nackten Körpers nach, während sie einschlief. Ich wollte den Augenblick in seiner Vollkommenheit noch ein wenig festhalten.

Kurz nach Mitternacht erwachte Jane. Unsere Blicke begegneten sich, und ich entdeckte in ihren Augen ein übermütiges Funkeln. Ich glaube, das, was zuvor zwischen uns passiert war, hatte sie überrascht – und zugleich überglücklich gemacht.

»Jane?«

»Ja?«

»Ich möchte dich etwas fragen.«

Sie lächelte und schwieg.

Ich holte tief Luft. »Wenn du noch einmal von vorn anfangen könntest – und wenn du schon wüsstest, wie es zwischen uns läuft – würdest du mich noch einmal heiraten?«

Sie antwortete lange nicht. Ich wurde schon unruhig.

»Ja«, sagte sie schließlich. »Ich würde dich noch einmal heiraten.«

Wie sehnlich hatte ich mir diese Antwort gewünscht! Ich zog sie an mich, küsste ihre Haare, ihren Hals, ihre Schultern, und wieder verspürte ich das Verlangen, den Augenblick bewahren zu können.

»Ich liebe dich – mehr als alles auf der Welt«, murmelte ich.

»Ich weiß«, erwiderte sie. »Und ich liebe dich genauso.«

Kapitel 17

Als die ersten Strahlen der Morgensonne durchs Fenster drangen, erwachten wir, eng aneinander geschmiegt. Wir liebten uns noch einmal, doch dann mussten wir uns trennen, auch wenn es uns schwer fiel – aber wir hatten einen langen, ereignisreichen Tag vor uns.

Nach dem Frühstück machten wir noch einmal einen Rundgang durchs Haus, um zu kontrollieren, ob alles in Ordnung war. Wir ersetzten die Kerzen auf den Tischen, räumten unseren Tisch auf der Veranda ab, schleppten ihn gemeinsam in die Scheune, und mit leisem Bedauern warfen wir das Essen, das ich für den Abend zuvor zubereitet hatte, in den Müll.

Noch ein letzter prüfender Blick – dann fuhren wir nach Hause. Leslie hatte sich für vier Uhr angekündigt, und Joseph war es gelungen, seinen Flug umzubuchen, sodass er schon gegen fünf eintreffen würde. Auf dem Anrufbeantworter erwartete uns eine Nachricht von Anna: Sie habe gerade mit Keith besprochen, was noch erledigt werden müsse – sie werde sich um ihr Kleid kümmern und vor allem auch nachfragen, ob von den Leuten, die wir angeheuert hatten, auch niemand in letzter Minute absagen würde. Außerdem werde sie Janes Kleid abholen und es vorbeibringen, wenn sie mit Keith heute Abend zum Essen komme.

Jane und ich beschlossen, einen herzhaften Rindereintopf zu servieren, er konnte auf kleiner Flamme am Nachmittag vor sich hin köcheln. Die Zutaten hatten wir im Haus, und während wir alles zubereiteten, gingen wir noch einmal die logistische Planung der Hochzeit durch. Zwischendurch entdeckte ich immer wieder ein verstohlenes Lächeln auf Janes Gesicht – dachte sie vielleicht an die vergangene Nacht?

Weil wir wussten, dass Nachmittag und Abend turbulent sein würden, fuhren wir um die Mittagszeit kurz in die Innenstadt, um irgendwo ungestört noch eine Kleinigkeit zu uns zu nehmen. Wir kauften uns im Deli-Shop in der Pollock Street zwei Sandwiches und schlenderten zur Kirche, wo wir uns im Schatten eines Magnolienbaums niederließen, um zu essen.

Hand in Hand spazierten wir anschließend zum Union Point Park und schauten hinaus auf den Neuse River. Die Dünung war heute nur schwach, auf dem Wasser tummelten sich Boote aller Art. Die Kinder genossen die letzten Ferientage, ehe der Schulbetrieb wieder losging. Zum ersten Mal seit einer Woche wirkte Jane absolut entspannt, und als ich ihr den Arm um die Schulter legte, überkam mich plötzlich ein ganz ungewohntes Gefühl – als wären wir ein junges Paar, das die ersten Schritte in ein gemeinsames Leben wagt. Es war ein herrlicher Tag, der schönste für uns beide seit Jahren, und ich schwebte auf einer Wolke des Glücks – bis wir nach Hause kamen und den Anrufbeantworter abhörten.

Es war Kate. Und es ging um Noah.

»Bitte, bitte, kommt gleich hierher! Ich weiß mir nicht mehr zu helfen.«

Kate stand im Flur, als wir nach Creekside kamen.

»Er will nicht darüber sprechen«, berichtete sie aufgeregt. »Er sitzt nur da und starrt hinaus auf den Teich. Als ich mit ihm reden wollte, hat er mich richtig angefahren. Ich würde ja sowieso nicht daran glauben, hat er gesagt, also könnte ich ihn auch nicht verstehen. Schließlich hat er mich weggeschickt, weil er allein sein wollte!«

»Aber körperlich ist alles in Ordnung?«, fragte Jane.

»Ich glaube schon. Er hat sich allerdings geweigert, zu Mittag zu essen – richtig böse ist er geworden, als wir es ihm angeboten haben, aber sonst geht es ihm gut, glaube ich. Nur emotional ist er völlig außer sich. Als ich vorhin in sein Zimmer schaute, hat er gleich geschrien, ich solle verschwinden.«

Nachdenklich starrte ich auf die verschlossene Tür. In all den Jahren, die ich Noah jetzt kannte, hatte er noch nie die Stimme erhoben.

Kate zupfte nervös an ihrem Schal herum. »Mit Jeff und mit David wollte er auch nicht reden – sie sind vor ein paar Minuten wieder gegangen. Ich denke, es hat sie sehr gekränkt, dass er sie auch so angeblafft hat.«

»Und was ist mit mir? Möchte er mich auch nicht sehen?«, fragte Jane.

»Nein, dich auch nicht.« Kate zuckte ratlos die Achseln. »Ich hab's ja schon auf euren Anrufbeantworter gesprochen – ich weiß nicht, ob er überhaupt mit irgendjemandem sprechen will. Höchstens mit dir.« Sie beäugte mich skeptisch.

Ich nickte. Zwar hatte ich Angst, Jane könnte verletzt sein – so wie im Krankenhaus, als Noah nur mich sehen wollte und sonst keinen –, aber sie drückte meine Hand und nickte mir ermutigend zu.

»Ich finde, du solltest mal nach ihm sehen.«

»Vermutlich hast du Recht.«

»Ich warte mit Kate hier draußen. Wäre gut, wenn du ihn dazu bringen könntest, etwas zu essen.«

»Ich werd's versuchen.«

Ich klopfte zweimal leise und öffnete die Tür einen Spaltbreit.

»Noah? Ich bin's, Wilson. Darf ich hereinkommen?«

Noah saß in seinem Sessel beim Fenster und reagierte überhaupt nicht. Ich zögerte einen Augenblick lang, ehe ich eintrat und die Tür hinter mir schloss. Neben dem Bett stand das unberührte Tablett mit seinem Mittagessen.

»Kate und Jane dachten, du möchtest vielleicht mit mir reden.«

Er seufzte nur, seine Schultern hoben und senkten sich. Sein weißes Haar berührte den Pulloverkragen, und er sah in seinem Sessel ganz klein aus.

»Sind sie noch draußen?«

Er sprach so leise, dass ich ihn kaum verstehen konnte.

»Ja.«

Daraufhin schwieg er wieder. Ich setzte mich wortlos auf die Bettkante. Nun konnte ich sein Gesicht sehen, die tiefen, traurigen Falten. Er wich konsequent meinem Blick aus.

»Ich wüsste gern, was passiert ist«, sagte ich behutsam.

Für einen kurzen Augenblick ließ er den Kopf hängen, dann schaute er wieder aus dem Fenster.

»Sie ist weg«, murmelte er. »Als ich heute Morgen rausgegangen bin, war sie nicht da.«

Ich wusste sofort, wen er meinte.

»Könnte es sein, dass sie in einem anderen Teil des Teichs war? Vielleicht hat sie gar nicht gemerkt, dass du da bist.«

»Sie ist weg«, wiederholte er tonlos. »Ich habe es gleich gewusst. Schon beim Aufwachen. Frag mich nicht, warum – aber ich habe es gewusst. Ich konnte es spüren, und als ich zum Teich hinuntergegangen bin, ist das Gefühl immer stärker geworden. Ich wollte es erst nicht glauben und habe eine Stunde lang gewartet und nach ihr gerufen. Aber sie ist nicht gekommen.« Er richtete sich kerzengerade auf, ohne den Blick vom Fenster zu nehmen. »Schließlich habe ich aufgegeben.«

Draußen glitzerte der Teich im Sonnenlicht. »Möchtest du noch einmal rausgehen und sehen, ob sie inzwischen zurückgekommen ist?«

»Sie ist nicht da.«

»Woher weißt du das?«

»Weil ich es eben weiß«, sagte er. »So wie ich es heute Morgen schon gespürt habe.«

Ich wollte etwas entgegnen, überlegte es mir aber anders. Es hatte keinen Sinn, ihm zu widersprechen. Ich wusste ja auch nicht, wo sich der Schwan aufhielt, und Noah war bestimmt nicht von seiner Überzeugung abzubringen. Und aus irgendeinem Grund glaubte ich, dass er Recht hatte.

»Sie kommt wieder!«, versuchte ich ihn zu beschwichtigen.

»Vielleicht«, brummte er. »Vielleicht aber auch nicht. Ich kann es nicht sagen.«

»Sie wird dich zu sehr vermissen, um länger wegzubleiben.«

»Aber warum ist sie dann nicht da? Das begreife ich einfach nicht!«

Er schlug mit seiner guten Hand auf die Armlehne und schüttelte dann ratlos den Kopf.

»Ach, wenn sie es doch begreifen würden!«

»Wer?«

»Meine Kinder. Die Schwestern. Doktor Barnwell.«

»Du meinst, dass Allie der Schwan ist?«

Zum ersten Mal schaute er mir ins Gesicht. »Nein. Dass ich Noah bin. Dass ich derselbe Mensch bin wie immer.«

Ich war mir nicht sicher, ob ich ihn richtig verstand, also wartete ich schweigend auf eine Erklärung.

»Du hättest sie sehen sollen, wie sie sich aufgeführt haben! Alle miteinander. Es ist doch ganz normal, dass ich nicht mit ihnen darüber reden will. Mir glaubt ja sowieso keiner, und ich habe keine Lust mehr, ihnen klar zu machen, dass ich ganz genau weiß, wovon ich rede. Sie hätten doch nur pausenlos auf mich eingeredet, so wie immer. Und dann, als ich mein Mittagessen nicht gegessen habe! Man könnte denken, ich hätte versucht, mich aus dem Fenster zu stürzen! Ich bin aufgebracht und traurig, und dazu habe ich auch allen Grund. Und in solchen Situationen kann ich nicht essen. Das war schon immer so, aber jetzt bilden sie sich plötzlich ein, ich würde geistig immer mehr abbauen. Kate wollte mich sogar füttern! Wo gibt's denn so was? Und dann sind auch noch David und Jeff aufgekreuzt und wollten mir einreden, sie sei sicher anderswo hingeschwommen, um Futter zu suchen. Dabei übersehen sie völlig, dass ich sie seit Jahren zweimal am Tag füttere. Eigentlich interessiert es keinen, was mit ihr los ist.«

Plötzlich kam mir der Gedanke, dass Noahs Empörung vielleicht nicht nur mit dem Verhalten seiner Kinder zusammenhing.

»Was stört dich wirklich?«, fragte ich. »Dass sie so tun, als ginge es um einen ganz normalen Schwan? Das ist ja leider nichts Neues, und du weißt das. Aber bisher hat es dich nicht weiter aufgeregt.«

»Es interessiert sie nicht.«

»Im Gegenteil – es interessiert sie zu sehr.«

Er wandte sich trotzig ab.

»Ich verstehe das nicht – warum ist sie weg?«

In diesem Moment begriff ich, dass er gar nicht auf seine Kinder sauer war. Er reagierte auch nicht nur darauf, dass der Schwan verschwunden war. Nein, sein Groll saß tiefer. War ihm selbst das überhaupt bewusst?

Ich hakte nicht nach. Schweigend saßen wir beieinander. Noah trommelte nervös mit den Fingern.

»Wie lief es gestern mit Jane?«, fragte er ohne jede Überleitung.

Diese Frage rief vor meinem geistigen Auge ein Bild hervor: Ich sah Noah vor mir, wie er mit Allie in der Küche tanzte.

»Besser, als ich erwartet hatte.«

»Das Album hat ihr gefallen?«

»Sie fand es wunderbar.«

»Gut.« Zum ersten Mal lächelte er, aber das Lächeln verschwand schnell wieder von seinem Gesicht.

»Ich glaube, sie würde gern mit dir reden«, sagte ich. »Und Kate wartet auch noch draußen.«

»Ich weiß.« Er zuckte resigniert die Achseln. »Gut, sollen sie reinkommen.«

»Wirklich?«

Er nickte, aber ich fragte vorsichtshalber noch einmal nach: »Du bist einverstanden?«

»Ja.«

»Soll ich sie bitten, nicht über den Schwan zu reden?«

Er überlegte kurz. »Das ist mir egal.«

»Muss ich dir sagen, dass du geduldig mit ihnen sein solltest?«

Er musterte mich müde. »Ich bin nicht zu Scherzen aufgelegt, aber ich verspreche dir, dass ich sie nicht anschreien werde. Und auch sonst – ich werde nichts tun, was Jane aufregt. Ich will nicht, dass sie sich meinetwegen Sorgen macht, sie muss sich jetzt voll und ganz auf morgen konzentrieren.«

Ich erhob mich und legte ihm kurz die Hand auf die Schulter.

Mir war klar geworden, dass Noah auf sich selbst böse war. Er hatte sich die letzten vier Jahre über an den Glauben geklammert, der Schwan sei Allie – er wollte unbedingt, dass sie einen Weg gefunden hatte, zu ihm zurückzukommen. Aber das unerklärliche Verschwinden des Vogels hatte diese Überzeugung erschüttert.

Als ich aus dem Zimmer ging, glaubte ich fast zu hören, wie er sich innerlich fragte: *Was ist, wenn meine Kinder die ganze Zeit Recht gehabt haben?*

Diese Erkenntnis behielt ich aber für mich. Zu Jane und Kate sagte ich nur, sie sollten so normal wie möglich mit Noah umgehen und am besten ihn reden lassen.

Sie nickten beide. Jane ging voraus, blieb aber in der Tür stehen und wartete darauf, dass er sie auffordern würde, näher zu treten, weil sie nicht sicher war, worauf sie sich gefasst machen musste.

»Hallo, Daddy«, sagte sie.

Er zwang sich zu einem Lächeln. »Hallo, mein Schatz.«

»Ist alles in Ordnung? Wie geht es dir?«

Er blickte von ihr zu mir, dann zu seinem Tablett mit dem Essen, das inzwischen kalt geworden war.

»Danke, es geht mir gut. Aber ich bekomme langsam Hunger. Kate – könntest du vielleicht ...«

»Aber selbstverständlich, Daddy«, sagte Kate. »Soll ich dir etwas holen? Wie wär's denn mit einem Teller Suppe? Oder hättest du lieber ein Schinkensandwich?«

»Ein Sandwich wäre hervorragend.« Er nickte. »Und dazu eine Tasse Tee.«

»Ich gehe gleich nach unten«, versprach Kate. »Möchtest du vielleicht auch ein Stück Schokoladenkuchen? Ich habe gehört, sie haben heute frisch gebacken.«

»Ja, gern«, antwortete Noah. »Ach – und ich möchte mich noch für mein Benehmen von vorhin entschuldigen. Ich habe mich furchtbar aufgeregt, aber es war nicht fair, das an euch auszulassen.«

Kate lächelte. »Schon in Ordnung, Daddy.«

Sie warf mir einen erleichterten Blick zu, aber ich spürte, dass sie immer noch unruhig war. Kaum hatte sie die Tür hinter sich geschlossen, da deutete Noah auf sein Bett und sagte:

»Kommt her, ihr beiden. Macht es euch gemütlich.«

Was hatte er vor? Irgendwie konnte ich mich des Eindrucks nicht erwehren, dass er Kate absichtlich weggeschickt hatte, um mit Jane und mir allein sprechen zu können.

Jane nahm auf der Bettkante Platz. Als ich mich zu ihr setzte, ergriff sie meine Hand. »Es tut mir Leid wegen des Schwans, Daddy«, begann sie.

»Danke.« Er hatte offensichtlich nicht die Absicht, dieses Thema zu vertiefen. »Wilson hat mir vom Haus erzählt«, fuhr er stattdessen fort. »Das klingt ja phänomenal.«

Janes Miene entspannte sich. »Es ist wie im Märchen, Daddy. Ich finde, das Haus sieht jetzt sogar noch schöner aus als an Kates Hochzeit.« Sie schwieg einen Moment, ehe sie hinzufügte: »Wie wäre es, wenn Wilson um fünf hier vorbeikäme, um dich abzuholen? Das ist ziemlich früh, ich weiß, aber dann kannst du dir das Haus in aller Ruhe ansehen. Du warst schon länger nicht mehr dort.«

»Ausgezeichnete Idee«, sagte Noah. »Ich freue mich darauf, meine alte Heimat wieder zu sehen.« Als er merkte, dass wir uns an der Hand hielten, lächelte er.

»Ich habe etwas für euch zwei«, sagte er. »Und wenn ihr keine Einwände habt, würde ich es euch gern überreichen, ehe Kate zurückkommt. Sie versteht es vielleicht nicht.«

»Was ist es denn?«, wollte Jane wissen.

»Würdest du mir bitte helfen?«, bat er mich. »Es ist in meinem Schreibtisch, und wenn ich länger gesessen habe, hab ich immer Schwierigkeiten beim Aufstehen.«

Ich fasste ihn am Arm und zog ihn hoch. Fast behände durchquerte er dann das Zimmer, um aus der Schreibtischschublade ein Päckchen zu holen. Als er sich wieder hinsetzte, seufzte er erschöpft – die Unternehmung schien ihn doch angestrengt zu haben.

»Ich habe gestern eine der Schwestern gebeten, es für mich einzupacken«, sagte er und hielt uns das Päckchen hin.

Es war ein kleiner rechteckiger Gegenstand, in rote Geschenkfolie gewickelt. Ich wusste sofort, was es war. Jane ebenfalls. Wir wollten es beide nicht annehmen.

»Bitte«, sagte er.

Jane zögerte, dann nahm sie das Geschenk entgegen und strich scheu über das Papier.

Sie schaute ihren Vater an. »Aber – Daddy ...«

»Mach es auf«, drängte er sie.

Jane löste das Klebeband und schlug die Folie auf. Da das zerlesene Bändchen nicht in einem Karton lag, sah man gleich das kleine Loch oben rechts in der Ecke – es stammte von einer Kugel aus dem Zweiten Weltkrieg, die für Noah bestimmt gewesen war. Es waren die *Grashalme* von Walt Whitman, das Buch, das ich ihm ins Krankenhaus gebracht hatte, das Buch, ohne das ich mir Noah nicht vorstellen konnte.

»Alles Gute zum Hochzeitstag«, sagte er.

Jane nahm den Band so vorsichtig in die Hand, als hätte sie Angst, er könnte zerbrechen. Ihr Blick begegnete meinem, dann schaute sie ihrem Vater fest in die Augen und verkündete mit belegter Stimme: »Wir können es nicht annehmen.«

»Doch.«

»Aber – wieso?«

Er schaute uns lange an. »Wisst ihr, dass ich diese Gedichte jeden Tag gelesen habe, während ich auf eure Mutter wartete? In dem Sommer, als wir fast noch Kinder waren und sie weggezogen ist? In Gedanken habe ich die Gedichte Allie vorgetragen. Und nachdem wir geheiratet hatten, haben wir sie uns gegenseitig vorgelesen, wenn wir auf der Veranda saßen, genau wie ich es mir immer vorgestellt hatte. Im Verlauf der Jahre haben wir jedes einzelne Gedicht bestimmt tausend Mal gelesen. Manchmal, wenn ich eins vortrug, habe ich zu Mom hinübergeschaut, und sie hat die Lippen genauso bewegt wie ich. Nach einer Weile konnte sie sämtliche Gedichte auswendig.«

Er starrte aus dem Fenster. Sicher dachte er wieder an den Schwan.

»Aber jetzt«, fuhr er fort, »jetzt kann ich die Buchstaben nicht mehr richtig erkennen, und der Gedanke, dass niemand je wieder in diesem Buch lesen wird, ist für mich ganz furchtbar. Ich möchte nicht, dass es eine Reliquie wird, die nur im Regal steht. Ich weiß, ihr liebt Whitman nicht so leidenschaftlich wie ich, aber ihr seid die einzigen von meinen Kindern, die seine Gedichte kennen. Und wer weiß – kann ja sein, dass ihr sie noch einmal lest.«

Jane betrachtete das Buch. »Ich werde sie ganz bestimmt lesen«, versprach sie.

»Ich auch.«

»Ich weiß«, sagte Noah und schaute uns eindringlich an. »Deshalb wollte ich, dass ihr das Buch bekommt.«

Nachdem er etwas gegessen hatte, brauchte Noah dann doch etwas Ruhe, also fuhren Jane und ich wieder nach Hause.

Anna und Keith kamen am Nachmittag, fünf Minuten nach ihnen bog Leslie in die Zufahrt ein. Wir standen alle in der Küche, redeten und lachten, ganz wie früher. Zwar wurde auch der verschwundene Schwan erwähnt, jedoch nur beiläufig. Schließlich fuhren wir mit zwei Autos zu Noahs Haus. Anna, Keith und Leslie waren überwältigt, vor Staunen blieb ihnen der Mund offen stehen. Während sie durchs Haus gingen, wartete ich unten an der Treppe. Jane trat zu mir, und als sie mir zuzwinkerte, musste ich lachen. Leslie, die gerade die Treppe herunterkam, wollte wissen, was so lustig sei, aber Jane zuckte die Achseln.

»Das verstehen nur dein Vater und ich. Ein Scherz für Eingeweihte, sozusagen.«

Auf der Heimfahrt holten Jane und ich Joseph am Flughafen ab. Er begrüßte mich wie immer mit »Hey, Pop!«, um dann anerkennend hinzuzufügen: »Du hast abgenommen!« Als wäre mein Gewicht im Moment ein Thema ... Gemeinsam mit ihm holten wir Noah in Creekside ab. Wie immer war Joseph in meiner Gegenwart recht schweigsam, aber sobald er Noah sah, blühte er auf. Noah merkte man ebenfalls an, wie sehr er sich freute, seinen Enkel zu sehen. Die beiden saßen auf der Rückbank und unterhielten sich angeregt. Zu Hause wurden sie schon an der Tür stürmisch begrüßt, und bald saß Noah auf der Couch, rechts von ihm Leslie, links Joseph, und die drei erzählten eine Geschichte nach der anderen, während Anna und Jane sich in der Küche unterhielten. Wie schön es doch war, dass wieder vertraute Stimmen das Haus erfüllten! Ach, wenn es doch immer so sein könnte ...

Beim Abendessen wurde viel und laut gelacht, als Anna und Jane ausführlich von der verrückten Hektik der vergangenen Woche berichteten. Und gegen Ende der Mahlzeit überraschte Anna uns damit, dass sie gegen ihr Glas klopfte.

Alle verstummten, und sie begann:

»Ich möchte gern einen Toast auf Mom und Dad ausbringen«, verkündete sie und hob ihr Glas. »Ohne euch zwei wäre das alles hier gar nicht möglich. Das wird die tollste Hochzeit, die man sich nur vorstellen kann.«

Noah war müde, und ich brachte ihn zurück nach Creekside. Die Flure im Heim waren bereits menschenleer, als ich ihn zu seinem Zimmer begleitete.

»Ich möchte mich noch einmal für das Buch bedanken«, sagte ich vor seiner Tür. »Ein schöneres Geschenk hättest du uns überhaupt nicht machen können.«

Seine Augen, deren Linsen vom grauen Star etwas eingetrübt waren, schienen durch mich hindurch zu blicken. »Gern geschehen.«

Ich räusperte mich. »Vielleicht ist sie ja morgen früh wieder da.«

Da er wusste, dass ich es gut meinte, nickte er mit einem traurigen Lächeln.

»Ja, vielleicht.«

Als ich nach Hause kam, saßen Joseph, Leslie und Anna immer noch am Tisch und unterhielten sich. Keith habe sich vor ein paar Minuten verabschiedet, sagten sie mir, und auf meine Frage, wo ihre Mutter abgeblieben sei, deuteten sie zum Deck. Leise öffnete ich die Schiebetür. Jane lehnte am Geländer. Ich trat zu ihr. Eine ganze Weile lang standen wir schweigend nebeneinander und atmeten die frische Sommerluft ein.

»Wie geht es ihm jetzt?«, fragte Jane schließlich.

»Ich denke, den Umständen entsprechend gut. Er war allerdings ziemlich erschöpft.«

»Meinst du, der Abend hat ihm gut getan?«

»Ganz bestimmt. Er ist unheimlich gern mit seinen Enkelkindern zusammen.«

Sie schaute nach drinnen. Was für eine zauberhafte Szene: Leslie gestikulierte lebhaft mit den Händen – offenbar gab sie gerade eine lustige Anekdote zum Besten –, Anna und Joseph bogen sich vor Lachen. Ihr Gelächter drang bis zu uns.

»Wenn ich die Kinder zusammensitzen sehe, kommen mir so viele Erinnerungen«, sagte Jane. »Ich wollte, Joseph würde nicht so weit weg wohnen. Die Mädchen vermissen ihn. Die drei sitzen jetzt schon fast eine Stunde um den Tisch herum und kichern die ganze Zeit.«

»Warum sitzt du nicht bei ihnen?«

»Ich war bis vorhin dabei. Aber dann habe ich die Scheinwerfer deines Wagens gesehen und hab mich davongeschlichen.«

»Weshalb?«

»Weil ich mit dir allein sein wollte«, sagte sie und stieß mich an. »Ich wollte dir dein Hochzeitstagsgeschenk geben, und du hast ja selbst schon gesagt – morgen wird es sicher ziemlich hektisch.« Sie überreichte mir einen Umschlag. »Ich weiß, es sieht nach nichts aus, aber es ist kein Geschenk, das man einpacken kann. Du wirst gleich verstehen, warum.«

Neugierig öffnete ich den Umschlag und fand darin einen Gutschein.

»Ein Kochkurs?« Ich war begeistert.

»In Charleston.« Jane kuschelte sich an mich, deutete auf die Karte und sagte: »Der Kurs ist angeblich etwas ganz Besonderes. Siehst du? Du verbringst ein Wochenende im Mondori Inn mit dem dortigen Chefkoch. Er gilt als der beste weit und breit. Ich weiß, du hast auch als Autodidakt schon erstklassige Gerichte gezaubert, aber es macht dir vielleicht Freude, ein paar neue Sachen auszuprobieren. So viel ich weiß, lernt man zum Beispiel, wie man ein Tranchiermesser benutzt oder woran man merkt, ob die Pfanne heiß genug ist, um etwas zu sautieren. Und außerdem wird einem beigebracht, wie man die Speisen garniert. Du kennst doch Helen – weißt du, vom Kirchenchor? Sie hat gesagt, für sie war dieser Kurs eins der schönsten Wochenenden ihres Lebens.«

Gerührt schloss ich Jane in die Arme und drückte sie. »Danke! Wann findet der Kurs statt?«

»Im September und im Oktober – immer am ersten und am dritten Wochenende im Monat – du kannst das Datum also ohne Probleme mit deinem Terminplan abstimmen. Dann brauchst du nur noch anzurufen.«

Ich studierte den Gutschein und versuchte, mir dieses Wochenende vorzustellen. Jane schien etwas verunsichert, weil ich so wenig sagte.

»Wenn es dir nicht gefällt, kann ich mir auch etwas anderes ausdenken.«

»Nein, nein, es ist genau das Richtige«, versicherte ich ihr, fügte dann aber mit gespielt besorgter Miene hinzu: »Allerdings gibt es ein kleines Problem.«

»Und das wäre?«

Ich schloss sie wieder in die Arme. »Ich fände es viel, viel schöner, wenn wir den Kurs gemeinsam machen würden. Was hältst du davon – wir könnten doch ein romantisches Wochenende daraus machen! Charleston ist um diese Jahreszeit ausgesprochen angenehm, und eine Stadtbesichtigung zu zweit macht auch wesentlich mehr Vergnügen.«

»Meinst du?«

Ich schaute ihr tief in die Augen. »Ich kann mir nichts Schöneres vorstellen. Außerdem würdest du mir unglaublich fehlen – ohne dich wäre es nicht halb so interessant.«

»Aber manchmal wächst die Liebe durch eine Trennung auf Zeit«, neckte sie mich.

»Kann ich mir nicht vorstellen«, entgegnete ich ernsthaft. »Du ahnst gar nicht, wie groß meine Liebe zu dir schon ist.«

»Ach, ich glaube doch, dass ich es ahne.«

Gerade, als ich mich zu ihr beugte, um sie zu küssen, merkte ich, dass die Kinder uns beobachteten. In der Vergangenheit hätten diese Blicke mich verlegen gemacht, aber jetzt ließ ich mich nicht beirren, und Jane erwiderte meinen Kuss voller Hingabe.

Kapitel 18

Ich war am Samstagmorgen längst nicht so nervös, wie ich erwartet hätte.

Anna kam vorbei, als wir alle schon aufgestanden waren und gerade frühstücken wollten. Sie verblüffte die ganze Familie mit ihrer heiteren Gelassenheit. Nach dem Frühstück ließen wir uns auf dem Deck nieder, um uns noch etwas zu entspannen, ehe der allgemeine Trubel losbrach. Es war die Ruhe vor dem Sturm – als würde die Zeit stillstehen.

Mehr als einmal spürte ich, wie Leslie und Joseph uns beobachteten. Offenbar wunderten sie sich darüber, dass ihre Eltern sich so gut verstanden, sich neckten und über die Geschichten des anderen fröhlich lachten. Leslie bekam sogar feuchte Augen, wie eine stolze Mutter, während Josephs Gesichtsausdruck nicht so leicht zu entschlüsseln war. Freute er sich für uns – oder überlegte er sich schon, wie lange diese Phase wohl anhalten würde?

Eigentlich war die Reaktion der beiden nur zu verständlich. Im Gegensatz zu Anna hatten sie uns in letzter Zeit nur selten zusammen erlebt, und wenn, dann mehr als reserviert. Als Joseph an Weihnachten hier gewesen war, hatten Jane und ich kaum ein Wort miteinander gewechselt. Und bei Janes Besuch in New York vor einem knappen Jahr war ihre Stimmung auch völlig anders gewesen.

Ob es Jane wohl auch auffiel, dass unsere Kinder uns verstohlen musterten? Ich glaube nicht – jedenfalls ließ sie sich nichts anmerken. Sie erzählte Joseph und Leslie begeistert von den Hochzeitsvorbereitungen, und man merkte ihr an, wie stolz sie darauf war, dass alles so hervorragend geklappt hatte. Leslie stellte hundert Fragen und geriet bei jeder Anekdote in Verzückung. Joseph schwieg, hörte jedoch ebenfalls sehr aufmerksam zu. Zwischendurch meldete sich Anna zu Wort, meistens, um eine Frage zu beantworten. Sie saß neben mir, und als Jane aufstand, um frischen Kaffee zu machen, blickte sie ihr versonnen nach, nahm meine Hand und flüsterte mir ins Ohr: »Ich kann's kaum erwarten!«

Die weiblichen Familienmitglieder hatten um ein Uhr einen Friseurtermin. Als sie aufbrachen, redeten sie alle durcheinander wie aufgeregte Schulmädchen. Mich hatten im Laufe des Vormittags sowohl John Peterson als auch Henry MacDonald angerufen und gefragt, ob ich mich noch einmal kurz mit ihnen treffen könne, am besten in Noahs Haus. Peterson hatte vor, den Klang des Klaviers auszuprobieren, während MacDonald die Küche und die Tische ganz genau inspizieren wollte, um beim Dinner für einen reibungslosen Ablauf sorgen zu können. Beide Männer versprachen, nicht zu viel von meiner Zeit in Anspruch zu nehmen, aber ich versicherte ihnen, es gebe keinen Grund zur Eile – zumal ich sowieso noch einmal zum Haus fahren musste. Ich wollte etwas hinbringen, was noch in Leslies Kofferraum lag.

Als ich gerade aufbrechen wollte, kam Joseph zu mir ins Wohnzimmer.

»Hey, Pop. Hast du was dagegen, wenn ich mitkomme?«

»Nein, im Gegenteil.«

Während der Fahrt schaute Joseph wie gebannt aus dem Fenster, sagte aber kaum ein Wort. Er war seit Jahren nicht mehr in Noahs Haus gewesen und wollte nun die Landschaft auf sich wirken lassen, die gewundenen, von Bäumen gesäumten Straßen. New York City war ein aufregendes Pflaster, und Joseph fühlte sich dort zu Hause – aber ich spürte, dass ihm bewusst wurde, wie traumhaft schön die Gegend hier war.

Ich drosselte das Tempo, bog in die Zufahrt ein und parkte an demselben Platz wie immer. Als wir ausstiegen, blieb Joseph einen Moment lang wie angewurzelt stehen. Das Haus leuchtete in der Sommersonne. In ein paar Stunden würden sich Anna, Leslie und Jane im oberen Stockwerk für die Hochzeit ankleiden. Die »Prozession«, wie man hier sagte, sollte vom Haus ausgehen. Nachdenklich schaute ich zu den Fenstern hinauf. So ganz konnte ich mir diese entscheidende Phase der Hochzeit, wenn alle Gäste schon auf ihren Plätzen saßen und warteten, noch nicht vorstellen.

Aber ich musste meine Tagträumereien abschütteln. Joseph wanderte schon in Richtung Zelt. Er hatte die Hände in den Taschen vergraben, sein Blick schweifte über das ganze Gelände. Am Zelteingang blieb er stehen und schaute sich suchend nach mir um.

Wir gingen schweigend durch das Zelt und durch den Rosengarten, dann betraten wir das Haus. Joseph ließ sich zwar nichts anmerken, aber er war mindestens so beeindruckt wie Leslie und Anna. Nachdem er alles gesehen hatte, wollte er wissen, wie wir es in so kurzer Zeit geschafft hatten, das Haus in diesen Zustand zu versetzen, jedes organisatorische Detail interessierte ihn, doch dann verstummte er wieder.

»Und? Wie findest du's?«, fragte ich ihn.

Er antwortete nicht sofort, aber um seine Mundwinkel spielte ein Lächeln. »Ehrlich gesagt – ich hätte nicht gedacht, dass du es schaffst!«

Ich wusste ja am besten, wie Haus und Garten noch vor ein paar Tagen ausgesehen hatten – deshalb staunte ich im Grund am allermeisten über das Ergebnis. »Schon verrückt«, murmelte ich.

Aber Joseph schüttelte den Kopf. »Ich meine nicht nur das Haus und das alles hier«, sagte er. »Ich rede von Mom.« Er suchte meinen Blick, um sich zu versichern, dass ich ihm auch wirklich zuhörte. »Als sie letztes Jahr zu mir nach New York kam, ging es ihr extrem schlecht. Ich war ganz erschrocken, als ich sie abholte. Schon bei der Ankunft am Flughafen ist sie in Tränen ausgebrochen. Hast du das gewusst?«

Meine betroffene Miene war Antwort genug.

Joseph vergrub die Hände noch tiefer in den Taschen und senkte den Blick, um mich nicht ansehen zu müssen. »Sie hat gesagt, sie will nicht, dass du sie in dieser Verfassung siehst, deshalb hätte sie sich zu Hause zusammengerissen, aber im Flugzeug – ich glaube, da sind dann einfach alle Dämme gebrochen.« Er machte eine Pause. »Sie hat ausgesehen, als käme sie direkt von einem Begräbnis. Bei meiner Arbeit bin ich ständig mit Schmerz und Trauer konfrontiert, aber wenn es die eigene Mutter betrifft ...«

Joseph schwieg, und ich war klug genug, keinen Kommentar abzugeben.

»Am ersten Abend konnte sie überhaupt nicht einschlafen, sie wollte mit mir reden und hat mir unter Tränen erzählt, was zwischen euch los ist. Und ich muss sagen – ich war ganz schön wütend auf dich. Nicht nur, weil du den Hochzeitstag vergessen hast. Nein, überhaupt und allgemein. Ich hatte das Gefühl, unsere Familie ist für dich nichts als ein netter Zeitvertreib und du kümmerst dich nur um uns, weil andere Leute es von dir erwarten. Ich habe zu Mom gesagt, wenn sie dermaßen unglücklich ist, wäre es vielleicht besser, wenn sie versuchen würde, allein zu leben.«

Was sollte ich dazu sagen?

»Mom ist eine tolle Frau, Pop«, fuhr Joseph fort. »Ich wollte nicht länger mit ansehen, wie sie leidet. Nach ein paar Tagen ging es ihr besser – jedenfalls ein bisschen. Aber der Gedanke, wieder nach Hause zu fahren, hat ihr richtig Angst gemacht. Ihr Gesicht wurde immer ganz traurig, wenn wir darüber sprachen. Schließlich habe ich sie direkt gefragt, ob sie lieber bei mir in New York bleiben würde. Eine Weile dachte ich, sie nimmt das Angebot an, aber dann hat sie gesagt, sie würde es nicht übers Herz bringen. Du brauchst sie, hat sie gesagt.«

Mir wurde immer elender zumute.

»Als du mir erzählt hast, was du für euren Hochzeitstag planst, war meine spontane Reaktion: Damit will ich nichts zu tun haben. Ich habe mich nicht besonders darauf gefreut, hierherzukommen, ehrlich gesagt. Aber gestern Abend ...« Staunend schüttelte er den Kopf. »Du hättest sie hören sollen, als du Noah nach Hause gebracht hast! Sie hat nonstop über dich geredet. Wie toll du dich verhalten hast und wie gut ihr euch in letzter Zeit verstanden habt und so weiter und so fort. Und dann, als ich sah, wie ihr euch auf dem Deck geküsst habt ...«

Mit ungläubiger Miene betrachtete mich mein Sohn, als würde er mich das erste Mal richtig wahrnehmen. »Du hast es geschafft, Pop. Ich weiß nicht, wie du es gemacht hast, aber ich habe Mom noch nie so glücklich erlebt, glaube ich.«

Pünktlich auf die Minute trafen Peterson und MacDonald ein, und wie versprochen, waren die Probleme im Handumdrehen abgewickelt. Ich brachte noch schnell das Paket aus Leslies Kofferraum nach oben. Auf dem Rückweg hielten wir vor dem Geschäft, wo man Smokings ausleihen konnte, und borgten einen für Joseph und einen für Noah. Ich setzte Joseph zu Hause ab und fuhr ohne ihn weiter nach Creekside, weil er vor den Feierlichkeiten auch noch etwas Wichtiges zu erledigen hatte.

Noah saß in seinem Sessel. Die Nachmittagssonne schien durch das Fenster, und als er sich umdrehte, um mich zu begrüßen, wusste ich sofort, dass der Schwan noch nicht zurückgekehrt war. Ich blieb im Türrahmen stehen.

»Hallo, Noah.«

»Hallo, Wilson«, erwiderte er kaum hörbar. Er sah aus, als wäre er über Nacht um Jahre gealtert.

»Wie geht's denn so?«

»Könnte besser sein«, antwortete er. »Könnte aber auch wesentlich schlechter sein.«

Er zwang sich zu einem Lächeln, als müsste er mich damit beschwichtigen.

»Können wir los?«

»Ja, klar.« Er nickte. »Ich bin so weit.«

Während der Fahrt verlor er kein Wort über den Schwan. Stattdessen starrte er nur aus dem Fenster, genau wie Joseph zuvor. Ich überließ ihn seinen Grübeleien. Doch trotz der gedrückten Stimmung wuchs meine Vorfreude, je näher wir zum Haus kamen. Ich konnte es kaum erwarten, Noah alles zu zeigen! Er vermochte besser als alle anderen einzuschätzen, welches Wunder da vollbracht worden war.

Komischerweise reagierte er überhaupt nicht, als er ausstieg. Er schaute sich nur wortlos um und zuckte dann die Achseln.

»Ich dachte, du hättest das Haus wieder in Ordnung gebracht«, sagte er.

Ich stutzte. Hatte ich richtig gehört?

»Ja, hab ich auch.«

»Was genau?«

»Alles! Komm, ich zeige dir den Rosengarten.«

Er schüttelte den Kopf. »Ich sehe ihn auch von hier ganz gut. Sieht doch aus wie immer.«

»Ja, jetzt vielleicht – aber du hättest ihn letzte Woche sehen sollen!« Ich hatte das komische Gefühl, mich verteidigen zu müssen. »Er war doch vollständig überwuchert. Und das Haus ...«

Noah unterbrach mich mit einem triumphierenden Grinsen.

»Ha! Reingefallen!« Er zwinkerte mir zu. »So, und jetzt zeig mir mal, was du gemacht hast.«

Wir begutachteten jeden Winkel von Haus und Garten, ehe wir uns in der Verandaschaukel niederließen. Uns blieb noch eine ungestörte Stunde, dann mussten wir uns in Schale werfen.

Joseph trug bereits seinen Smoking, als er kam. Ein paar Minuten nach ihm trafen Anna, Leslie und Jane ein, direkt vom Friseur. Die beiden Mädchen kicherten und gackerten die ganze Zeit und verschwanden schnell im oberen Stockwerk, ihre Kleider über dem Arm.

Jane blieb vor mir stehen. Verzückt sah sie ihren Töchtern nach.

»Vergiss nicht – Keith darf seine Braut nicht vor der Trauung sehen. Das heißt, du darfst ihn nicht nach oben lassen«, sagte sie dann zu mir.

»Ich passe auf«, versprach ich.

»Am besten lässt du überhaupt niemanden nach oben – es soll eine Überraschung sein.«

Ich hob zwei Finger zum Schwur. »Ich werde die Treppe unter Einsatz meines Lebens bewachen.«

»Das Verbot gilt auch für dich.«

»Das habe ich mir schon fast gedacht.«

Sie lachte. »Bist du aufgeregt?«

»Ein bisschen.«

»Ich auch. Ich kann es nicht fassen, dass unser kleines Mädchen jetzt erwachsen ist – und heiratet!«

Trotz aller Vorfreude klang sie wehmütig. Ich küsste sie zärtlich auf die Wange.

»Ich glaube, ich muss jetzt los und Anna helfen. Sie braucht jemanden, der ihr assistiert. Das Kleid sitzt ziemlich knapp. Und mich selbst muss ich auch zurechtmachen.«

»Ich weiß. Also, bis dann!«

Im Verlauf der nächsten Stunde traf als Erster der Fotograf ein, dann kam John Peterson, gefolgt von den Leuten des Catering Service. Sie alle wirkten kompetent und freundlich. Die Torte wurde geliefert und an die ihr zugedachte Stelle gebracht. Die Floristin erschien mit dem Brautstrauß und den Anstecksträußchen für alle. Noch vor der Ankunft der Gäste ging der Pfarrer die Zeremonie ein letztes Mal mit mir durch.

Wenig später fuhren die ersten Wagen vor. Noah und ich standen auf der Veranda und begrüßten die Gäste, ehe wir sie zum Zelt schickten, von wo Joseph und Keith die Damen zu ihren Plätzen geleiteten. John Peterson saß bereits am Klavier und spielte eine Toccata von Bach, deren klare Klänge die Abendluft erfüllten. Bald hatten alle Platz genommen, und auch der Pfarrer stand auf seinem Posten, während ich noch auf der vorderen Veranda wartete.

Als die Sonne langsam unterging, begann das Zelt geheimnisvoll zu leuchten. Im großen Wohnzimmer flackerten Kerzen auf den Tischen, und die Leute vom Catering Service eilten diskret hin und her, um letzte Vorbereitungen zu treffen.

Auf einmal begriff ich: Alles, was hier geschah, war Wirklichkeit. Um mich zu beruhigen, ging ich auf der Veranda hin und her. Noch eine knappe Viertelstunde, dann würde die Hochzeit beginnen. Hoffentlich hatten meine Frau und meine Töchter die Uhr im Blick! Ich versuchte mir einzureden, dass sie mit Absicht bis zur letzten Minute warteten, aber ich konnte mir nicht helfen – ich musste alle paar Minuten durch die offene Haustür zur Treppe spähen. Noah saß in der Verandaschaukel und beobachtete mich amüsiert.

»Du siehst aus wie eine Schießbudenfigur auf dem Jahrmarkt«, brummelte er. »Du weißt doch – manchmal haben die an den Schießständen solche Pinguine, die hin- und herlaufen.«

Ich versuchte, mich zu entspannen. »Ist es so schlimm?«

»Ich fürchte, die Verandadielen sind von deinen Wanderungen schon ganz dünn.«

Gerade wollte ich mich zu ihm setzen, als ich Schritte auf der Treppe hörte.

Noah hob die Hand, um zu signalisieren, dass er sitzen bleiben werde. Ich atmete tief durch und betrat das Haus. Mit gemessenen Schritten kam Jane die Treppe herunter, die Hand auf dem Geländer. Ich konnte die Augen nicht von ihr nehmen.

Was für ein hinreißender Anblick! Die Haare hatte sie hochgesteckt, das apricotfarbene Kleid lag hauteng an und unterstrich ihre makellose Figur, ihre Lippen leuchteten pink. Sie hatte gerade genug Make-up aufgetragen, um ihre dunklen Augen angemessen zu betonen. Als sie meinem Blick begegnete, blieb sie kurz stehen, um den Moment auszukosten.

»Du sieht ... fantastisch aus«, stammelte ich.

»Danke«, erwiderte sie leise.

Sie kam auf mich zu, ich ahnte schon den Duft ihres neuen Parfums, doch als ich sie auf den Mund küssen wollte, drehte sie den Kopf weg.

»Immer schön sachte, junger Mann«, sagte sie lachend. »Du verschmierst sonst noch meinen Lippenstift.«

»Ernsthaft?«

»Ja, ernsthaft.« Und als ich sie wenigstens kurz in die Arme schließen wollte, wehrte sie mich ebenfalls ab. »Wir können uns später umarmen – versprochen. Wenn ich vor Rührung in Tränen ausbreche, ist mein Make-up sowieso ruiniert.«

»Wo steckt Anna?«

Jane deutete mit einer Kopfbewegung zur Treppe. »Sie ist fertig, aber sie wollte noch etwas mit Leslie unter vier Augen besprechen. Ganz kurz nur, hat sie gesagt. Sicher ein kleiner Abschied unter Schwestern.« Sie lächelte verträumt. »Ich kann es kaum erwarten, bis du sie endlich in ihrem Brautkleid siehst! Ich glaube, ich habe noch nie eine so schöne Braut gesehen. Ist alles bereit?«

»John sitzt schon am Klavier. Wir brauchen ihm nur Bescheid zu sagen, und er legt los.«

Jane nickte. Sie wirkte plötzlich sehr nervös. »Wo ist Daddy?«

»Auf der Veranda«, beruhigte ich sie. »Mach dir keine Sorgen – alles ist in bester Ordnung. Jetzt müssen wir nur noch warten.«

Sie nickte wieder. »Wie spät ist es?«

Ich warf einen Blick auf meine Armbanduhr. »Genau acht.« Wahrscheinlich überlegte Jane schon, ob sie Anna holen sollte, doch da hörte man oben eine Tür. Wie auf Befehl schauten wir beide nach oben.

Leslie erschien als Erste. Bildschön, wie ihre Mutter. Sie eilte beschwingt die Stufen herunter, man merkte ihr die Vorfreude an. Der jugendliche Schimmer ihrer Haut wirkte betörend. Auch ihr Kleid war in

Apricot gehalten, aber im Gegensatz zu Jane hatte sie ein ärmelloses ausgewählt, wodurch ihre durchtrainierten und doch grazilen Oberarme wunderbar zur Geltung kamen.

»Sie kommt gleich!«, rief sie. »Es kann sich nur noch um Sekunden handeln.«

Joseph trat durch die Haustür und stellte sich neben seine Schwester. Jane hakte sich bei mir unter, und ich stellte erstaunt fest, dass meine Hände zitterten. *Jetzt kommt der große Augenblick*, dachte ich. Als wir hörten, dass sich die Tür oben wieder öffnete, erschien auf Janes Gesicht ein seliges Lächeln.

»Gleich ist es so weit!«, flüsterte sie.

Ja, Anna näherte sich der Treppe – aber meine Gedanken waren nur bei Jane. Während sie sich aufgeregt an mich schmiegte, spürte ich, dass ich sie noch nie so geliebt hatte wie jetzt. Ich konnte vor Freude gar nicht sprechen, mein Mund war wie ausgetrocknet.

Bei Annas Erscheinen riss Jane entsetzt die Augen auf. Sie war sprachlos, wie erstarrt. Anna, die damit gerechnet hatte, beschleunigte ihren Schritt. Merkwürdigerweise hielt sie einen Arm hinter dem Rücken, als wollte sie etwas verbergen.

Das Kleid, das sie trug, war nicht das, in dem Jane sie noch vor ein paar Minuten gesehen hatte. Nein, sie hatte sich blitzschnell umgezogen, nachdem ihre Mutter gegangen war. Dieses »neue« Kleid hatte ich am Morgen ins Haus gebracht und es in einem Kleidersack oben in einen der leeren Schränke gehängt. Es war das Zwillingsmodell zu Leslies Kleid.

Ehe Jane ein Wort über die Lippen brachte, stand Anna schon vor ihr und zeigte ihr, was sie hinter dem Rücken versteckt hatte.

»Hier – ich finde, du solltest den tragen.«

Als Jane den Brautschleier in Annas Hand sah, blinzelte sie ein paar Mal verdutzt, weil sie ihren Augen nicht traute. »Was geht hier vor sich?«, fragte sie verwirrt. »Wieso hast du dein Hochzeitskleid wieder ausgezogen?«

»Weil ich gar nicht heirate«, erklärte Anna mit einem übermütigen Grinsen. »Jedenfalls *noch* nicht.«

»Was redest du für einen Unsinn?«, rief Jane empört. »Selbstverständlich heiratest du ...«

Anna schüttelte den Kopf. »Heute ist nicht meine Hochzeit, Mom, sondern *deine*.« Sie schwieg, um die Worte wirken zu lassen. »Was denkst du wohl, warum ich immer darauf bestanden habe, dass du alles aussuchst?«

Jane schien gar nicht zu begreifen, was Anna ihr da mitteilte. Sie blickte von Anna zu Joseph zu Leslie, um in ihren strahlenden Gesichtern eine Antwort zu suchen. Schließlich wandte sie sich an mich.

Ich nahm ihre Hand und führte sie an meine Lippen. Ein Jahr voller Pläne, ein Jahr voller Geheimnisse – und nun war es endlich so weit. Zärtlich küsste ich ihre Finger, einen nach dem anderen.

»Du hast gesagt, du würdest mich ein zweites Mal heiraten, stimmt's?«

Auf einmal war es, als stünden wir ganz allein hier unten an der Treppe in Noahs Haus. Nur noch Jane und ich. Mit feuchten Augen schaute sie mich an, und ich dachte an all die Dinge, die ich im vergangenen Jahr heimlich arrangiert hatte – Urlaub genau zum richtigen Zeitpunkt, der Fotograf und der Catering Service, die exakt am gewünschten Wochenende »zufällig« einen Termin freihatten, Hochzeitsgäste ohne Reisepläne, Handwerker, die es einrichten konnten, das Haus in wenigen Tagen zu renovieren.

Es dauerte eine Weile, bis Jane den Schock überwunden hatte, aber nach und nach dämmerte ihr, was hier gespielt wurde. Und als sie begriff, worum es an diesem Wochenende tatsächlich ging, schüttelte sie ungläubig den Kopf.

»Meine Hochzeit?«, hauchte sie kaum hörbar.

Ich nickte. »Die Hochzeit, die ich dir vor langer Zeit schon hätte schenken sollen.«

Jane wollte natürlich sofort sämtliche Einzelheiten erfahren, aber ich unterbrach sie und nahm Anna den Brautschleier ab, den sie immer noch in der Hand hielt.

»Ich erzähle dir alles beim Empfang«, versprach ich und setzte Jane vorsichtig den Schleier auf. »Die Gäste werden schon ungeduldig. Joseph und ich werden vorn beim Pfarrer erwartet, das heißt, ich muss mich vorübergehend von dir verabschieden. Vergiss den Brautstrauß nicht!«

»Bitte ... warte!«, flehte Jane.

»Ich kann leider nicht bei dir bleiben«, sagte ich liebevoll. »Du weißt doch – ich darf dich eigentlich vor der Trauung gar nicht sehen! Aber es sind ja nur ein paar Minuten.«

Ich spürte die Blicke der Gäste, als Joseph und ich in Richtung Laube strebten. Gleich darauf standen wir neben Harvey Wellington, den ich gebeten hatte, die Trauungszeremonie zu übernehmen.

»Du hast die Ringe, stimmt's?«, fragte ich Joseph.

Er klopfte sich auf die Brusttasche seines Smokings. »Da sind sie, Pop. Ich hab sie vorhin auftragsgemäß abgeholt.«

Im Westen versank langsam die Sonne hinter den Bäumen, der Himmel verfärbte sich grau. Mein Blick wanderte über die Gäste. Ich hörte ihr gedämpftes Flüstern, und mich überkam ein tiefes Gefühl der Dankbarkeit. Kate, David und Jeff saßen mit ihren Ehepartnern in der ersten Reihe, direkt hinter ihnen saß Keith, und dann kamen die Freunde, die Jane und mich all die Jahre hindurch – also praktisch unser ganzes Leben lang – begleitet hatten. Ich war jedem einzelnen von ihnen zu Dank verpflichtet, denn ohne ihre Hilfe und Unterstützung hätte ich es nie geschafft, dieses Fest heimlich zu organisieren. Manche hatten mir Fotos für das Album geschickt, andere hatten mir geholfen, genau die richtigen Leute zu finden, mit denen ich meinen Hochzeitsplan in die Tat umsetzen konnte. Aber meine Dankbarkeit ging weit über diesen konkreten Anlass hinaus. In Zeiten wie diesen schien es fast unmöglich, darauf zu hoffen, dass jemand ein Geheimnis hütete, aber voller Enthusiasmus hatten sie sich alle mein Vorhaben zu Eigen gemacht und eisern geschwiegen, und nun hatten sie sich hier versammelt, um mit uns diesen wichtigen Augenblick in unserem Leben zu feiern.

Ganz besonders aber wollte ich Anna danken. Hätte sie sich nicht einverstanden erklärt, ihre Rolle zu spielen, wäre mein Plan von vornherein zum Scheitern verurteilt gewesen. Ganz leicht war es ihr bestimmt nicht gefallen, dauernd aufzupassen, dass sie sich nicht verplapperte, und gleichzeitig dafür zu sorgen, dass Jane mitmachte. Auch für Keith war es eine Belastung gewesen, aber er hatte sich hervorragend bewährt – bestimmt gab er eines Tages einen erstklassigen Schwiegersohn ab. Und wenn die beiden dann tatsächlich heiraten würden, wollte ich Anna genau die Hochzeit ermöglichen, die sie sich erträumte, ohne Rücksicht auf die Kosten.

Auch Leslie war unglaublich hilfreich gewesen. Sie war es, die Jane überredet hatte, in Greensboro zu übernachten, und sie war extra noch in die Boutique gefahren, um das Kleid für Anna abzuholen. Und immer wieder hatte ich sie angerufen, um sie zu fragen, wie ich die Hochzeit noch schöner, noch romantischer gestalten könnte. Dafür war sie genau die Richtige. Von ihr stammte beispielsweise auch der Vorschlag, Harvey Wellington und John Peterson zu fragen, ob sie nicht mitmachen wollten.

Und dann natürlich Joseph! Anfangs war er verständlicherweise relativ skeptisch gewesen, als ich ihm meinen Plan unterbreitete. Doch dann hatte er sich schließlich überzeugen lassen und sich genauso engagiert wie alle anderen auch – und das wusste ich sehr zu schätzen. Jetzt, während wir gemeinsam in der Laube auf Jane warteten, legte er mir die Hand auf die Schulter und flüsterte:

»Hey, Pop?«

»Ja?«

»Ich wollte dir nur sagen, dass es mir eine große Ehre ist, als dein Trauzeuge zu fungieren.« Er grinste, aber ich sah ihm an, wie bewegt er war.

»Danke«, murmelte ich. Mehr brachte ich vor lauter Ergriffenheit nicht heraus.

Die Hochzeit war genauso, wie ich sie mir in meinen Träumen ausgemalt hatte. So viele unvergessliche Eindrücke! Die gedämpfte Aufregung unter den Gästen, während wir auf die Braut warteten, die entzückten Gesichter, als meine Töchter den Gang entlangkamen, die ersten Akkorde des »Hochzeitsmarschs«, zu dem Jane, am Arm ihres Vaters, auf mich zuschritt.

Sie trug den Schleier und sah überhaupt aus wie eine wunderschöne junge Braut, mit ihrem Strauß aus Tulpen und kleinen Rosen, den sie an sich drückte. Sie schien zu schweben, so leicht war ihr Schritt. Noah strahlte über das ganze Gesicht – kein Vater hätte stolzer sein können.

Am Ende des Gangs angekommen, blieben die beiden stehen, und Noah hob vorsichtig den Schleier. Er küsste Jane auf die Wange, flüsterte ihr etwas ins Ohr und nahm dann neben Kate in der ersten Reihe Platz. Manche der weiblichen Gäste griffen schon zu dem Taschentüchern, um die ersten Tränen wegzutupfen.

Harvey sprach als Eröffnung der Zeremonie ein feierliches Dankgebet. Dann forderte er Jane und mich auf, vor ihn zu treten, während er von Liebe und Treue sprach und davon, dass jeder Tag ein neuer Anfang sei, mit allen Freuden und Mühen. Während seiner Ansprache drückte Jane immer wieder meine Hand und ließ meinen Blick nicht los.

Schließlich reichte mir Joseph das Kästchen mit den Ringen. Für Jane hatte ich zu diesem Hochzeitstag einen funkelnden Diamantring ausgewählt, für mich selbst ein Duplikat meines Eherings, dessen Glanz die Hoffnung auf eine strahlende Zukunft zu symbolisieren schien.

Wir erneuerten unser Ehegelöbnis und steckten einander die Ringe an. Als es hieß, ich könne die Braut nun küssen, brach ein Blitzlichtgewitter los, es wurde gejubelt und laut Beifall geklatscht.

Der Empfang dauerte bis Mitternacht. Das Essen schmeckte vorzüglich, und John Peterson bewies sich wieder einmal als genialer Pianist. Jedes unserer drei Kinder brachte einen Toast aus, und auch ich ergriff das Wort, um mich bei allen Anwesenden für ihre Unterstützung zu bedanken. Auf Janes Gesicht lag die ganze Zeit ein glückseliges Lächeln.

Nach der Mahlzeit schoben wir ein paar Tische beiseite, damit man noch besser tanzen konnte. Jane und ich wollten gar nicht mehr aufhören. Zwischendurch löcherte sie mich mit Fragen, die mich selbst in der vergangenen Woche immer wieder beschäftigt hatten.

»Was wäre passiert, wenn jemand dein Geheimnis verraten hätte?«

»Die Frage erübrigt sich – alle haben den Mund gehalten.«

»Aber wenn nicht?«

»Keine Ahnung. Meine Hoffnung war, dass du denken würdest, du hättest dich verhört. Oder dass du es mir einfach nicht zutrauen würdest, so etwas Verrücktes zu planen.«

»Du hast vielen Leuten vertraut.«

»Das stimmt. Und ich bin froh, dass sie mich nicht enttäuscht haben.«

»Ich auch. Das ist der schönste Abend meines Lebens. Vielen Dank, Wilson. Für alles.«

Ich drückte sie voller Liebe an mich. »Gern geschehen.«

Als es auf Mitternacht zuging, machten sich die Gäste nach und nach auf den Heimweg. Zum Abschied schüttelten sie mir die Hand und umarmten Jane. Als Peterson schließlich den Klavierdeckel schloss, bedankte sich Jane überschwänglich bei ihm. Spontan küsste er sie auf die Wange. »Um nichts in der Welt hätte ich dieses Fest verpassen wollen.«

Harvey Wellington und seine Frau waren die letzten, die sich verabschiedeten. Jane und ich traten mit ihnen hinaus auf die Veranda. Jane dankte Harvey dafür, dass er die Trauung übernommen hatte, doch er schüttelte lächelnd den Kopf. »Keine Ursache! Es gibt nichts Beglückenderes, als an einer so wunderschönen Feier teilnehmen zu dürfen. Denn genau darin liegt doch das Wesen der Ehe.«

Jane lächelte ebenfalls. »Sie müssen bald zu uns zum Essen kommen. Ich rufe Sie an!«

»Das würde mich freuen.«

Die Kinder hatten sich alle um einen Tisch versammelt und gingen gemeinsam die Ereignisse noch einmal durch, aber sonst war es still im Haus. Jane setzte sich zu ihnen. Ich trat hinter sie und ließ meinen Blick durch den Raum schweifen. Plötzlich fiel mir auf, dass Noah verschwunden war.

Wo steckte er? Den ganzen Abend über war er ungewöhnlich ruhig gewesen. Womöglich war er auf der hinteren Veranda, um ein bisschen für sich sein zu können. Dort hatte ich ihn nämlich kurz zuvor angetroffen. Dachte er an den Schwan? Oder bekümmerte ihn sonst etwas? Es war ein langer Tag gewesen, und ich hätte ihn jetzt gern nach Creekside zurückgebracht. Aber als ich auf die Veranda trat, konnte ich ihn nirgends sehen.

Ich wollte gerade wieder ins Haus zurückgehen, um die Zimmer im ersten Stock nach ihm abzusuchen, da entdeckte ich eine einsame Gestalt am Flussufer. Ich weiß nicht, wieso mir aus der Entfernung überhaupt etwas auffiel – vielleicht hatte ich unbewusst wahrgenommen, dass sich etwas bewegte, denn in seinem Smoking verschmolz Noah mit der dunklen Landschaft.

Sollte ich seinen Namen rufen? Nein, lieber nicht – aus irgendeinem Grund hatte ich das Gefühl, dass er keine Aufmerksamkeit auf sich lenken wollte. Aber ich war neugierig, und nach kurzem Zögern machte ich mich auf den Weg zu ihm.

Über mir leuchteten die Sterne, die Luft war abgekühlt, man atmete die satten Gerüche des Low Country. Meine Schritte knirschten auf dem Kies, aber schon bald ging ich über Gras. Das Gelände wurde abschüssig, und ich hatte Schwierigkeiten, in dem dichter werdenden Gestrüpp voranzukommen. Wie hatte Noah das geschafft? Warum war er überhaupt hier?

Er wandte mir den Rücken zu. Ich hörte, dass er leise sprach, ein zärtlicher Singsang. Eine Sekunde lang dachte ich, er meine mich – aber das war unmöglich, denn er hatte mich ja noch gar nicht bemerkt.

»Noah?«

Erschrocken drehte er sich um. Es dauerte eine Weile, bis er mich in der Dunkelheit erkannte, doch dann entspannte er sich.

»Ich habe dich gar nicht gehört. Was machst du hier draußen?«

Ich grinste. »Die Frage sollte ich wohl besser dir stellen.«

Darauf ging er nicht ein, sondern deutete mit einer Kopfbewegung zum Haus. »Du hast wirklich ein grandioses Fest organisiert, ich muss schon sagen! Du hast dich selbst übertroffen! Jane konnte vor Glück gar nicht aufhören zu lächeln.«

»Danke.« Und nach einer kurzen Pause fügte ich hinzu: »Hast du dich auch wohl gefühlt?«

»Ich habe mich sogar sehr wohl gefühlt.«

Wir schwiegen beide, bis ich schließlich doch meine Standardfrage stellte:

»Wie geht's denn so?«

»Könnte besser sein – könnte aber auch wesentlich schlechter sein.«

»Ehrlich?«

»Ja – ehrlich.«

Als er meine fragende Miene sah, fühlte er sich doch zu einer Erklärung veranlasst. »Es ist eine herrliche Nacht. Ich wollte sie einfach noch ein bisschen genießen.«

»Hier draußen?«

Er nickte.

»Warum?«

Nachträglich finde ich, dass ich es mir hätte denken können, aber in dem Moment kam ich wirklich nicht darauf.

»Ich habe gewusst, dass sie mich nicht verlassen hat«, sagte er schlicht. »Und ich wollte mit ihr reden.«

»Mit wem?«

Noah schien meine Frage nicht gehört zu haben. »Ich glaube, sie ist einfach zur Hochzeit gekommen.«

Da begriff ich endlich, was er mir sagen wollte. Ich schaute aufs Wasser, konnte aber nichts entdecken. Mir wurde ganz beklommen ums Herz, ja, ich bekam fast Angst. Hatten die Ärzte mit ihrer Diagnose womöglich doch Recht? Vielleicht hatte Noah tat-

sächlich Wahnvorstellungen – oder war die Hochzeitsfeier in seinem ehemaligen Haus für ihn eine
Überforderung gewesen? Ich wollte ihn gerade überreden, mit mir ins Haus zurückzugehen, da geschah
etwas, was mir die Sprache verschlug.

Auf dem Fluss erschien wie aus dem Nichts die
Schwänin. Majestätisch glitt sie über das mond-
helle Wasser, ihre Federn leuchteten wie Silber. Ich
schloss die Augen, um das Bild zu vertreiben – das
konnte nicht wahr sein, bestimmt bildete ich es mir
nur ein! –, aber als ich sie wieder öffnete, zog die
Schwänin immer noch ihre Kreise, und plötzlich
musste ich lächeln. Noah hatte Recht. Ich konnte mir
nicht erklären, wie und warum sie hierher gekommen
war, aber ich hatte nicht den geringsten Zweifel, dass
sie es war. Ich hatte die Schwänin mehr als hundert
Mal gesehen, und selbst aus der Ferne sah ich deutlich den kleinen schwarzen Fleck auf ihrer Brust,
direkt über ihrem Herzen.

Epilog

Nun stehe ich auf unserer Veranda. Es ist Herbst, ich finde die kühle Abendluft angenehm belebend, und wieder einmal denke ich an unser Hochzeitsfest. Ich sehe alles deutlich vor mir, jede Einzelheit, und genauso lebhaft erinnere ich mich an all das, was in dem Jahr nach dem vergessenen Hochzeitstag geschehen ist.

Es ist ein eigenartiges Gefühl, dass nun alles vorbei ist. Die Vorbereitungen haben so lange meinen Alltag beherrscht, so oft habe ich mir ausgemalt, wie alles ablaufen wird, dass es mir vorkommt, als hätte ich den Kontakt zu einem alten Freund verloren, in dessen Gegenwart ich mich immer sehr wohl gefühlt habe. Doch dadurch, dass ich diesen Erinnerungen nachgegangen bin, habe ich die Antwort auf die Frage gefunden, die ich mir stellte, als ich das erste Mal hier draußen stand.

Ja, ich bin davon überzeugt, dass sich ein Mensch ändern kann.

Die Ereignisse des vergangenen Jahres haben mich sehr viel über mich selbst gelehrt – und mir außerdem die Tür zu einigen universellen Wahrheiten geöffnet. Ich habe beispielsweise gelernt, dass wir denen, die wir lieben, oft achtlos Wunden zufügen und dass es meist sehr schwierig ist, diese Wunden zu heilen. Doch andererseits hat der Heilungsprozess mir die reichsten Erfahrungen meines Lebens geschenkt, er hat mich zu der Erkenntnis geführt, dass ich zwar häufig überschätze, was ich an einem Tag zu schaffen vermag, dafür aber unterschätze, was ich innerhalb eines Jahres bewirken kann. Vor allem jedoch habe ich eines gelernt: Es ist möglich, dass sich zwei Menschen wieder ineinander verlieben, trotz aller Enttäuschungen, die das Leben mit sich bringt.

Ich bin mir nicht sicher, was ich von der Sache mit dem Schwan – oder der Schwänin – halten soll, und ich gestehe auch, dass es mir bis heute nicht leicht fällt, romantisch zu sein. Es ist ein täglicher Kampf mit mir selbst, und ein Teil von mir fragt sich, ob es mir je gelingen wird. Aber was macht das schon? Ich halte mich an das, was Noah mich gelehrt hat, an seine Lektionen über die Liebe und wie man sie lebendig hält. Vielleicht werde ich nie ein richtiger Romantiker wie Noah, aber ich kann es immer wieder versuchen.

DANKSAGUNG

Sich zu bedanken ist immer schön,
Ich will's mir nicht nehmen lassen.
Doch bin ich kein Dichter, das muss ich gestehn,
Drum verzeiht, falls die Reime nicht passen.

Als Erste sind meine Kinder dran,
Die ich so inniglich liebe:
Miles, Ryan, Landon, Lexie, Savannah –
euch allen sei Dank!
Weiß kaum, wo ich ohne euch bliebe.

Wer hilft mir immer? Theresa!
Und Jamie lässt nie mich im Stich,
Wenn ich weiß, die beiden sind da,
Dann ist alles gut für mich.

Denise bringt die Filme zuwege,
Richard und Howie verhandeln,
Dank auch an Scotty, er schließt die Verträge –
Ich hoffe, das wird sich nie wandeln.

Danke an Larry, den Kumpel, den Boss,
An Maureen, immer schlau und gut drauf,
An Emi, Jennifer, Edna – wie machen die's bloß,
Dass es klappt mit dem Bücherverkauf?

Da sind noch sehr viele, die dafür sorgen,
Dass mein Leben so spannend und schön ist:
Familie und Freunde –
Ihr seid mir das Wichtigste, heute wie morgen,
Und ich möchte, dass ihr das auch wisst!